Alexa
Und drauß

Alexandra Cordes

Und draußen sang der Wind

Roman

Lizenzausgabe mit Genehmigung des Franz Schneekluth Verlages, München
für die Deutsche Buch-Gemeinschaft
C. A. Koch's Verlag Nachf., Berlin · Darmstadt · Wien
Diese Lizenz gilt auch für die Bertelsmann Club GmbH, Gütersloh
die Europäische Bildungsgemeinschaft Verlags-GmbH, Stuttgart
die Buchgemeinschaft Donauland Kremayr & Scheriau, Wien
und die Buch- und Schallplattenfreunde GmbH, Zug/Schweiz
© 1978 by Franz Schneekluth Verlag, München
Schutzumschlag: Studio Laeis
Umschlagfoto: E. Bach/Mauritius
Gesamtherstellung: May & Co. Nachf., Darmstadt
Printed in Germany · Buch-Nr. 08274 3

1

Zwischen den Bäumen schwangen die Lampions sanft im Wind, der vom Fluß herüberstrich und den Duft der Rosen von jenseits des Rasens hochtrug. In der Taxusnische stimmte die Drei-Mann-Band ihre Instrumente. Auf der Terrasse kontrollierte Lisa, das Mädchen, noch einmal das kalte Büfett, und aus der Halle klangen gedämpft die Stimmen der ersten Gäste herauf.

Renate Jansen lächelte zufrieden vor sich hin. Es würde ein schöner Abend werden.

Sie schloß das Fenster und kehrte zu ihrem Toilettentisch zurück.

Sie betrachtete ihr Gesicht im Spiegel; es war das Gesicht einer glücklichen Frau.

Ja, sie war glücklich. Sie war sechsundzwanzig Jahre alt, jung, schön und reich. Sie besaß den Mann, den sie liebte, und den fünfjährigen Peter, ein lebhaftes, gesundes Kind. Sie hatte alles, was das Leben zu vergeben hat.

Sie tupfte einen Hauch Grün auf ihre Lider, so daß dies ihre Augen noch größer erscheinen ließ.

Sie wandte sich lächelnd um, als Richard eintrat.

»Fertig?« fragte er.

»Wie gefalle ich dir?« Langsam schritt sie auf ihn zu.

»Du siehst wunderbar aus, wie immer.«

Sie trug ein enges, weißes Spitzenkleid. Es war hochgeschlossen und ließ nur ihre sonnengebräunten Arme frei. Ihr Haar fiel weich und silbrig auf die Schultern. Sie hatte nur ihre Augen geschminkt, damit sie die schmalen Wangen und den empfindsamen Mund beherrschten.

»Du siehst auch wunderbar aus.« Renate lächelte. »Ich mag es, wenn du ein Dinnerjacket trägst.«

Sie schloß die Augen, als seine Hand ihren Hals berührte.

»Es ist fast lächerlich, daß ich nach sieben Jahren noch so verliebt in dich bin – und vor allem in meinem Alter«, murmelte er, »mit sechsundvierzig Jahren . . .«

»Das finde ich aber nicht – im Gegenteil«, sagte sie und schmiegte ihre Wange an seine Wange.

»Ich wünschte, wir könnten die Party noch absagen!«

»Ich auch.«

»Komm, jetzt müssen wir wirklich vernünftig sein und hinuntergehen.« Richard löste sanft ihre Hände von seinem Nacken.

»Einige Gäste sind schon da.«

Renate kämmte noch einmal ihr Haar und nahm dann Richards Arm.

»Weißt du«, sagte sie und blieb mitten auf der Treppe stehen, welche sich in die Halle hinabschwang. »Ich bin so glücklich, daß ich manchmal Angst habe, es könnte irgend etwas geschehen, was dieses Glück zerstört.«

»Nein«, erwiderte Richard ruhig, »es wird nie etwas geschehen.« Von ihm ging eine solche Zuversicht aus, daß sie auch Renate erfaßte. Sie vergaß daher auch sehr schnell ihre plötzliche, unbegründete Angst, daß er einmal nicht recht behalten könnte.

Zu ihrer Gesellschaft waren all ihre Freunde gekommen, denn am nächsten Tag wollte Richard für einige Wochen nach Amerika fliegen, um dort ein Zweigwerk seiner Batix-Chemie-GmbH zu errichten.

Da waren sein bester Freund, Christian, und das englische Ehepaar Matthews, das Richard noch aus seiner Oxforder Zeit kannte. Da waren der Regierungsrat Schneider und seine zierliche, kränkliche Frau, die mit abgöttischer Liebe an dem kleinen Peter Jansen hing, weil sie selbst keine Kinder bekam.

Da waren der Chefchemiker Berthold aus Richards Werk mit seiner blutjungen, hübschen Frau und Katrin, Renates langjährige Freundin. Und es kamen noch ein paar Herren mit ihren Damen, Geschäftsfreunde von Richard, die Renate weniger gut kannte. Sie tanzte zuerst mit Richard, dann mit Christian und den anderen Herren. Sie lud zum kalten Büfett ein und überwachte Lisa, welche die Getränke reichte.

Renate blieb glücklich bis zu jenem Augenblick, als sie neben Richard an der Bar ein wenig ausruhte.

Die Türglocke ertönte, und Richard sagte: »Das wird sicher Steinweg sein. Übrigens ein Bildhauer, den ich vor ein paar Tagen bei seiner Ausstellung kennengelernt habe. Hat lange in Amerika gelebt.«

Der Name Steinweg sagte Renate in diesem Augenblick gar nichts. Sie verstand ihn auch nur halb, da die Band mit einem Cha-Cha-Cha begann.

Renate setzte ihr Glas ab und folgte Richard in die Halle. »Ich freue mich, daß Sie gekommen sind«, hörte sie Richard sagen und den anderen antworten:»Ich freue mich ebenfalls.« Noch verbarg die Portiere, welche die Diele von der Halle trennte, den neuen Gast, noch war es nur ein vager Schreck, der Renate durchzuckte, als sie seine Stimme hörte. Dann führte Richard Steinweg in die Halle.

Und Renate stand dort, mitten auf den schwarzweißen Steinfliesen. Da war nichts, an dem ihre Hände Halt suchen konnten, da gab es nichts, hinter dem sie ihr Gesicht verbergen konnte.

Lächeln, dachte sie krampfhaft, so lächle doch endlich – Renate spürte, wie sich ihre Lippen verzogen, daß ihre Mundwinkel zitterten.

»Ich möchte dir Herrn Steinweg vorstellen«, sagte Richard.

Renate lächelte, sagte:»Guten Abend.« Aber ihre Stimme war seltsam hoch und fremd. Sie streckte die Hand aus, spürte den festen Druck der schmalen Rechten und riß die ihre schnell zurück. Dann erst wagte sie, ihn anzusehen.

Kurt Steinweg sah aus wie damals. Er sah aus, als seien keine sieben Jahre seit jenem letzten Abend mit ihm vergangen, als sie ihm gesagt hatte, daß sie Richard heiraten werde. Sein Gesicht war schmal, der Mund überraschend voll und die Augen hell und durchsichtig. Nur sein Haar trug er anders, kürzer geschnitten; das war das einzige, was sich verändert hatte.

»Kommen Sie, wir wollen zu den anderen gehen«, sagte Richard,»außerdem bin ich sehr gespannt, was Sie mir von drüben zu erzählen haben.«

»Du mußt mich eine Sekunde entschuldigen«, bat Renate rasch,»du weißt, das Mädchen ist neu.«

Sie wartete Richards Antwort nicht ab, schritt schnell davon in die Küche.

»Ist etwas nicht in Ordnung?« fragte Lisa, die gerade frische Gläser auf einem Tablett ordnete.

»Doch, doch«, sagte Renate.»Ich brauche nur ein Mineralwasser. Holen Sie es mir bitte aus dem Keller.«

Renate setzte sich auf einen Stuhl, erhob sich aber gleich wieder, lief unruhig auf und ab.

Ich will nicht daran denken. Es ist Vergangenheit, seit sieben Jahren Vergangenheit. Ich habe es vergessen. Auch er hat es vergessen. Er hat mich nicht einmal wiedererkannt. Aber sie wußte, daß sie sich selbst belog.

Lisa kam zurück und öffnete die Flasche für sie. Renate beachtete es nicht, ging hinaus.

In der Halle war es dunkel.

Renate tastete nach dem Lichtschalter.

»Renate.« Steinweg stand neben ihr.

Ihre Hand fiel herunter. Seine Hand griff danach.

Renate riß sich los.

»Wie kommst du hierher?«

»Ich muß mit dir sprechen«, sagte er.

»Nein.«

Renate lief davon, gelangte atemlos auf die Terrasse. Suchte ihren Mann mit den Augen, fand ihn nicht. Dafür bat Christian sie zum Tanz.

»Du bist so blaß«, sagte er. »Müde?«

»Nein, nein«, erwiderte sie.

Christian drückte leicht ihre Rechte. »Andere Sorgen?« Er blickte sie mit der Aufmerksamkeit des alten, sehr guten Freundes an.

»Es ist nichts, bestimmt.«

»Deine Augen sind voll ungeweinter Tränen«, sagte er.

»Der Schriftsteller geht mit dir durch«, entgegnete sie.

»Bestimmt?«

»Ja.« Aber Renate wußte, daß er ihr nicht glaubte.

Der langsame Walzer verklang, und die Band setzte mit einer Rumba erneut ein.

»Christian, laß uns etwas trinken«, bat sie.

Aber da verbeugte sich Steinweg vor ihr. »Darf ich um diesen Tanz bitten?«

»Ich möchte mich etwas ausruhen, verzeihen Sie.« Renate nahm Christians Arm und schritt mit ihm zur Bar.

»Sag mal, wer ist denn das?« fragte Christian, während er ihr einen Cognac einschenkte.

Sie zuckte mit der Schulter. »Ich kenne ihn nicht. Ein Bekannter von Richard.«

»Du magst ihn nicht?«

Renate zögerte nur den Bruchteil einer Sekunde. »Nein«, erwiderte sie dann fest, »und ich mag es auch nicht, daß Richard Unbekannte einlädt, ohne mich zu fragen.«

»Warum sagst du ihm das nicht? Er tut doch alles, was du möchtest.«

»Ja, das tut er wirklich«, sagte Renate. Sie hob ihr Glas und nickte Richard lächelnd zu, der mit Katrin tanzte. Heute abend, wenn alle fort sind, werde ich Richard sagen, wer Steinweg ist. Dann wird er ihn nicht mehr einladen, und ich brauche ihn nicht mehr zu sehen, dachte sie, und das Vertrauen in ihr Glück kehrte zurück.

Renate tanzte und lachte wieder, als sei nichts geschehen. Aber da waren Steinwegs Augen, durchsichtig bernsteinfarben, wie die eines Raubtiers, welche sie verfolgten. Er ging als einer der letzten Gäste.

Die Party war vorüber. Die einzigen Geräusche, die noch an sie erinnerten, waren das gedämpfte Klappen und Klirren aus der Küche, wo Lisa aufräumte.

Renate und Richard saßen im Salon bei einem letzten Glas.

»Du siehst müde aus«, sagte er. »Laß uns nach oben gehen.«

Renate erhob sich aus ihrem Sessel. Sie schwankte ein wenig und mußte sich am Kaminsims festhalten.

»Gib mir noch einen Schluck Cognac«, sagte sie, »denn ich muß dir erzählen, wer . . .« Sie verstummte, hielt ihm ihr Glas entgegen. Der schwere Kristallbecher rutschte ihr aus der Hand. Richard konnte ihn gerade noch auffangen.

»Du hast ein bißchen viel getrunken«, sagte er ruhig. »Laß uns jetzt Schluß machen.«

»Ich muß dir noch was erzählen«, beharrte sie.

»Das hat doch bestimmt bis morgen Zeit.«

»Sieh mich nicht so an, sieh mich nicht so an«, murmelte sie.

»Bitte«, Richard umfaßte ihre Taille, »laß uns hinaufgehen, Renate.«

»Jaja, ist schon gut.« Die Worte kamen undeutlich über ihre Lippen. »Ich tu ja alles, was du willst, alles . . .«

Renate ließ es geschehen, daß er sie durch die Halle führte, die Treppe hinauf. In ihrem Zimmer trug Richard sie zum Bett, begann sie auszuziehen.

»Zähneputzen«, verlangte Renate, »ich muß noch die Zähne putzen.«

Richard half ihr wieder hoch.

»Laß mich«, murmelte sie, »ich bin doch nicht betrunken.«
Ein zweitesmal an diesem Abend sah Renate ihr Gesicht im
Spiegel. Aber diesmal war es weiß vor Ratlosigkeit.

»Ich bin nicht betrunken«, sagte sie zu Richards grauen Augen, die sie aufmerksam und ein wenig hilflos beobachteten.
Renate streckte die Hand aus, ohne sich umzudrehen, und
legte sie auf seine Lippen. »Glaub mir. Ich bin nicht betrunken.
Ich bin nur müde.«

Renate stellte die Zahnbürste in das Glas zurück, ohne sie benutzt zu haben.

»Ich bin sehr müde und sehr traurig«, sagte sie mit klarer
Stimme zu seinem Gesicht, das neben ihr in der glänzenden Fläche des Spiegels schwamm.

Und dann warf Renate sich herum, mit einer so plötzlichen, jähen Bewegung warf sie sich gegen Richard, daß er fast taumelte.

»Fahr nicht weg. Bitte, bleib hier. Verlaß mich nicht. Bitte, laß
mich nicht allein. Du darfst es nicht tun. Hörst du, Richard, ich
ertrage es nicht.« Sie begann mit einemmal zu weinen. Das
Schluchzen schüttelte sie, und sie ergab sich ihm, hoffte, es
würde alles lösen, die dünnen Fäden der Trunkenheit in ihrem
Hirn und die harten, atemabschnürenden Seile der Erinnerung
an jenen Abend vor sieben Jahren, als sie Kurt Steinweg verlassen hatte.

»Renate, bitte, nimm dich zusammen.« Richard trug sie wieder
zum Bett, deckte sie zu, fast väterlich besorgt, und richtete sich
dann auf.

»Geh nicht fort.« Renate griff nach seiner Hand, klammerte
sich daran. »Bitte«, flüsterte sie, »wenn du fährst, dann nimm
mich mit. Laß mich nicht allein zurück.«

»Was ist nur mit dir?« fragte er. Seine Augen forschten in ihrem Gesicht. »Du warst schon den ganzen Abend so sonderbar.
Ich hoffe, daß unsere Gäste es nicht bemerkt haben.«

»Unsere Gäste«, wiederholte sie bitter. Ihre Augen schlossen
sich zu schmalen Schlitzen. »Unsere Gäste sind dir wohl wichtiger als ich.«

»Du bist nicht gerecht, Renate.«

»Und du behandelst mich wie ein Kind.«

»Du benimmst dich beinahe so.«

»Aber ich bin kein Kind mehr. Und ich hasse die zwanzig Jahre Altersunterschied, die dir das Recht geben, mich so zu behandeln.«

»Renate, sei doch vernünftig.«

Sie fuhr hoch. »Oh, ich weiß, ich weiß«, schrie sie ihn an. »Ich bin ungerecht, undankbar, nicht wahr? Ich bin unverschämt! Was tust du nicht alles für mich und meine Familie! Aus was für Verhältnissen hast du mich schließlich zu dir emporgezogen, nicht wahr? Aus einer miesen Kleinbürgerküche, aus einem elenden Leben, wo das Geld noch nicht einmal bis zum Fünfzehnten reichte, wo der Vater . . .«

»Renate!«

Sie verstummte, starrte ihn mit weit geöffneten Augen an, dann sank sie zurück.

»Verzeih mir«, bat sie leise. »Das hast du wirklich nicht verdient.« Sie wandte ihr Gesicht zur Seite, konnte ihn jetzt nicht mehr ansehen.

»Ich habe dir so etwas noch niemals vorgehalten«, sagte Richard ruhig, »ich habe es noch nicht einmal gedacht.«

»Wirklich nicht?«

»Wollen wir heute abend streiten? Soll unser letzter Abend für Wochen einen solchen Abschluß finden?« Richard erhob sich und verließ langsam das Zimmer. Zum erstenmal sah sie an seinem Gang, daß er kein junger Mann mehr war.

Renate lag reglos still.

Mein Gott, dachte sie, was habe ich ihm angetan? Warum muß ich ihn verletzen? Richard, den ich liebe, der immer nur gut zu mir war? Und nur, weil ich Steinweg wiedergesehen habe, den ich vergessen wollte, den ich vergessen hatte?

Sie nahm nicht einmal den Morgenmantel, lief auf nackten Füßen durch das Bad, das Ankleidezimmer, verharrte mit wildschlagendem Herzen vor Richards Tür. Klinkte sie auf, öffnete sie.

Das Zimmer war von matter Helligkeit erfüllt. Auf dem Schreibtisch brannte die schlankfüßige Meißner Lampe.

Vor dem Tisch saß Richard. Er hatte sein Dinnerjacket und die Krawatte abgelegt. Seine Rechte bedeckte einen Bogen weißen Papiers mit eiligen Schriftzügen.

»Richard?«

Seine Hand lag still. Langsam wandte er sich um.

»Ich wollte dich um Verzeihung bitten«, sagte sie.

Richard nickte nur.

»Es tut mir leid, daß ich mich so benommen habe.«

»Es ist schon vergessen«, sagte er.

»Wirklich?« Zögernd trat sie näher.

Diesmal klammerte Renate sich stumm an ihn, als er zu ihr kam, stumm vor Verzweiflung, weil sie ihm nicht sagen konnte, was sie bedrückte, womit sie nicht fertig wurde.

»Ich liebe dich doch«, sagte er leise, und seine Hände streichelten ihr Haar. »Ich liebe dich, so wie du bist, und so etwas wie heute abend darfst du nie wieder sagen oder denken, das mußt du mir versprechen.«

»Ja.« Sie nickte.

»Und nun gehst du schön schlafen, ja?«

»Mußt du noch arbeiten?« fragte sie.

»Ich komme bald«, versprach er.

Renate hatte seine Vergebung gefunden – wie immer. Sie fand seine Liebe – wie immer. Sie fand auch sein Begehren und seine Zärtlichkeit, niemals abgenutzt, niemals verbraucht, stets aufs neue entzündet in den tausend Nächten ihrer erfüllten Sehnsucht.

Und Renate vergaß ihre Angst, vergaß, daß dies vielleicht die letzte glückliche Nacht war, weil ihre Vergangenheit zum Leben erwacht war. Sie versank in tiefen, erlösenden Schlaf. Erst gegen Morgen schreckte sie hoch, als ein Sommergewitter den Himmel mit schwarz-gelben Tigerfarben überzog.

Auch an jenem Abend vor sieben Jahren hatte es ein Gewitter gegeben. Es hing schon den ganzen Tag über der Stadt und füllte die Drei-Zimmer-Wohnung mit stickiger Schwüle.

Kurt Steinweg erwartete Renate, als sie aus den Batix-Werken kam, wo sie seit einigen Monaten als Sekretärin arbeitete.

»Du hier?« fragte Renate überrascht, während sie Handtasche und Handschuhe auf den Garderobentisch der Diele warf. Sie ging in die Küche und nahm sich eine Cola aus dem Kühlschrank.

Kurt trat neben sie an den Tisch. Renate trank durstig und sah ihn an.

»Wo ist Mutter?« fragte sie.

»Einkaufen«, erwiderte er. »Sie macht heute abend Kartoffelsalat – vielleicht weil ich ihn so gern esse?« Höhnisch stieß er das letzte hervor.

Und dann riß er Renate das leere Glas aus der Hand und warf es durch die Küche gegen die Wand, in jäh aufbrechender Wut, die bernsteinfarbenes Feuer in seinen Augen entfachte.

Renate wich vor ihm zurück. »Was ist denn mit dir los?«

Kurt faßte sie bei beiden Schultern, schüttelte sie. »Warum muß ich es von deiner Mutter erfahren? Warum hast du es mir nicht selbst gesagt. Warum . . . warum . . .?«

Sie hielt ganz still, stand so regungslos, daß er sie losließ.

»Warum?« fragte Kurt noch einmal mit normaler Stimme.

»Ich wollte es dir heute abend sagen.«

»Sieh einmal an – das wolltest du wirklich?« Seine Augen ließen sie nicht los.

Renate nickte stumm.

»Du hast gesagt, du liebst mich.« Seine Stimme war heiser. »Hundert-, tausendmal hast du es mir gesagt. Du hast mir geschworen, daß du mich immer lieben wirst, und dann kommt einer, der fährt einen großen Wagen, hat jede Menge Geld, kann dir all das bieten, was ich nicht kann. Und da liebst du mich plötzlich nicht mehr. Da bin ich dir plötzlich gleichgültig. Ein Dreck bin ich – der Student ohne Monatswechsel, in der Freizeit Babysitter und Mädchen für alles. Was ist das auch schon – nichts!«

»Es tut mir leid, daß du es so siehst«, sagte sie. »Und es tut mir leid, daß du es von anderen erfahren hast . . .«

»Deine Mutter hat es mir erzählt«, unterbrach Kurt sie, »und weißt du auch warum? Weil sie wahrscheinlich Mitleid mit mir hat!«

Renate konnte seine Augen nicht mehr ertragen. Sie drehte sich zum Fenster, vor dem der Regen einen gläsernen Vorhang wob, und dann sagte sie es ihm:

»Ich werde Richard Jansen heiraten.«

Es war lange still, sehr lange, und er stand immer noch dort am Tisch, mit hängenden Armen in dem hellbraunen Sommerjackett, das sie vor drei Monaten mit ihm zusammen ausgesucht hatte.

»Kurt?«

Er wandte ihr das Gesicht zu, seine Augen waren wie ausgewaschen.

»Ja?« fragte er.

»Mit uns, das ist –« Aber Renate konnte es nicht aussprechen, sie konnte ihn nicht noch mehr verletzen. Sie war erst neunzehn Jahre alt, und es war ihre erste Liebe, die hier starb, die sie tötete. »Ich will hier raus«, schrie sie Kurt an, »ich will endlich aus allem hier raus. Verstehst du das nicht? Was hab' ich denn bisher vom Leben gehabt? Eine frohe Kindheit? Such sie hier in der stickigen Bude, du wirst sie nicht finden! Hier hat's immer nur nach Krankheit gerochen, nach Krankheit und Armut, solange mein Vater lebte. Und heute – da bezahle ich das Sanatorium für meinen kranken Bruder. Was mir bleibt im Monat, geht für den Haushalt drauf, denn meine Mutter kann nicht mehr als arbeiten. Putzen geht sie, das hat sie ihr Leben lang getan. Meine arme Mutter – meinst du, ich möchte so werden wie sie? Mein ganzes Leben lang nichts anderes tun als nur schuften, schuften und noch einmal schuften! Und dann wir beide – es war schön mit uns, ja! Aber was soll denn aus uns werden? Bis du mit deinem Studium fertig bist . . .«

»Vergehen noch fünf Jahre«, sagte er.

»Und in diesen fünf Jahren soll es so weitergehen wie in den beiden letzten? Heimliche Rendezvous, wenn deine Wirtin im Kino oder wenn Mutter einmal nicht da ist? Und die ewige Angst, daß ich – daß ich ein Kind bekommen könnte? Was dann, was tun wir dann? Sag es mir doch!«

»Ich weiß es nicht«, sagte Kurt, »ich weiß nur eines: Du verkaufst dich an einen alten Kerl nur des Geldes wegen. Weißt du, wie man so etwas nennt?«

Renate schwieg. Sie war sehr blaß, aber ihre Augen hielten seinem Blick stand.

»Dirne«, sagte er, nur dieses eine Wort. Dann ging er.

Ein halbes Jahr später heiratete sie Richard Jansen. Und sie tat es, weil sie ihn liebte.

Renate starrte zum Fenster hinüber, wo der Wind die Gardinen zu weißen Segeln blähte. Dahinter schwamm nun wieder der Himmel im dunstigen, morgendlichen Blau.

Sieben Jahre lang hatte sie ihre Vergangenheit vergessen. Sieben Jahre lang hatte sie nicht ein einzigesmal an Kurt Steinweg gedacht.

Aber nun mußte sie an ihn denken, weil sie ihn wiedergesehen hatte. Und in dieser einsamen Stunde zwischen Nacht und Morgen überschattete die Vergangenheit drohend die glückliche Gegenwart.

Renate drehte den Kopf und sah Richard an, der neben ihr schlief. Der Mann, mit dem sie verheiratet war, ihr Mann, den sie liebte.

Sein Gesicht war ihr zugewandt, und seine Hand lag auf ihrer Hüfte.

»Hilf mir, Richard«, flüsterte sie, »bitte, hilf mir doch.« Aber er hörte sie nicht.

Renate war fertig angezogen und hatte gefrühstückt, als Richard aus dem Werk zurückkam. Er sah ausgeruht und ausgeschlafen aus wie stets. Sie selbst fühlte sich zerschlagen und erschöpft wie nach einer schlaflosen Nacht, aber sie versuchte es hinter einem Lächeln zu verbergen.

»Nun, kann der Chef verreisen?« fragte sie.

»Ja«, er lachte, »ich glaube, die sind sogar ganz froh, daß sie mich einmal für ein paar Wochen los sind. Ich hab' auch gerade bei Peter reingeschaut. Er ist natürlich ganz aufgeregt und will unbedingt mit zum Flughafen. Und du?« fragte er dann, während er ihr in die Jacke ihres hellgrünen Kostüms half, »wieder alles in Ordnung?«

»Natürlich«, erwiderte sie, »ich habe mich gestern abend schrecklich dumm benommen.«

Richard nahm sie in seine Arme. Sie verbarg ihr Gesicht an seiner Schulter.

»Ich fahre nicht zu meinem Vergnügen«, sagte er, »ich wünschte wirklich, ich könnte dich mitnehmen. Denn ich werde in den nächsten Wochen genauso einsam sein wie du.« Seine Hände streichelten ihren Rücken. »Aber es geht nicht anders, das weißt du doch.«

»Natürlich«, murmelte sie.

Richard hob ihr Gesicht und küßte sie sanft auf den Mund. »Wenn ich wiederkomme, machen wir drei Urlaub – wo du willst, ja?«

Renate nickte, wandte sich dann schnell ab, damit er die Tränen nicht sehen sollte, die ihr in die Augen schossen.

Anderthalb Stunden später stand sie auf dem Flughafen. Sie hielt Peter an der Hand und starrte hinaus auf die Rollbahn, über der noch der Frühdunst lag.

»Mami, warum winkst du denn nicht?«

Peter zappelte an ihrer Hand, während er aufgeregt sein Taschentuch flattern ließ.

Richard schritt als letzter die Gangway hinauf, wandte sich noch einmal um, zog seinen Hut, winkte ihnen zu.

»Du brauchst doch nicht zu weinen, Mami, er kommt doch wieder«, sagte Peter, und ein paar der Umstehenden lächelten, denn seine Kinderstimme hob sich klar über die gedämpften Geräusche der Wartehalle.

Renate wandte sich ab, noch ehe Richard in der Maschine verschwunden war. Und da sah sie Kurt.

Er stand in der Nähe des Zeitungskiosks und blickte ihr entgegen.

Sie faßte Peters Hand fester. »Komm!« Sie zog ihn mit sich aus der Wartehalle ins Restaurant, schritt schnell hindurch, erreichte den Seitenausgang, lief zum Parkplatz hinüber.

»Warum müssen wir uns denn so beeilen?« wollte Peter wissen.

»Onkel Herbert kommt doch heute zurück«, sagte sie.

»Au fein«, rief Peter, »dann laß uns mal losbrausen.«

Er kletterte in das Kabriolett. Sie schloß die Türen, gab dem Parkwächter ein Zweimarkstück. Sie wartete nicht auf das Wechselgeld, fuhr los.

Renate fuhr so rasch durch den Ort, wie es der Verkehr zuließ, bog dann auf die Landstraße ein, welche durch die Rodener Heide führte. Sie trat das Gaspedal ganz durch, blickte in den Rückspiegel. Die Straße spulte sich leer hinter ihnen ab. Unwillkürlich atmete sie auf.

»Mami, du rast aber!« jauchzte Peter und hielt sich feixend am Griff des Armaturenbretts fest. Der Fahrtwind zerrte in seinen kurzen blonden Haaren.

Rechts und links der Straße erstreckte sich die Rodener Heide. Sie war zerklüftet und aufgewühlt von den Militärfahrzeugen, die hier ihre Übungen abhielten. Darüber wölbte sich ein seidig glatter, blauer Himmel. Ein paar Pappeln und Birken, dünnstämmig und schräg gegen den Wind gewachsen, reckten ihre Zweige der blassen Sonne entgegen.

Leeres, einsames Land, so weit sie sehen konnte. Aber weit hinter ihnen tauchte ein grüner Porsche auf.

Renate trat wieder das Gaspedal durch, aber der Porsche holte auf.

Renate bog in einen Feldweg ein, wollte abkürzen. Der Wagen holperte über Schlaglöcher, durch Pfützen. Sie mußte die Fahrt drosseln, wieder zurück auf die asphaltierte Landstraße. Renate fuhr das Kabriolett ganz aus, aber der grüne Wagen holte ständig auf. Sie konnte Kurt erkennen, wie er über dem Steuerrad hockte. Er war jetzt knapp hinter ihnen, dann auf gleicher Höhe, überholte sie.

Der Porsche schlingerte in einer Lehmspur, bremste und stand dann vor ihnen mitten in der Straße. Renate brachte ihren Wagen knapp dahinter zum Halten.

Sekundenlang konnte sie sich nicht bewegen. Ihre Knie zitterten.

Peter war sehr blaß. Ein paarmal setzte er zum Sprechen an. »Ist das eine Polizei?« fragte er mit einer dünnen, angstvollen Stimme.

»Nein«, sagte sie, »im Gegenteil. Bleib hier sitzen, ich seh' mal nach, wer dieser Verrückte ist.«

Renate stieg aus, ging zu dem Porsche hinüber.

Kurt hatte die Scheibe heruntergekurbelt und machte Anstalten auszusteigen.

»Bleib, wo du bist.« Renate faßte nach dem Türgriff und blockierte ihn. »Was fällt dir ein«, sagte sie, »uns so zu hetzen.«

»Ich muß dich sprechen.«

»Du bist wohl wahnsinnig.« Sie beugte sich vor, sah Kurt fest an. »Hör zu, ich will nichts mehr mit dir zu tun haben. Ich habe ein Kind, einen Mann, den ich liebe, und du bist mir vollkommen egal. Was vor ein paar Jahren zwischen uns geschehen ist, das ist vorbei, tote Vergangenheit. Und jetzt fahr weiter, und laß mich in Ruhe.«

»Du weichst mir nur aus«, sagte er. »Du hast ja Angst vor mir.«

»Du bist verrückt«, sagte sie kalt.

Er schüttelte lächelnd den Kopf. »Beweise es mir, daß ich unrecht habe. Komm heute abend zum Martinsplatz. Ich erwarte dich um sieben bei den Parkuhren. Und vergiß nicht – ich bin der einzige, der weiß, warum du deinen Mann geheiratet hast – wegen des Geldes.« Kurt trat die Kupplung durch, warf den Gang ein, und der Wagen schoß davon, ehe sie noch etwas erwidern konnte.

Renate ging langsam zu ihrem Kabriolett zurück.

Neugierig und immer noch ein wenig angstvoll blickte Peter sie an. »Wer war das, Mami? Sag doch mal, was wollte der denn?«

»Nichts«, entgegnete sie. »Ein Verrückter war das, nichts weiter.« Ihre Hände waren ganz ruhig, als sie sich eine Zigarette anzündete.

»Schade, daß Papi nicht bei uns war, der hätte ihm die Meinung gesagt, nicht?«

»Jaja.« Sie nickte und fuhr dem Jungen mit der Hand durch das kurze blonde Haar. »Aber deine Mami schafft das auch allein.«

Langsam fuhr sie weiter, hielt dann an einem Gartenrestaurant. »Weißt du, was wir jetzt tun?« fragte sie und hob Peter aus dem Wagen. »Wir beide essen noch ein riesengroßes Eis.«

»Prima.« Peter strahlte, und Renate war sicher, daß er den Zwischenfall mit Kurt schon vergessen hatte.

Während sie Peter zusah, wie er zwei doppelte Vanilleeis mit Schlagsahne vertilgte und dabei munter über all das plapperte, was ein Kind interessiert, vergaß auch sie Kurt, genoß ganz die Gegenwart. Hier saß sie, mit ihrem Sohn, der sich freute, daß sie so viel Zeit für ihn hatte. Es war ein warmer, heller Sommertag, und es würde nichts geschehen, was ihn verdunkelte.

Am selben Mittag kehrte ihr Bruder Herbert von einem einjährigen Sanatoriumsaufenthalt in Davos zurück.

Renate war gerade in der Halle und ordnete wachsgelbe Gladiolen in eine Vase, als sie den Wagen vorfahren hörte.

Eine seltsame Scheu hielt sie davon ab, ihm entgegenzugehen. Sie erwartete ihn im Schatten des Eingangs.

Herbert entstieg als erster dem schwarzen Chrysler. Er richtete sich langsam auf, und Renate erschrak, wie mager er geworden war.

Herbert umfaßte das weiße, efeuberankte Haus und die rote Kiesauffahrt mit einem Blick, wie jemand, der schon alle Hoffnung aufgegeben hat, zurückzukehren. Renate sah die roten Flecken auf der pergamentbleichen Haut seiner Wangen und wie sich sein Mund zusammenpreßte.

»Es ist schön, wieder zu Hause zu sein«, sagte er zu ihrer Mutter, die nun ebenfalls aus dem Wagen gestiegen war.

Mit einem Aufschluchzen lief Renate hinaus. Sie umschlang ihren Bruder mit beiden Armen. »Ich bin ja so froh, daß du wieder da bist«, stammelte sie, »mein Gott, bin ich froh.«

»Aber deswegen weint man doch nicht«, sagte er mit seiner tiefen, ruhigen Stimme. Er umfaßte ihre Schultern und schritt langsam zwischen ihr und der Mutter die vier Stufen zum Haus hoch.

»Gladiolen.« Er lächelte. »Wie schön, daß ihr daran gedacht habt.«

Und dann sprang Peter ihm entgegen.

»Peter«, rief Herbert, »Junge . . .« Die Stimme versagte ihm. Ein trockener Husten schüttelte ihn.

»Herbert, komm, dein Zimmer ist schon vorbereitet«, bat Renate.

»Ja, Junge, du mußt dich etwas ausruhen.« Die Stimme der Mutter zitterte.

Peter blieb an Herberts Seite, bestürmte ihn mit tausend kindlichen Fragen, wie hoch der höchste Berg in Davos sei und ob er ihm ein Paar Skier mitgebracht hätte . . .

Es krampfte Renate das Herz zusammen, als sie bemerkte, wie sehr Herbert sich zusammennehmen mußte, um halbwegs verständlich zu antworten.

Als sie dann sagte: »Peter, nun geh brav wieder zu Martha«, erhob Herbert keinen Einspruch, obwohl er mit zärtlicher Zuneigung an seinem kleinen Neffen hing.

»Ich mach' dir einen Tee, Herbert, einen Kamillentee. Du sollst sehen, dann fühlst du dich gleich besser«, sagte ihre Mutter. Sie ging so schnell hinaus, als sei sie froh, dem Anblick des kranken Sohnes zu entkommen.

Herbert hatte sich in seinem Zimmer auf der Liege gegenüber vom Fenster ausgestreckt.

Renate breitete eine Decke über ihn.

»Wie geht es dir?« fragte er und faßte nach ihrer Hand. Die seine war sehr heiß und trocken. Es war Renate, als könne sie unter der dünnen Haut die einzelnen Knochen ertasten.

»Es geht mir gut«, antwortete sie und hörte selbst, wie heiser ihre Stimme klang.

»Du bist doch glücklich?« fragte er.

Renate nickte stumm.

»Es war gut, daß du Richard geheiratet hast. Manchmal habe ich gefürchtet ...«

»Richard läßt dich herzlich grüßen«, unterbrach sie ihn schnell. »Weißt du, er konnte seine Reise wirklich nicht verschieben. Schon für morgen ist die erste Konferenz in New York angesetzt.«

»Ich hätte ihn gern noch einmal gesehen«, sagte Herbert langsam.

»Herbert«, bat sie, »sag so etwas nicht.«

Er lächelte, drückte ihre Hand und ließ sie dann los. »Es ist nicht so schwer, wie du glaubst, sich an den Gedanken zu gewöhnen, daß man sterben wird.«

»Du darfst dich nicht selbst aufgeben. Sieh mal, du könntest doch wieder in ein Sanatorium fahren, wenn es nötig wäre. Und sie hätten dich doch bestimmt nicht entlassen, wenn du nicht wieder gesund wärest!«

»Jaja«, er nickte, »du hast ja recht.«

Ihre Mutter kam zurück und trug vorsichtig ein Tablett vor sich her. Sie setzte es auf einen kleinen Tisch, rückte diesen neben die Liege. Sie goß eine Tasse Tee ein, gab einen Löffel Zukker hinzu, rührte um, kostete den Tee und reichte ihn Herbert.

In diesen wenigen Augenblicken sah Renate sich um Jahre zurückversetzt, wieder in der Wohnküche mit den verblichenen Vorhängen, ihr Vater lag auf dem Sofa, ihre Mutter reichte ihm den Tee, mit der gleichen liebevollen Sorgfalt – mehr hatte sie nicht für ihn tun können.

Es stieg Renate heiß in die Kehle, und sie wußte, sie konnte sich nicht mehr zusammennehmen. Sie brachte noch nicht einmal eine Entschuldigung zustande, lief einfach hinaus.

Oben in ihrem Zimmer warf sie sich auf das Bett. Sie vergrub das Gesicht in den Kissen. Sie weinte haltlos, verzweifelt, unglücklich.

»Renate?«

Sie fuhr herum.

Ihre Mutter stand in der Tür, kam schnell zum Bett.

»Kind, was ist denn?« Hilflos sahen die blassen, blauen Augen der alten Frau die Tochter an. »Ist etwas passiert?«

»Nein, Mutter«, sagte Renate. Sie fuhr sich mit dem Handrükken über die Wange, strich ihre Haare aus der Stirn.

»Ich hab' mir gestern abend schon solche Sorgen gemacht.«
Ihre Mutter senkte unwillkürlich die Stimme. Vorsichtig setzte
sie sich auf den Bettrand, als gehöre sie nicht hierher. »Hattest du
Streit mit Richard? Es ist doch nichts Ernstes?«

»Gestern?« fragte Renate verständnislos.

»Ja«, die alte Frau nickte, »nach eurer Party.«

»Aber nein, Mutter«, sagte Renate, »wir hatten keinen Streit.«
Sie spürte, wie wieder Tränen in ihre Augen traten, und sie
konnte nichts dagegen tun.

»Warum weinst du dann, heute, wo wir doch alle so froh sein
müssen, daß Herbert wieder da ist?«

»Ich bin ein bißchen mit den Nerven fertig«, wich Renate aus.
Sie stand auf und ging zum Toilettentisch. Sie nahm achtlos die
Haarbürste auf, zog sie in automatischen Strichen durch ihr
Haar. Dann fragte sie: »Glaubst du, daß Herbert wieder gesund
wird?« Aber sie hatte nicht den Mut, sich umzudrehen und ihre
Mutter anzusehen.

»Ich bete für ihn«, sagte diese leise, »wie für dich und Richard.« Sie ging still hinaus, wie sie gekommen war und wie sie
alles tat.

Renate blieb allein zurück. Langsam trat sie zum Fenster und
blickte hinaus in den Garten, wo Brand, der alte Gärtner, das erste welke Laub von den Wegen harkte.

Meine Mutter kann nichts weiter tun als beten, dachte Renate,
aber ich? Was tue ich schon, damit unser aller Glück, unsere Zufriedenheit erhalten bleiben?

Ihr Bruder hatte gesagt: Ich bin froh, daß du Richard geheiratet hast – und sie wußte, daß er dabei an Kurt Steinweg dachte,
den einzigen Menschen, den Herbert vielleicht haßte.

Wenn Kurt nun anruft, mir schreibt, mir auflauert, wenn er
mich nicht in Ruhe läßt? Irgendwann würden Herbert oder Mutter es erfahren, irgendwann müßten sie aufmerksam werden.
Steinweg war zu allem fähig. Das hatte sie in jenen zwei Jahren
erfahren, als sie immer wieder vergeblich versucht hatte, sich aus
seiner dämonischen Anziehungskraft zu befreien. Er konnte
auch zu Richard gehen und behaupten, sie habe ihn nur seines
Geldes wegen geheiratet. Was konnte sie dann noch tun?

In diesem Augenblick beschloß Renate, Kurt noch an diesem
Abend zu treffen, um eine mögliche Gefahr für ihr Glück und
ihre Zufriedenheit für immer zu bannen.

Renate fuhr mit dem Taxi in die Stadt. Sie trug einen dunkelblauen Mantel und ein dunkelblaues Kopftuch. Niemand hätte in ihr die Frau des erfolgreichen Industriellen Jansen vermutet.

Am Martinsplatz stieg sie aus. Kurt erwartete sie auf dem Parkplatz.

»Du bist also doch gekommen.« Seine Stimme klang gleichzeitig verwundert und zufrieden.

Wortlos stieg Renate in seinen Wagen.

»Wo fahren wir hin?« fragte er.

»Dahin, wo uns niemand zusammen sehen kann.«

»Angst vor dem Gerede der Leute?«

»Nenn es, wie du willst. Aber mit dir möchte ich keinesfalls gesehen werden.«

»Ich bin kein mittelloser Student mehr«, sagte Kurt, »und auch kein Säufer und Herumhänger, sondern ein anerkannter Bildhauer. Du brauchst dich meiner nicht zu schämen.«

»Fahr los«, sagte sie.

Kurt lenkte den Wagen von dem Parkplatz. Stumm fuhren sie durch die Stadt, über die Rheinbrücke, bogen in Richtung Flughafen ab.

Der Himmel war grün mit violetten Rändern, und im Westen versank die Sonne hinter dem schwarzen Wall des Waldes.

Die Räder des Wagens knirschten über einen sandigen Weg. Weit und breit war nichts als brockiges, flaches Land.

»Halt hier an«, sagte Renate.

»Gedulde dich noch einen Augenblick.« Kurt bog in eine kleine Ortschaft ab, fuhr die Dorfstraße entlang, zwischen den niedrigen Fachwerkhäusern hindurch, vorbei an einer Kneipe, aus der lautes Freitagabend-Gegröle drang.

Hinter dem Dorf führte der Weg eine Weile durch den Wald. Die Dämmerung war schon in die Nacht getaucht, als sie vor einem langgestreckten Bungalow hielten. Er lag mitten auf dem flachen, öden Land der Heide.

Kurt lenkte den Wagen in die Einfahrt.

»Was soll das?« fragte sie.

»Ich wohne hier.« Kurt stieg aus, kam um den Wagen herum, hielt ihr die Hand entgegen. Sie beachtete sie nicht, blieb sitzen.

»Willst du nicht aussteigen?« fragte er.

»Wozu? Das, was wir zu bereden haben, können wir hier genausogut tun.«

»Hast du etwa Angst, in mein Haus zu kommen?«

»Natürlich nicht.«

Kurt lächelte, als sie ausstieg.

Er ging ihr voran, schloß die Haustür auf, knipste das Licht an.

Es war ein großer, hoher Raum, den sie betraten. Weiße und braune Felle bedeckten die roten Fliesen. Von weißen Wänden grinsten düster indianische Masken, eine weiße Frauenplastik leuchtete beinahe durchsichtig vor einem roten Wandbehang. Ein aus Feldsteinen gemauerter Kamin nahm fast die ganze eine Seite des Raumes ein, davor standen, locker gruppiert, eine schwarze Ledercouch und gelbe Sessel.

»Erinnerst du dich?« fragte Kurt.

Renate stand noch auf der Schwelle und Kurt nahe hinter ihr. Sie konnte seinen Atem an ihrer Wange spüren, als er sprach.

»Woran sollte ich mich erinnern?« fragte sie und wich einen Schritt zur Seite.

»Wir haben einmal einen Film gesehen, es war im Roxi. Ich weiß nicht mehr, wie er hieß, aber Kirk Douglas spielte die Hauptrolle. Du meintest damals, ich sähe ihm ähnlich.« Kurt lachte leise. »In diesem Film gab es einen Raum wie diesen hier, und wir sagten, solch einen Wohnraum wollten wir auch einmal haben – in unserem Haus.« Er lachte jetzt nicht mehr, und zum erstenmal sah sie, daß zwei scharfe Falten seine Mundwinkel kerbten.

»Komm, schau es dir an.« Kurt ging ihr voran. »Die Masken habe ich aus Mexiko mitgebracht, die Leuchter stammen aus New Orleans.« Er zündete die dicken, gelben Wachskerzen an, die darin steckten, hob den einen Leuchter mit beiden Händen hoch. »Eichenholz«, sagte er, »handgedrechselt. Fühl mal, wie glatt es ist.«

Renate strich über das glatte, dunkle Holz.

»Du siehst, ich hab' nichts vergessen«, sagte Kurt.

Sie blickte auf. Er sah sie unverwandt an, und im Licht der Kerzen waren seine Augen hell wie Bernstein. »Ich habe immer schon ein sehr gutes Gedächtnis gehabt.«

»Ich bin nicht hierhergekommen, um mich über dein Gedächtnis zu unterhalten«, sagte sie kühl.

Kurt stellte den Kerzenleuchter ab, ging weiter. Er riß ein Streichholz an, warf es in den Kamin. Eine blaugelbe Flamme loderte hoch, leckte gierig über die aufgeschichteten Holzscheite.

»Es war einigermaßen schwierig, die Feldsteine für den Kamin aufzutreiben«, fuhr er fort. »Die Couch und die Ledersessel stammen übrigens aus England. Ich hab' sie in London gekauft. Es war mir eben nichts zu viel, um den Raum so zu gestalten, wie er in unserer Vorstellung lebte.«

»In deiner«, sagte sie.

Er wandte sich um, lächelte wieder. »Natürlich, seit sieben Jahren nur noch in meiner.« Dann, mit einer einladenden Geste: »Aber setz dich doch. Ich mach' uns gleich etwas zu trinken.«

Renate blieb stehen. Sie blickte in die Flammen des Feuers, während sie hörte, wie Kurt hinter ihr mit Gläsern und Flaschen hantierte.

»Trinkst du immer noch Cognac mit Wasser?« fragte er.

»Ich möchte nichts«, erwiderte sie.

Kurt brachte zwei Kristallbecher, die fingerbreit mit Cognac gefüllt waren, goß Eiswasser darauf, reichte ihr ein Glas.

»Auf dein Wohl«, sagte er, »und daß du noch oft hierher kommen wirst.«

Renate setzte ihr Glas mit einem harten Klacken ab, ohne davon getrunken zu haben.

»Ich bin zum ersten- und letztenmal hier«, sagte sie ruhig. »Du weißt das, und du wirst es akzeptieren. Ich bin verheiratet, ich habe einen Mann und ein Kind. Ich liebe sie beide.«

»Die Platte kenne ich schon«, winkte er ab, »nur – wenn es so ist, warum bist du dann überhaupt hierhergekommen?«

»Weil ich keine Lust habe, daß du mir weiterhin nachstellst. Daß du mich womöglich mit Anrufen bombardierst oder die Schau von heute morgen in der Heide wiederholst. Ich möchte meine Ruhe haben, das wollte ich dir sagen, und deswegen bin ich hier.«

»Und du hast gar keine Angst, nicht ein winziges bißchen Angst, daß dein Mann erfahren könnte, wer ich eigentlich bin? Daß ich sein Vorgänger bin? Daß er von den zwei Jahren erfahren könnte, in denen du mich geliebt, mir geschworen hast, du würdest mich nie verlassen? Du hast wirklich keine Angst, daß er die Wahrheit erfahren könnte, warum du ihn geheiratet hast? Daß es ausschließlich wegen seines Geldes war. Oder weiß er das alles schon?«

»Es ließ sich schließlich nicht verheimlichen, daß er einen Vorgänger hatte«, sagte sie. »Aber ich liebe Richard, und habe es vom ersten Augenblick an getan, als ich ihn kennenlernte.«

»Weiß er auch, daß du schon mit sechzehn Jahren nicht mehr unberührt warst? Ist das in seinen Kreisen auch üblich?«

»Richard weiß, aus welchen Kreisen ich komme, denn meine Mutter und mein Bruder leben bei uns.«

»Wie rührend!« sagte Kurt. »Das hätte ich gar nicht von ihm erwartet. Diese Großmut! Lädt sich gleich die ganze Familie auf den Hals, nur um dich zu kriegen. Er ist doch sonst so ein eiskalter Hund!«

»Halt deinen Mund«, fuhr sie ihn an, »und laß endlich Richard aus dem Spiel. Was bildest du dir denn ein, wer du bist, daß du hier auch nur ein abfälliges Wort über meinen Mann sagst!«

»Ich bilde mir nichts ein, und schon gar nicht in bezug auf deinen Mann.« Das Lächeln wich nicht aus Kurts Mundwinkeln. »Aber du! Du bildest dir etwas ein«, sagte er leise. »Du lebst in einer Scheinwelt, die du dir zurechtgezimmert hast. Du siehst nur den großen, vorbildlichen Ehemann, seinen verfluchten Reichtum, seine verfluchte Sicherheit, und die Jahre, die du mit einem anderen verbracht hast, deine Vergangenheit, die sind ein Dreck dagegen, nicht wahr? Aber so ist es nicht. Mach doch endlich deine Augen auf. Du hast genausowenig vergessen wie ich, was war. Du bist niemals davon losgekommen, von dieser Zeit, als du wirklich glücklich warst, und zwar mit mir – nur mit mir!«

»Ich bin heute glücklich«, sagte sie, »heute, mit meinem Mann!«

»Das ist nicht wahr«, schrie er sie an.

»Doch.«

»Man sieht es dir ja an. Schon gestern abend auf deiner großen Gesellschaft hab' ich's dir angemerkt. Du warst exaltiert und affektiert und aufgedreht wie eine Puppe vor lauter Unzufriedenheit.«

»Du bist verrückt und unverschämt. Genau wie damals. Du hast dich nicht geändert. Erinnerst du dich noch an unsern letzten Abend, als ich dir sagte, daß ich Richard heiraten würde? Weißt du noch, wie du dich benommen hast, wie du mich damals genannt hast?«

Renate sah, wie alles Blut aus seinen Wangen wich.

»Ich bitte dich um Verzeihung«, sagte er, »wegen jenem Wort.

Das war es ja auch, weshalb ich mit dir sprechen wollte. Das hätte ich nicht sagen dürfen.«

»Nein«, schrie sie ihn an, »dazu hattest du kein Recht. Und auch zu dem, was du heute tust, hast du kein Recht! Ich sollte mir keine Sekunde länger deinen Unsinn anhören!«

»Geh doch, dann geh doch!«

Renate sah ihn fest an. »Aber laß mich in Ruhe, hörst du, laß mir meinen Frieden. Ich will nicht, daß mein Glück kaputtgeht.«

»Dein Glück«, höhnte er, »dein Glück.« Kurt starrte sie an, wütend, verletzt, immer noch, nach sieben Jahren. »Manchmal habe ich dich gehaßt«, flüsterte er, »und manchmal . . . immer habe ich dich geliebt.« Er hob die Hände in einer seltsam hilflosen Geste. »Weißt du, warum ich dieses Haus gebaut habe? Weißt du, warum ich hierher zurückgekehrt bin, warum ich dich in sieben Jahren nicht vergessen konnte?«

»Ich will es nicht wissen«, sagte sie tonlos.

»Ich muß es dir sagen.« Seine Stimme war sehr leise, sehr sanft. »Ich habe dich vom ersten Tag an geliebt.«

»Hör auf!«

»Du trugst ein hellgrünes Kleid«, fuhr er ebenso sanft fort, »dein Haar glänzte silbern in der Sonne. Du hattest Äpfel auf dem Markt gekauft. Das Netz zerriß, und sie kollerten über den Bürgersteig. Ich half dir, die Äpfel aufzuheben. Du lachtest mich an und sagtest: dankeschön. Aber dann hörtest du auf zu lachen, du wurdest rot. Ich sah, wie das Blut bis in deine Schläfen stieg, und deine Wimpern warfen dunkle Schatten auf deine Wangen. Du drehtest dich schnell um und liefst davon. Aber schon zwei Tage später . . .«

»Hör auf«, sagte sie, »hör endlich auf.«

»Zwei Tage später kamst du zum Sommerfest der Studenten auf dem Kaiserplatz. Du standest hinter den Seilen und sahst neugierig, beinahe hungrig zu, wie sie auf dem Platz tanzten. Du hast dann auch getanzt, mit mir, erinnerst du dich wieder?«

»Nein«, sagte sie, »nein, ich will mich nicht erinnern.«

»Wir haben nicht lange getanzt«, fuhr er fort, »und wir tranken auch nichts. Du warst nicht betrunken, und daher gab es am nächsten Tag keine Entschuldigung dafür, daß du mit mir kamst, am ersten Abend, in meine Bude, in meine miese, dreckige Studentenbude.«

»Ich – ich habe . . .«

»Du hast mich geliebt«, flüsterte er, »du hast mich vom ersten Augenblick an geliebt wie ich dich. Und es hat niemals aufgehört, niemals.«

Renate wich vor ihm zurück, stand plötzlich an der Wand. Ihre Finger tasteten über die weiße, leere, rauhe Fläche.

»Glaubst du mir jetzt?« fragte er und trat dicht an sie heran. Er stützte sich mit beiden Händen gegen die Wand, so daß seine Arme sie einschlossen. Sie konnte seinen Augen nicht ausweichen.

»Alles, was später geschah, zählt jetzt nicht mehr«, sagte er mit dieser leisen, sanften Stimme. »Ich wollte mir das Leben nehmen und habe mich fast zu Tode gesoffen. Das Studium mußte ich aufgeben, denn ich brauchte das Geld für den Schnaps. Dann sagte mir jemand: Junge, hör auf! Du machst dich sonst wirklich kaputt, das lohnt sich nicht, für keine Frau! Da dachte ich, vielleicht hat er recht, und ging rüber nach Amerika. Ich hatte ein bißchen Glück. Ein paar Leute waren nett zu mir. Zum Spaß habe ich angefangen zu bildhauern, und das brachte mir plötzlich viel Geld. Als ich das Geld hatte, hab' ich gedacht, jetzt kehrst du zurück, denn jetzt hast du alles, was sie will: Liebe *und* Geld. Jetzt läuft sie dir nicht mehr fort.«

Sein Gesicht war dem ihren jetzt ganz nahe.

»Du hast dich nicht verändert«, flüsterte er, »du bist genauso schön wie damals. Du hast mir immer gehört, mir allein, und du wirst mir wieder gehören . . .«

Dunkel und hell zuckte der Schein des Kaminfeuers über sein Gesicht, verzerrte es, gab ihm die Dämonie der indianischen Masken, die von den Wänden grinsten.

Sie mußte seinen Augen entkommen, sie mußte sich gegen dieses Gesicht wehren, sie konnte es nicht mehr ertragen.

»Laß mich gehen«, flüsterte sie.

»Nein. Ich lasse dich nicht gehen. Nie mehr.«

Die Vergangenheit griff nach ihr. Seine Augen, seine Stimme, seine Worte.

»Laß mich gehen«, bat sie, und Tränen liefen ihr über die Wangen, »bitte, laß mich gehen . . .«

2

Das Feuer im Kamin war heruntergebrannt. Die Glut der kohligen Scheite glimmte düster.

Renate lag da und sah, wie Schatten die weißen Wände verdunkelten und die indianischen Masken der Dämonen ein Teil von ihnen wurden.

Sie lag da und starrte vor sich hin und fand nicht die Kraft, zu tun, was sie wollte.

Sie zuckte zusammen, als Kurts Hand sich auf ihre Taille legte. Sie schob die Hand zurück.

»Renate, sieh mich an.«

Sie drehte ihm den Rücken zu und stand auf. Ihre Zehen krümmten sich, als sie die kalten, roten Steinfliesen berührten. Eisige Kälte lief durch ihren Körper. Sie kleidete sich schnell an. Zog ihren Mantel über, verbarg ihr Haar unter dem Kopftuch.

»Geh nicht«, sagte Kurt, aber er machte keine Bewegung, sie zu halten.

Renate nahm ihre Handtasche auf, zog ihre Handschuhe an, peinlich genau, als wäre dies das Wichtigste, was nun zu tun war.

Auf einem kleinen Tisch neben der Tür stand das Telefon. Sie ging hinüber, wählte die Nummer des Taxirufs.

Kurt stand plötzlich neben ihr, drückte die Telefongabel hinunter, ehe sich noch jemand melden konnte.

»Ich bringe dich nach Hause«, sagte er.

Sie zuckte die Achseln, ging hinaus. Wartete draußen im Dunkeln, während er den Wagen aus der Einfahrt setzte.

Es war sehr kühl, die Luft war feucht und beklemmte den Atem.

Renate stieg in den Wagen.

»Nun fahr doch schon«, schrie sie Kurt an.

Aber er tat nichts, saß einfach da.

»Hast du noch nicht genug erreicht? Hast du mich noch nicht genug gequält?«

»So habe ich es nicht gewollt«, sagte er.

»Nein? Was hast du dir denn vorgestellt?« Die Stimme gehorchte ihr nicht mehr. Renate schluckte, räusperte sich, aber kein Ton kam aus ihrer Kehle.

Kurt streifte sie mit einem schnellen, schuldbewußten, beinahe angstvollen Blick. »Beruhige dich doch«, bat er.

Da schlug sie ihm ins Gesicht. Rechts und links, und noch einmal. Er ließ es geschehen. Nichts in seinem Gesicht veränderte sich. Ihre Hand sank herunter.

»Das ändert ja jetzt auch nichts mehr«, sagte sie tonlos. Und dann: »Fahr endlich, bring mich nach Hause.«

Diesmal gehorchte er.

Sie fuhren schweigend durch die Nacht zurück. Am Martinsplatz, im Herzen der Stadt, stieg sie aus.

Renate wandte sich wortlos, hastig ab, als habe sie Angst, Kurt könne den Versuch machen, sie festzuhalten.

Hell klackten ihre Schritte über das Pflaster. Es war der einzige Laut in der Nacht, außer dem fernen Pfeifen einer Lokomotive, die den Bahnhof verließ.

Renate ging zum Taxistand hinüber. Die Männer, die dort herumstanden, blickten auf ihre Beine. Hochmütig hob sie den Kopf, stieg in den ersten Wagen. Der Chauffeur war hinter dem Steuer eingenickt. Er schreckte erst hoch, als sie ihm auf die Schulter klopfte.

»Nach Festenau«, sagte sie, »dem neuen Vorort in Richtung Brühl.«

Sie lehnte sich in den Sitz zurück, öffnete ihre Handtasche, zog die Zigarettenschachtel hervor. Aber diese war leer.

Renate ließ das Taxi am nächsten Automaten halten. Der Fahrer holte ihr eine Packung Zigaretten.

Sie zündete sich eine Zigarette an, rauchte, starrte hinaus. Schnell glitt der Wagen dahin, wischten die Bäume vorbei, hinter denen der Strom floß.

Renate dachte nichts, empfand nichts. Es war, als habe das, was sie an diesem Abend getan hatte, alles weggebrannt, was jemals in ihr gewesen war.

Renate ließ das Taxi an der Straßenecke halten, ging das letzte Stück bis zu ihrem Haus zu Fuß.

Unwillkürlich bemühte sie sich, ihre Schritte auf der Kiesauffahrt zu dämpfen. Im Haus machte sie kein Licht, durchquerte die Halle, schritt leise die Treppe hinauf.

Ebenso vorsichtig betrat sie ihr Zimmer.

Ihre Mutter saß in dem Sessel unter dem Fenster. Ihre Hände lagen flach auf den Lehnen. Von Altersflecken gesprenkelt war ihre Haut, der linke Zeigefinger von Gicht gekrümmt. Die von jahrelanger Arbeit groben Handgelenke sahen rötlich aus den weißen Manschetten des Kleides hervor. Renate nahm dies alles wahr, wie man stets in entscheidenden Augenblicken des Lebens die unwichtigen Kleinigkeiten scharf vermerkt.

»Guten Abend, Mutter.« Renate wunderte sich, wie fest und ruhig ihre Stimme klang. »Du hast auf mich gewartet? Ich war doch bei Katrin, wie du weißt.«

»Deine Freundin Katrin rief an, lange nachdem du fort warst«, sagte ihre Mutter. »Sie wollte sich für den schönen gestrigen Abend bedanken.«

Renate spürte, wie ein Muskel in ihrer linken Wange unkontrolliert zu zucken begann. »Mutter, du mußt dich verhört haben. Ich war bei Katrin«, sagte sie rasch. Dann zog sie betont gleichgültig ihren Mantel aus, hängte ihn über einen Bügel, ordnete vor dem Spiegel ihr Haar.

»Ich habe mich nicht verhört«, sagte ihre Mutter leise, aber bestimmt.

Renate überhörte dies. »Ich bin sehr müde, Mutter, ich möchte zu Bett gehen.« Sie zwang sich zu lächeln. »Es war ein langer, ereignisreicher Tag.«

Ihre Mutter stand auf. »Vor allem war es ein langer Abend. Es ist schon fast Mitternacht.«

Plötzlicher, blinder, unbegründeter Ärger befiel Renate. »Mußt du mir das unbedingt vorhalten, wenn ich einmal spät nach Hause komme? Bin ich noch ein Kind, das du gängeln mußt?«

Ihre Mutter schüttelte langsam den Kopf. Ihr Gesicht mit den blassen, blauen Augen unter faltigen Lidern blieb ruhig, aber ihre Hände strichen unablässig über die Seiten ihres Kleides.

»Bitte, laß mich jetzt allein«, sagte Renate.

»Warum weichst du mir aus und warum belügst du mich?« fragte die alte Frau. Nur zögernd ging sie zur Tür, blieb dann wieder stehen. »Ich hab' immer geglaubt, meine Kinder belügen mich nicht.«

»Mutter, hör doch endlich auf.« Renate fuhr herum. »Es ist spät, du bist müde und ich auch. Ich will jetzt endlich meine Ruhe haben.«

»Aber . . .«

»Mutter, gut, ich gebe es zu. Ich war nicht bei Katrin. Aber es gibt eben Dinge – ich meine – es gibt eben Gelegenheiten, über die man nicht gerne spricht . . . auch mit seiner Familie nicht – genügt dir das?« fragte Renate, mit einer Schärfe in der Stimme, die ihr selbst fremd war.

»Ja, so etwas gibt es«, gab ihre Mutter zu, »aber man sollte wenigstens mit dem eigenen Mann darüber sprechen.« Damit ging sie hinaus.

»Mutter!« Renate lief ihr nach.

»Ja?« Ihre Mutter blieb stehen Vom Flurfenster her fiel Licht auf ihr Gesicht. Es war sehr blaß.

»Mutter, es tut mir leid«, sagte Renate, »bitte, verzeih mir.« Sie beugte sich vor und küßte ihre Mutter auf die Wange.

»Jaja, ist schon gut.« Die alte Frau lächelte mühsam. Und dann: »Ich habe Angst, Angst um dich und um uns alle.«

»Das brauchst du doch nicht . . .« Die Stimme versagte Renate.

»Ich weiß nicht, seit wann«, flüsterte ihre Mutter, »aber ich fürchte mich.«

»Dafür gibt es doch keinen Grund!«

»Still«, ihre Mutter hob die Hand, »du weckst die anderen auf.«

»Aber warum, Mutter, warum hast du Angst?«

Wieder lächelte ihre Mutter, seltsam traurig, seltsam leer.

»Du bist verändert, du bist so fremd geworden. Mir ist, als kenne ich dich nicht mehr.«

»Wie kannst du so etwas sagen? Es ist doch nichts geschehen!«

»Wenn ich das nur glauben könnte . . .«

Diesmal ließ Renate die alte Frau gehen, folgte ihr nicht. Sie kehrte in ihr Zimmer zurück, war von plötzlicher Panik erfüllt. Man sieht es mir an, schon jetzt sieht man es mir an. Ich habe Richard betrogen. Ich habe meine Mutter belogen, mich selbst. Ich habe das Furchtbarste getan, was eine Frau tun kann. Mein Gott, warum, warum?

Lisa polierte das Silber in der Küche, als Renate eintrat.

Das Mädchen mit der drallen Figur und den prallen Wangen eines Landkindes sprang eilfertig auf.

»Lassen Sie sich nicht stören.« Renate lächelte. »Es ist nur eine Kleinigkeit, die ich Ihnen sagen möchte.«

»Ja?« Lisa nickte aufmerksam. Sie hing mit einer scheuen, schwärmerischen Verehrung an Renate, besonders seit diese ihr hin und wieder erlaubte, über das Wochenende nach Hause zu fahren – und Renate wußte dies.

»Solange mein Mann verreist ist, möchte ich, daß alle Anrufe von Ihnen, Lisa, entgegengenommen und nur an mich weitergeleitet werden, ja?«

»Selbstverständlich, gnädige Frau. Aber so haben Sie es doch schon immer angeordnet!«

»Ja, natürlich. Ich wollte Sie auch nur noch einmal daran erinnern.«

Dies war eine der Vorkehrungsmaßnahmen, die Renate gegen eine neue, mögliche Annäherung von Kurt ergriff.

Sie hatte seit drei Tagen das Haus nicht mehr verlassen, lehnte jede Einladung von Freunden zu einer Bridgeparty oder einem Theaterbesuch ab, widmete sich nur und ausschließlich ihrer Familie.

Ganz gegen ihre Gewohnheit bestand sie darauf, daß Peter unter ihrer Aufsicht im Garten spielte, saß mit Herbert über endlosen Partien Schach und bemerkte, daß der anfänglich noch ängstlich-unsichere Ausdruck im Gesicht ihrer Mutter wieder der Zufriedenheit wich. Nur eines vermied Renate – mit ihrer Mutter allein zu sein.

Renate verbrachte die Tage in ihrer gewohnten Umgebung, in gewohntem Ablauf.

Aber die Nächte waren anders. Stundenlang lag sie wach, peinigte sich mit Selbstvorwürfen, überdachte wieder und wieder das, was an jenem Abend bei Kurt geschehen war. Sie verdammte sich, haßte sich, verfluchte sich, schlief nur dann, wenn sie zu Tabletten griff. Sie selbst sah, daß sie abmagerte, daß ihr Gesicht sich mit transparenter Blässe überzog.

Das erste Telegramm von Richard kam. *Bin gut angekommen, alles in Ordnung. Alles Liebe.* Dann die ersten Luftpostbriefe per Expreß. Sie las sie und weinte, aber das half ihr nichts.

Sie wünschte, Richard würde sie anrufen. Sie wollte ihm alles gestehen. Aber als er dann anrief, sprach sie nur über belanglose Dinge mit ihm, lenkte ihn von jeder persönlichen Frage ab.

Sie wollte ihm alles schreiben, versuchte es wieder und wieder, aber sie konnte auch dies nicht.

Sie konnte nicht schreiben: Lieber Richard, ich habe dich betrogen, und ich weiß nicht warum.

Warum hatte sie es getan? Warum war sie Kurt erlegen? Warum war sie in seine Falle gegangen, die er mit Bedacht und Absicht gestellt haben mußte?

Langeweile, Sentimentalität, Mitleid, oder etwa Liebe?

Nichts von alledem.

Aber was dann?

Wieder und wieder ließ sie die Stunden in dem einsamen Haus am Rande der Heide vor sich erstehen. Wieder und wieder spürte sie ihren Gesprächen nach, aber die Begründung, das Motiv für ihr eigenes Handeln fand sie nicht. Sie wußte nur, daß sie Richard betrogen hatte, daß sie dies bereute, daß sie Kurt niemals wiedersehen wollte.

Das Haus war schon nächtlich still.

Renate lag im Bett, versuchte zu lesen. Aber sie konnte sich nicht konzentrieren.

Sie stand wieder auf, ging in Richards Zimmer hinüber. Es war das erstemal seit jenem Abend vor seiner Abreise, daß sie es betrat.

Es war ihr, als betrete sie das Zimmer eines Fremden. Eine Woche seiner Abwesenheit genügte, den vertrauten Duft des blonden Tabaks, den er nur hier rauchte, den Geruch nach Papieren, die sich gewöhnlich auf seinem Schreibtisch häuften, und ein wenig auch nach Yardley, das er stets nach dem Rasieren benutzte, zu verflüchtigen.

Es war ein kühler, unpersönlicher Raum, der Renate frösteln ließ. Sie öffnete die Bar, die zwischen den Bücherregalen eingelassen war, nahm rasch die Flasche Cognac und ein Glas heraus.

In diesem Augenblick klingelte das Telefon. Sie schreckte zusammen, blieb sekundenlang wie erstarrt stehen. Das Klingeln drang sehr laut durch die Stille, die sie umgab.

Renate trat schnell zum Schreibtisch, nahm den Hörer ab.

»Hallo?« Es war Kurts Stimme. Sie erkannte sie sofort.

»Was willst du?« fragte Renate flach.

Sie hörte, wie er den Atem scharf einsog. »Renate, ich mußte dich anrufen.«

»Tu es nicht mehr. Laß es genug sein.«

»Ich kann nicht. Ich habe es versucht, aber . . .«

»Du kannst mich nicht vergessen? Du hast es sieben Jahre lang nicht gekonnt, und du willst mich wiederhaben, nicht wahr?« Renate schluchzte jetzt. Sie umkrampfte den Telefonhörer mit beiden Händen. »Bitte, laß mich doch in Ruhe. Bitte, denk ein einzigesmal nur an mich. Ich ertrage es nicht. Ich werde sonst nicht mehr allein damit fertig.«

»Hast du deinem Mann . . .«

»Natürlich nicht«, schrie sie in die Muschel, »wenn ich das wenigstens fertigbrächte!«

Auf der anderen Seite war es still.

Sie wollte den Hörer schon auflegen, doch da kam seine Stimme wieder.

»Renate, wir müssen uns sehen. Wir müssen über alles sprechen. Ein letztes Mal.«

»Ein letztes Mal«, wiederholte sie bitter. »Immer wieder ein letztes Mal.«

»Ich erwarte dich«, sagte er, »komm bald.«

»Ich werde nicht kommen.«

»Du mußt.«

»Ich will nicht.«

»Du kommst. Komm schnell.«

Es klickte in der Leitung. Er hatte aufgelegt.

Renate ging in ihr Zimmer zurück. Wie an jenem Abend vor einer Woche wählte sie den gleichen unauffälligen Mantel, verbarg ihr Haar wieder unter einem Kopftuch. Sie stahl sich aus ihrem Haus wie eine Fremde, die dort nicht hingehört.

Von der nächsten Telefonzelle aus rief sie ein Taxi herbei und fuhr hinaus zu dem Haus in der Heide.

Das Haus lag dunkel da, als sei es unbewohnt. Erst als das Taxi fortgefahren war, öffnete sich die Haustür, und sie wußte, Kurt hatte nur darauf gewartet.

Er ließ sie stumm eintreten, nahm ihr stumm den Mantel ab. Als er schließlich sprach, war es nur ein Flüstern.

»Ich konnte nicht mehr arbeiten, nicht schlafen, nicht essen.« Er preßte sie an sich, streichelte ihr Haar, ihren Nacken, ihre

Schultern. »Du darfst mich nicht mehr verlassen, du darfst nicht mehr von mir gehen, ich brauche dich . . .«

Er hob sie auf, trug sie hinüber zu der Couch vor dem Feuer, ließ sie nicht aus seinen Armen. »Ich brauche dich«, flüsterte er, »ich brauche dich.«

Der Schein der Flammen zuckte über sein Gesicht und spaltete das Licht seiner Augen zu einem lodernden Gelb.

Vor der wilden Dämonie seines Wesens scheiterte jeder Versuch eines Widerstands. Sie wollte seine Worte nicht hören, seine Hände nicht fühlen, aber sie erlag ihm wie unter einem magischen Zwang. Sie haßte ihn und sich selbst, und doch schloß sie die Augen in wehrloser Hingabe, als er sich über sie beugte.

Funken sprangen vom Feuer auf, die Scheite knisterten, die Flammen sanken in sich zusammen. Laut und deutlich rief draußen ein Käuzchen.

Die Schatten der Vergangenheit . . . unentrinnbar . . . unentrinnbar . . .

»Laß uns zusammen weggehen. Laß uns neu anfangen, irgendwo ganz neu, so wie wir es einmal wollten«, flüsterte er, als ihr Herzschlag sich wieder beruhigt hatte, als sie wieder nebeneinander lagen. »Ich kann nicht mehr ohne dich leben. Jetzt nicht mehr.«

»Ich bin ja hier«, sagte sie bitter, »du siehst doch, daß ich immer wieder komme.«

»Wie lange?«

Sie schwieg.

»Bleib ganz. Geh nicht wieder fort.«

»Ich hasse dich«, schluchzte sie.

»Bleib wenigstens für ein paar Tage. Nur ein paar Tage, was ist das schon im Vergleich zu dem, was du ihm gegeben hast?«

»Sprich nicht von . . . ihm«, sagte sie und konnte den Namen ihres Mannes schon selbst nicht mehr nennen.

»Ich will nicht viel, nur ein paar Tage mit dir.«

»Du verlangst immer mehr. Immer mehr. Habe ich dir nicht schon genug gegeben?«

»Nicht genug, noch lange nicht genug.«

Renate setzte sich auf. Sie sah auf ihn hinunter. Ihre Augen waren kalt, und ganz kalt versuchte sie auch zu denken, zwang sich, klar und nüchtern zu sein. Sie war in seiner Gewalt. Sie war ihm erlegen – und sie mußte sich aus der Verstrickung befreien, ehe es zu spät war, ehe alles verloren war. Vielleicht gelang es ihr, wenn sie ihm noch einmal seinen Willen tat. Vielleicht genügten ein paar Tage, vielleicht war er dann gesättigt, ließ sie dann in Frieden.

Ich muß es tun, dachte sie, ich muß es tun, damit ich mich wieder aus den Fesseln der Dämonen befreien kann.

»Ich komme ein paar Tage zu dir«, sagte sie, »wir werden ein paar Tage zusammen fortfahren.«

»Wann?«

»Morgen.«

»Ich glaube dir nicht.«

»Ich verspreche es dir.«

»Du wirst es nicht halten.«

»Morgen früh um zehn bin ich hier.«

»Belüg mich nicht«, bat er.

»Ich belüge dich nicht.« Renate stand auf.

»Geh noch nicht«, sagte er.

»Ich muß gehen«, sagte sie, »sonst kann ich morgen nicht kommen.«

Er ließ sie gehen.

Renate kehrte unbemerkt und ungesehen in ihr Haus zurück. Sie nahm drei Schlaftabletten und ging zu Bett. Es dauerte keine halbe Stunde, und sie war eingeschlafen.

Das Telefon klingelte noch einmal. Es klingelte zehn Minuten lang, aber sie hörte es nicht.

In seinem neuen Büro in New York legte Richard Jansen enttäuscht den Hörer auf.

»Sie dürfen nicht vergessen, daß jetzt in Europa Nacht ist, Mr. Jansen.« Seine amerikanische Sekretärin lächelte.

»Aber meine Frau wußte doch, daß ich sie anrufen wollte«, sagte er verstimmt.

»Vielleicht ist Mrs. Jansen mit Freunden ausgegangen? Oder sie schläft und hat einfach vergessen, daß Sie anrufen wollten?« Die Sekretärin zuckte mit den schlanken Schultern unter der weißen Seidenbluse. »So wie Ihre Frau aussieht, muß sie sehr kapriziös sein . . .« Das Mädchen machte eine Kopfbewegung zu dem Bild Renates hin, das in schwerem Silberrahmen auf Richards Schreibtisch stand, »dafür sollte ein Mann Verständnis haben.«

»Vielleicht haben Sie recht, Ella«, sagte Richard. Er wandte sich wieder seiner Arbeit zu. »Bitte, bringen Sie mir das letzte Sitzungsprotokoll.«

Obwohl er angestrengt arbeitete und später mit seinen neuen amerikanischen Freunden noch zu einer Aufführung von ›My Fair Lady‹ ging, wurde Richard eine seltsame Unruhe nicht los. Immer wieder kreisten seine Gedanken um Renate, und warum sie seinen Anruf nicht beantwortet hatte. Denn dies paßte gar nicht zu ihr.

»Ich weiß noch nicht, wohin ich fahre«, sagte Renate in das blasse, ratlose Gesicht ihrer Mutter hinein. Sie saßen am gemeinsamen Frühstückstisch im Salon, über den sich nun beklemmende Stille senkte. Renate spürte Herberts prüfenden, beinahe mißtrauischen Blick, aber sie sah ihn nicht an. »Ich brauche ein paar Tage Ruhe, irgendwo, vielleicht in einem Eifeldorf«, fügte sie hinzu.

»Wovon mußt du dich ausruhen?« fragte Herbert ruhig.

Renate trank von ihrem Kaffee und klingelte nach dem Mädchen.

»Ich habe dich etwas gefragt, Renate«, sagte Herbert.

Sie fuhr herum. »Ich muß einmal hier raus. Andere Menschen sehen, ein bißchen Abwechslung haben . . .«

»Aber Renate . . .«

»Mutter, bitte versteh es doch. Ich will einmal allein sein, wieder zu mir selbst finden.«

»Und dazu mußt du fortfahren und willst uns nicht einmal sagen wohin? Was soll ich denn Richard erzählen, wenn er anruft?«

»Ich melde mich von unterwegs«, erwiderte Renate.

»Renate, sind wir dir denn zuviel? Fallen wir dir zur Last?«

»Mutter, ich glaube, wir beginnen, alles zu dramatisieren«, schaltete Herbert sich ein. »Nicht wahr, Renate?«

Sie nickte stumm.

»Wenn Renate einmal allein sein will, dann soll sie ruhig fortfahren.«

Renate war es, als habe er das Wort allein betont. Sie spürte, wie ihr das Blut in die Wangen schoß. Sie war froh, als Lisa eintrat.

»Holen Sie mir bitte den Wochenendkoffer vom Boden.«

»Jawohl.«

»Bringen Sie die Tasche in mein Zimmer. Ich packe selbst.«

»Gnädige Frau verreisen?«

»Ja, Lisa, für ein paar Tage.«

»Und der Küchenzettel?«

»Ich komme noch zu Ihnen.« Renate schob ihren Stuhl mit den Kniekehlen zurück. »Ich will noch einmal nach Peter schauen und dann packen. Bis gleich.«

Sie ließ Herbert und ihre Mutter in gedrücktem Schweigen zurück.

»Verstehst du das?« fragte die alte Frau nach einer Weile. »So war Renate doch noch nie.« Angst kroch in ihre Stimme und Sorge, die stets ihr Leben bestimmt hatten.

Herbert griff nach der Schachtel Zigaretten, die Renate liegengelassen hatte. Langsam zündete er sich eine an.

»Du darfst doch nicht rauchen, Herbert . . .«

»Nur ein paar Züge, Mutter.« Er drückte die Zigarette schon wieder im Aschenbecher aus, hustete dumpf.

»Nicht wahr, du machst dir auch Sorgen?« fragte seine Mutter leise.

Herbert griff nach ihrer Hand, drückte sie fest. »Nein«, sagte er ruhig, »ich mache mir keine Sorgen. Renate wird schon wissen, was sie tut.« Aber er sah, daß seine Mutter ihm nicht glaubte.

»Ich würde heute nachmittag gern einmal mit Peter in den Zoo gehen«, versuchte er sie abzulenken. »Willst du nicht mitkommen?«

»Strengt es dich auch nicht zu sehr an?«

»Aber nein«, lachte er, »ich bin doch wieder gesund.«

Renate kam zurück. In der Rechten trug sie ihren Wochenendkoffer.

»Du fährst jetzt schon?« fragte ihre Mutter.

»Ich möchte noch den ganzen Tag vor mir haben.« Renate beugte sich hinunter und küßte die alte Frau auf die Wange. »Ich melde mich von unterwegs.«

»Paß gut auf dich auf, und komm gesund zurück.«

»Ja, Mutter . . .« Die Stimme gehorchte ihr mit einemmal nicht mehr. Renate wandte sich ab, küßte auch Herbert, ging dann rasch hinaus.

In dem Augenblick, als sie den Wagen aus der Garage setzte und aus der Ausfahrt lenkte, war es Renate, als werde sie nie wieder zurückkehren. Es war nichts als Schmerz in ihr, aber sie konnte nichts dagegen tun.

Herbert war im Salon vom Frühstückstisch aufgestanden und zum Fenster getreten. Er blickte dem Wagen nach, bis er hinter der Taxushecke des angrenzenden Grundstücks verschwand.

»Ich wünschte, Richard wäre schon wieder da«, sagte seine Mutter hinter ihm, und das war es, was auch er dachte.

Kurt Steinweg erwartete sie vor seinem Haus. Er wies Renate in die Garage ein, half ihr dann beim Aussteigen. Sie wich seinem Mund aus, so daß er nur ihre Wange streifte.

»Ich kann es noch gar nicht glauben«, sagte er, »mein Gott, es ist wie ein Traum.« Und dann: »Du bist blaß. Ist es dir schwergefallen zu kommen?«

Renate nickte, senkte den Kopf.

Kurt strich das Haar aus ihrer Wange und zwang sie, ihn anzusehen.

»Aber es lohnt sich«, versprach er, »du wirst sehen, daß du es nicht umsonst tust.«

»Ich habe drei Tage Zeit«, sagte sie, »dann muß ich zurück.«

»Wie du willst«, erwiderte Kurt und lächelte.

Er ließ Renate los, und sie ging schnell zu seinem Wagen, der vor dem Haus parkte.

Kurt schloß die Garage ab, kam dann zu ihr.

Sie sprachen nicht viel, während sie durch den grüngoldenen Septembertag fuhren, durch die sanften Täler und Hügel der Eifel.

Mittags aßen sie in einem Restaurant, das abseits von der Straße in einer Tannenschonung lag. Es war ein altes Forsthaus, und der jetzige Besitzer, ein junger Mann mit schmalem, ernstem Gesicht, hatte alles so gelassen, wie es war. Die holzgetäfelten Wände waren geschwärzt vom Alter. Die Möbel waren aus dünnen Birkenstämmen gezimmert, und die weiße Borke schimmerte wie Silber.

Später lagen sie draußen, vor dem Haus, in Liegestühlen. Der Wind, der hier stets über die Höhen strich, trug den grünen Geruch der Tannen herüber, und die Sonne gleißte in einem hohen, wolkenlos blauen Himmel.

»Wir sollten hierbleiben«, sagte Kurt. »Sie haben ein paar Zimmer unter dem Dach.«

»Es ist nicht weit genug entfernt«, erwiderte sie, »und es kommen sicher oft Ausflügler hierher.«

»Bestimmt nur an den Wochenenden. Aber ich werde nachfragen.«

Renate sah ihm nach, als er zum Haus ging. Er ging rasch, mit geschmeidigen Bewegungen. Sein Rücken war sehr gerade, seine Schultern breit. Er hatte sich wenig verändert in diesen vergangenen sieben Jahren. Damals hatte er älter ausgesehen, als er in Wirklichkeit war – und heute sah er jünger aus. Wenn sie ihn anblickte, war es, als habe es diese sieben Jahre nicht gegeben. Und genauso wie damals stand sie in seinem Bann, hilflos und hoffnungslos. Damals war es ihm gelungen, die Sechzehnjährige am ersten Abend zu verführen, heute gelang es ihm, aus einer verheirateten Frau seine Geliebte zu machen.

Tränen schossen ihr plötzlich in die Augen. Sie sah rasch weg, als Kurt zurückkam.

»Wir bleiben hier«, sagte er, »es ist so, wie ich dachte, nur am Wochenende ist hier viel Betrieb.«

»Ja«, erwiderte sie, »wie du willst.«

Und er lächelte wieder, mit diesem Lächeln, das niemals seine Augen erreichte.

»Renate ist fortgefahren?« fragte Richard Jansen enttäuscht und verblüfft zugleich. Er hatte drei Stunden in seinem Hotelzimmer in New York auf dieses Telefongespräch gewartet. »Aber wieso denn und mit wem? In ihrem letzten Brief stand doch nichts von einer solchen Absicht.«

Dünn, von ständigem Knacken und Knistern unterbrochen, kam die Stimme von Herbert über das Telefon.

»Sie wollte ein paar Tage in die Eifel. Es ist so schönes Herbstwetter hier.«

»Hat sie Peter mitgenommen?«

»Nein«, erwiderte Herbert.

»Nicht? Aber ich verstehe nicht . . . Du willst doch nicht sagen, daß sie ganz allein gefahren ist?«

Richard hörte genau, daß Herbert zögerte, auch wenn dieses Zögern nur den Bruchteil einer Sekunde dauerte.

»Renate hat Katrin mitgenommen.«

»So, Katrin – aber die hat doch ihr Geschäft! Katrin kann doch nicht einfach mitten in der Woche den Laden zumachen!«

»Ich weiß nicht, wie es im einzelnen zusammenhängt«, erwiderte Herbert.

Das Mädchen vom Amt schaltete sich ein. »Sprechen Sie noch?«

»Ja, doch, ja, gehen Sie doch aus der Leitung«, erwiderte Richard ungeduldig.

»Also gut, Herbert«, sagte er dann, »wir wollen's kurz machen. Wo kann ich Renate erreichen?«

»Es tut mir leid, aber ich weiß es nicht. Sie wollte sich von unterwegs melden.«

»Ja, ich verstehe«, sagte Richard. Aber er verstand gar nichts. Er legte den Hörer auf. Zum erstenmal vergaß er, Renates Mutter und seinen Sohn zu grüßen.

Eine Weile lang blieb er ruhig in seinem Sessel sitzen. Er überdachte das soeben Gehörte: Renate war mitten in der Woche mit ihrer Freundin Katrin verreist, ohne einen Grund und ohne Angabe eines Ziels.

Gleichzeitig kam jener letzte Abend vor seiner Abreise zurück. Die Stunden nach der Gesellschaft, als er und Renate noch bei einem letzten Glas saßen, und dieser ihm bis heute unverständliche jähe, wütende Ausbruch, ihre Verzweiflung, die er nicht ergründen konnte, ihr Flehen: laß mich nicht allein.

Aber ich habe sie allein gelassen, dachte Richard. Er erhob sich, trat an den Tisch, goß fingerbreit Whisky in sein Glas, füllte Sodawasser auf. Er trank langsam.

Da war noch etwas gewesen an jenem Abend. Renate hatte gesagt: Richard, ich muß dir etwas erzählen, bitte, hör mich an, aber er hatte sie nicht aussprechen lassen. Sie hatte ihm nichts erzählt.

Plötzlich dachte er auch an seine amerikanische Sekretärin Ella, die Renate kapriziös genannt hatte.

Da lächelte er vor sich hin. Wahrscheinlich hatte das Mädchen recht. Renate hatte zwar bisher nur selten Launen gezeigt, aber deswegen mußte er, wenn sie es einmal tat, eben doch Verständnis dafür aufbringen.

Damit beschwichtigte Richard das bohrende Gefühl der Unruhe und war sicher, daß Renate ihm schon bald telefonisch oder brieflich alles erklären würde.

Sie lagerten in einer kleinen steinigen Bucht am Ufer des Sees. Rot und gelb spiegelte sich die späte Sonne in der glatten Fläche des Wassers. Jenseits davon stiegen die Berge an, steil und dunkelgrün bewaldet.

Es war sehr still. Nur manchmal klang das Pfeifen eines Rohrspechts auf oder der krächzende Ruf eines Hähers.

Sie hatten eine Decke mitgenommen und diese auf dem kiesigen Grund ausgebreitet. Renate lag darauf, lang ausgestreckt, die Arme unter dem Kopf verschränkt.

Kurt saß ein wenig abseits, den Rücken gegen den borkigen, grünbemoosten Stamm einer Eiche gelehnt.

Renate hatte die Augen geschlossen und das Gesicht zur Seite und der Sonne zugewandt. Vor dem silbrigen Blond ihres Haares konnte er nur die helle Linie ihrer Wange sehen. Sie trug senffarbene enge Leinenhosen. Ihre Beine waren sehr schlank, fast wie die eines Jungen. Ihren Oberkörper umspannte eng eine dunkelgrüne Seidenbluse. Sie sah jung aus und zart, wie sie so dalag, und Kurt konnte seinen Blick nicht von ihr wenden.

Renate wandte den Kopf und begegnete seinen Augen.

»Es ist, als wären wir immer hier gewesen«, sagte er.

Sie lächelte verloren. »Es ist aber das erstemal.« Er wußte, sie setzte in Gedanken hinzu: und das letztemal.

»Wir haben noch eine Nacht und einen Tag«, sagte er.

Das Lächeln versickerte in Renates Mundwinkeln. Sie drehte ihr Gesicht wieder von ihm fort.

Nach einer Weile stand sie auf, faltete die Decke zusammen.

»Laß uns zurückfahren«, sagte sie.

Die Sonne war hinter den Bergen versunken, und der See lag nun dunkelgrün, fast schwarz vor ihnen.

Kurt trat neben Renate und legte seinen Arm um ihre Schulter. Er spürte, daß sie zitterte.

»Frierst du?« fragte er.

»Nein.«

»Was ist mit dir?«

Sie zog die Schultern hoch wie ein Kind. »Ich weiß nicht.«

»Vielleicht bist du müde?«

»Vielleicht.« Renate wandte sich ab und ging zum Wagen. Sie zündete sich eine Zigarette an, rauchte hastig.

Sie vermied es, ihn anzusehen, wich seinen Augen aus, aber sie duldete seine Hand, als er sie auf ihre Schulter legte.

Stumm fuhren sie zurück.

Im Forsthaus, in der Nische unter dem Fenster, war schon ihr Tisch zum Abendbrot gedeckt. Aus der Küche kam der Geruch von gegrilltem Fleisch und gerösteten Zwiebeln.

»Es war ein schöner Tag«, sagte der Besitzer des Gasthofs, der junge Mann mit dem schmalen, ernsten Gesicht. »Davon können wir noch eine Menge gebrauchen.« Er hantierte hinter dem kupfernen Schanktisch, polierte Gläser. »Das Essen ist gleich fertig, Sie werden sicher hungrig sein.«

»Ich fühle mich nicht wohl«, sagte Renate. »Es tut mir leid, aber ich möchte schon nach oben gehen.«

Sie sah Kurt so an, daß er wußte, sie wollte allein sein.

Er blieb unten in der Gaststube, aß zu Abend. Der Wirt leistete ihm bei einem Glas Wein Gesellschaft, und dann kamen ein paar Burschen aus der Gegend, der Gehilfe des Försters und vier Bauernjungen. Ihre lauten, jungen Stimmen füllten bald den Raum, sie tranken Bier und weißen Korn dazu. Sie beäugten Kurt neugierig.

Er ließ sich noch eine Flasche Wein und zwei Gläser geben, ging dann nach oben.

»Mach kein Licht«, sagte Renate, als er das Zimmer betrat. An ihrer Stimme hörte er, daß sie geweint hatte.

»Trinkst du ein Glas Wein?« fragte er.

»Ja.«

Er tastete sich durch das Dunkel hinüber zum Fenster, wo sie auf dem Bettrand saß.

Er füllte die Gläser mit Wein, reichte ihr eines. Sie nahm es, drehte es zwischen ihren schmalen Händen.

»Auf dein Wohl«, sagte er.

Sie setzte das Glas ab, stand auf. »Ich bin gleich wieder da.«

Kurt faßte nach ihrem Arm. »Renate, was ist nur mit dir? Es hat alles so schön begonnen, und nun . . .«

»Ich muß zu Hause anrufen«, sagte sie ruhig.

»Tu es nicht.«

»Ich muß.«

»Bitte, Renate, du zerstörst damit alles, was uns noch bleibt – unsere letzte Nacht, unseren letzten Tag.«

»Ich komm einfach nicht davon los, verstehst du das denn nicht?«

»Wovon?«

»Von meinem Zuhause, von meinem Sohn, von meiner Mutter, meinem Bruder und auch von . . .«

»Renate, nur diese Nacht noch und morgen.«

»Ich muß wenigstens anrufen.«

»Gut«, sagte er, »also gut.« Er ließ sie gehen. Er griff nach seinem Glas, trank es leer, schenkte sich neu ein.

Dann kam Renate zurück. Er hörte ihren schnellen, hastigen Schritt draußen auf den alten Bohlen des Flurs. Sie stieß die Tür auf, knipste das Licht an. Es blendete ihn. Er hob die Hand vor die Augen.

»Ich habe es gewußt«, stieß sie hervor, »ich habe es geahnt.« Diesmal sah er, daß sie weinte, aber ihrer Stimme war nichts anzuhören. Sie war gläsern, kalt, ohne jeden Ausdruck. Und er sah auch, sie wußte es selbst nicht, daß Tränen über ihre Wangen liefen.

»Was ist passiert?« fragte er und bemühte sich, seine Stimme ruhig klingen zu lassen.

»Peter ist krank, schwer krank, und es ist meine Schuld«, erwiderte Renate tonlos.

Sie trat zum Schrank, nahm ihren Koffer heraus, begann zu packen.

Kurt sah tatenlos zu. »Was ist es?« fragte er dann.

»Verdacht auf Kinderlähmung«, sagte sie. »Es hat noch am selben Tag begonnen, als ich – als ich zu dir gekommen bin.«

3

Es hatte ganz plötzlich zu regnen begonnen. Der Wind trieb den Regen in heftigen, schrägen Böen gegen die Windschutzscheibe. Die Räder des Wagens jaulten auf dem nassen Asphalt. Die Scheinwerfer schnitten eine weiße Bahn in die Nacht.

»Fahr schneller«, sagte Renate.

»Es geht nicht.« Kurt saß über das Steuer gebeugt, starrte auf die Straße, deren weißer Teilungsstrich sich schnell abspulte. Im Licht der Armaturenbeleuchtung war sein Gesicht hart und dunkel.

»Peter ist krank«, wiederholte sie, »schwer krank. Verdacht auf Kinderlähmung. Weißt du, was das heißt? Und es ist meine Schuld, es ist die Quittung für das, was ich getan habe, für meinen Betrug. Ich habe meinen Mann betrogen und mein unschuldiges Kind, meinen kleinen Sohn, und er muß jetzt dafür bezahlen.«

»Hör doch endlich auf«, sagte Kurt. »Damit machst du es doch nicht besser.«

Renate schwieg einen Augenblick. Es war nichts weiter zu hören als das Rauschen des Regens auf dem Wagendach.

»Wie lange dauert es noch?« fragte sie dann.

»Eine Stunde, vielleicht auch weniger.«

»Fahr mich sofort zur Klinik«, sagte sie.

»Du bist wahnsinnig! Wenn uns jemand zusammen sieht!«

»Das ist mir jetzt egal.«

»Du machst alles kaputt damit.«

»Meinst du, es sei noch nicht alles kaputt?« schluchzte sie. »Was ist denn noch nicht zerstört, was denn?«

»Nimm dich zusammen, du kannst es jetzt nicht mehr ändern!«

»Du wiederholst dich«, sagte sie bitter.

Dann saß sie wieder schweigend da wie er und starrte blicklos hinaus in die Dunkelheit, auf die Straße, die kein Ende nehmen wollte.

Nach einer knappen Stunde tauchten die ersten Lichter auf. Sie erreichten die Randbezirke der Stadt. Jetzt war es nicht mehr weit bis zur Klinik.

Im Wartezimmer auf der ersten Etage des Hauptgebäudes des Hospitals stand Herbert am Fenster.

Er sah den Porsche heranrasen, in die Einfahrt der Klinik einbiegen.

Der grüne Wagen hielt vor dem Portal. Die Tür des Beifahrersitzes öffnete sich, Renate sprang heraus.

Eine Hand reichte ihr den kleinen Koffer. Im Lift der Portalleuchte sah Herbert eine weiße Hemdenmanschette – es war die Hand eines Mannes.

Herbert spürte, wie sich in seiner Brust etwas zusammenkrampfte, ein kurzer Hustenanfall ließ ihn nach Luft ringen.

Unten fuhr der Porsche an, wendete.

Renate stieg die Treppen zum Portal hinauf.

Wenig später hörte Herbert ihre Schritte durch den Flur hallen. Er wollte ihr entgegengehen, aber der Husten hatte ihn erschöpft. Er setzte sich in einen der Korbstühle, die um einen weißlackierten Tisch standen.

Renate trat ein. Er sah, sie hatte geweint. Aber er fühlte kein Mitleid mit ihr, jetzt nicht mehr.

»Ich bin sofort gekommen«, sagte sie und setzte den Koffer ab. Sie wollte ihr Kopftuch abnehmen, hielt mitten in der Bewegung inne. »Wie geht es . . .« Die Stimme versagte ihr.

Sie kam schnell zu ihrem Bruder herüber, blieb dicht vor ihm stehen.

»Man hat Peter vorläufig auf die Isolierstation gelegt, da man noch nicht sicher ist, was ihm fehlt«, sagte Herbert.

»Und – was sagt der Arzt?«

»Der Arzt wollte noch einmal hereinschauen. Er weiß, daß du kommst. Ich nehme an, es wird nicht allzulange dauern.«

»Kann ich zu Peter?«

»Ich weiß es nicht. Du mußt den Arzt fragen.«

»Wer behandelt ihn?«

»Dr. Kobler.«

»Warum habt ihr keinen Spezialisten hinzugezogen?«

»Dr. Kobler ist ein guter Arzt, außerdem leitet er hier die Abteilung für Kinderkrankheiten.«

Renate griff in ihre Manteltaschen, suchte etwas, sagte dann: »Gib mir eine Zigarette.«

Herbert sah, daß ihre Hand zitterte, als sie die Zigarette zum Mund führte.

»Warum setzt du dich nicht?« fragte er. »Im Augenblick kannst du doch nichts tun.«

»Wenn ich das gewußt hätte«, murmelte sie, »wenn ich das geahnt hätte.« Sie setzte sich ihm gegenüber an den Tisch. »Wann genau hat es angefangen?« fragte sie und blickte ihn zum erstenmal voll an.

»An dem Nachmittag, als du fort warst. Beim Essen war er noch sehr vergnügt. Wir wollten in den Zoo gehen.«

»Und?«

»Als er von seinem Mittagsschlaf aufwachte, jammerte Peter, ihm sei übel. Er hatte auch Fieber und klagte über Rückenschmerzen. Gegen Abend stieg das Fieber, und er mußte sich erbrechen. Mutter rief den Arzt.«

»Wo war denn Martha?«

»Du hattest ihr doch Urlaub gegeben, weil du Peter einmal für dich haben wolltest.«

»Ach so, natürlich«, murmelte Renate, und eine tiefe Röte färbte ihre Wangen.

»Dr. Kobler stellte dann ein Versagen der Arm- und Beinreflexe fest und sinkenden Blutdruck«, fuhr Herbert fort. »Er wies Peter sofort in die Klinik ein.«

»Und ich habe nichts davon gewußt.«

»Wir konnten dich ja nicht erreichen.«

»Wie – wie war es heute?«

»Es ging ihm etwas besser. Peter hat natürlich Medikamente bekommen und steht unter ständiger Aufsicht.«

»Glaubst du – ich meine, glaubst du, daß es wirklich Kinderlähmung ist?« Ihre Lippen bewegten sich kaum, als sie dies fragte, und ihre Augen hingen an seinem Mund.

Herbert hob die Schultern. »Ich weiß es nicht. Vielleicht ist es nur ein leichter Anfall und geht vorüber, ohne daß Peter Schaden nimmt.«

»Hoffentlich!« Renate schlug die Hände vors Gesicht. »Mein Gott, hoffentlich«, flüsterte sie.

Herbert machte nicht den Versuch, sie zu trösten, ihre Angst zu mildern. Er konnte es einfach nicht, denn er dachte daran, was er vor wenigen Minuten beobachtet hatte: seine Schwester, die aus einem fremden Wagen stieg, von einem fremden Mann kam.

Er betrachtete Renate kühl, als sei sie eine Fremde.

»Mutter hat sich natürlich sehr aufgeregt«, fuhr er in seinem Bericht fort. »Vor allem, weil wir dich nicht erreichen konnten und wir nicht wußten, was wir Richard sagen sollten, wenn er anrief.«

»Hat er schon angerufen?«

»Ich habe mit ihm gesprochen. Aber ich habe ihm nichts von Peters Erkrankung gesagt. Nur daß du für ein paar Tage mit Katrin unterwegs seiest.«

Er sah, wie Renate zusammenzuckte.

»Mit Katrin?« wiederholte sie verständnislos.

»Es erschien mir das beste, denn Richard war verwundert, daß du überhaupt verreist warst.«

Herbert beugte sich über den Tisch vor. »Du warst ja auch nicht allein fort.«

Renate sah an ihm vorbei.

»Du warst mit einem Mann fort. Mit irgendeinem Kerl.«

Ihr Gesicht veränderte sich. Es war, als zögen unsichtbare Hände die Haut über ihren Wangen straff. Sie wirkte mit einemmal um Jahre älter.

»Mach nicht erst den Versuch, mich zu belügen«, sagte Herbert, »ich habe dich gesehen, denn sehr vorsichtig bist du nicht gewesen.«

Ihre Augen schimmerten in einem kalten Glanz, als sie ihn wieder ansah. Sie lächelte mit schmalen Lippen. »Du hast mich eben hier ankommen sehen? In einem grünen Porsche, nicht wahr?«

»Ja. Aber erzähl mir nur nicht, du habest eine Panne unterwegs gehabt und seiest von einem hilfreichen Kavalier mitgenommen worden!«

»Warum nicht?« fragte sie kühl.

»Weil ich es dir nicht glaube.« Herbert war mit einemmal unsicher, aber er wollte es ihr nicht zeigen. Er stand auf und trat zum Fenster, wandte ihr den Rücken zu. »Ich weiß ja nicht, wo du gewesen bist, aber . . .«

»Ich war in der Eifel«, unterbrach sie ihn.

»Ausgerechnet dort findest du mitten in der Nacht einen hilfreichen Ritter der Landstraße.«

»Wer gibt dir überhaupt das Recht, an dem, was ich sage, zu zweifeln? Wenn jemand das Recht hätte, wäre es – Richard!«

Herbert hatte das kurze Zögern bemerkt, ehe sie den Namen ihres Mannes aussprach.

»Ich glaube dir nicht«, wiederholte er, »und es wäre klüger von dir, wenigstens mir die Wahrheit zu sagen.«

»Warum ausgerechnet dir?«

Herbert kam nicht dazu, eine Antwort zu geben.

Dr. Kobler trat ein, ein Mann in den späten Vierzigern, der mit seiner rosigen Gesichtsfarbe und dem gemächlichen Lächeln Zuversicht um sich verbreitete.

»Das war sicherlich ein Schreck für Sie, nicht wahr, gnädige Frau?« Er drückte beruhigend Renates Hand. »Aber Sie können sicher sein, es wird alles getan, was in unserer Macht steht.«

»Herr Doktor, bitte, kann ich Peter sehen?«

»Er schläft, und wir wollen ihn auch nicht stören. Wir wollen hoffen, daß er sich gesund schläft.«

»Glauben Sie, daß es doch keine Kinderlähmung ist?«

»Noch kann ich Ihnen keine Gewißheit darüber geben. Aber wir wollen es hoffen. Wie gesagt, einstweilen –« Der Arzt wiederholte seine beruhigenden Floskeln und hielt es für das beste, wenn sie nun nach Hause gingen und am nächsten Tag wieder vorbeikommen würden. Selbstverständlich würden sie benachrichtigt, wenn eine Änderung im Gesundheitszustande des kleinen Patienten eintrat, aber einstweilen sollten sie sich nicht allzusehr beunruhigen.

Dr. Kobler geleitete sie hinunter zum Empfang, beauftragte die Schwester, den Wagen der Jansens vorfahren zu lassen.

Schweigend, jeder in seine Ecke des schwarzen Chryslers zurückgelehnt, kehrten Renate und Herbert in das Jansensche Haus zurück.

Ihre Mutter war im Salon vor dem Kamin eingenickt. Ein Buch, in dem sie vielleicht gelesen hatte oder auch nicht, weil ihre Gedanken nicht zur Ruhe kamen, war ihr aus den Händen geglitten und lag zu ihren Füßen.

Sie schreckte hoch, als Renate das Buch aufhob und auf den Tisch legte. Ihre Augen füllten sich rasch mit ängstlicher Freude.

»Gott sei Dank, daß du wieder da bist, Renate.« Sie küßte die Tochter auf die Stirn. »Warst du schon in der Klinik? Wie geht es Peter?«

»Wir kommen gerade von dort«, sagte Renate. »Im Augenblick geht es ihm nicht allzu schlecht. Der Arzt meinte, wir sollten ruhig nach Hause fahren.«

Herbert schenkte sich an der Anrichte einen Cognac ein.

»Herbert, bitte, du darfst doch nichts trinken«, ermahnte ihn seine Mutter.

Er lächelte beruhigend. »Laß mich nur, ich bin ein bißchen durchgefroren. Ich nehme ja auch nur einen kleinen Schluck.«

Seine Mutter nickte bekümmert, wandte sich dann wieder an Renate.

»Übrigens, ein junger Mann hat vor einer Viertelstunde deinen Wagen gebracht. Er steht in der Garage.«

»So? Ist er wieder in Ordnung?« fragte Renate mit spröder Stimme.

»Ich weiß es nicht. Lisa sagte nur, ein Herr, der auch auf eurer Gesellschaft gewesen sei, habe den Wagen gebracht.«

»Jaja.« Renate nickte. Und dann schnell, hastig, ehe Herbert oder ihre Mutter noch irgend etwas sagen oder fragen konnten: »Ich gehe jetzt nach oben. Ich bin sehr müde.«

Aber so schnell entkam sie Herbert nicht.

»Einen Moment, Renate.« Er war ihr in die Halle gefolgt. Er griff nach ihrem Arm, zwang sie, stehenzubleiben.

»Hast du schon einmal daran gedacht, daß du in einem Glashaus wohnst? Daß hundert, vielleicht tausend Augen dich ständig beobachten?«

»Ich verstehe dich nicht«, erwiderte sie flach, riß sich los und lief die Treppe hinauf.

Herbert blickte ihr nachdenklich nach. In seinen Augen trat der ratlose Ausdruck, den man oft an seiner Mutter beobachten konnte. Langsam wandte er sich ab und ging in den Salon zurück, wo ihm die alte Frau mit ängstlich fragendem Blick entgegensah. Schweigend trank er sein Glas leer und versuchte, nicht daran zu denken, wie krank er war, wie alt seine Mutter war, vorzeitig gealtert durch ein hartes, von Arbeit überschattetes Leben, wie hilflos sie beide waren, auf Renates – Richards – Großmut angewiesen, auf ihr Geld, ihr Haus, auf die weichen Betten in den warmen Zimmern, auf die drei Mahlzeiten am Tag und auf die Begleichung der teuren Arztrechnungen am Ende eines jeden Monats. Er versuchte auch nicht daran zu denken, was aus ihnen werden würde, wenn es das alles nicht mehr gab. Was würde geschehen, wenn Richard erfuhr, daß Renate ihn betrogen hatte? Denn dies stand für ihn so fest, als habe sie selbst es ihm erzählt. Was passierte dann?

Nicht daran denken ... nicht denken ... Aber seine Hände wurden feucht vor Schweiß.

Renate verbrachte jeden Tag in der Klinik. Sie nahm selbst die Mahlzeiten dort ein. Sie wich keinen Augenblick von Peters Bett. Geduldig, wie nur wenige Kinder es können, ließ der Junge die täglichen Untersuchungen über sich ergehen. Eine genaue Diagnose war auch jetzt noch nicht möglich. Es trat weder die befürchtete Lähmung seiner Gliedmaßen noch eines inneren Organes ein. Aber jeden Tag, wenn es Abend wurde, fieberte er. Dann leuchteten seine ernsthaften Augen übergroß in dem geröteten Gesicht. Renate streichelte beruhigend seine heißen Wangen, erzählte ihm mit leiser Stimme, die immer wieder stocken wollte, alle Märchen und Geschichten, welche er verlangte. Manchmal wimmerte er vor Schmerzen, die sich nie genau lokalisieren ließen, und das war für Renate das schlimmste. Denn sie konnte ihm nicht helfen.

Oft fragte er: »Wann kommt Papi wieder?« Auf dem Kalender, den Renate ihm mitbrachte, strich er jeden Tag, der verging, mit einem Rotstift durch.

Peter wollte wissen, ob der Papi auch ein kleiner Junge wie er gewesen war und ob er auch im Krankenhaus gelegen hatte. Renate erfand Episoden aus Richards Kindheit, natürlich war Richard auch einmal krank gewesen und natürlich auch wieder gesund geworden.

»Der Papi hat gesagt, wir drei verreisen, wenn er wiederkommt. Wir nehmen niemanden mit, auch die Martha nicht. Wir fahren ans Meer, und ich darf mal auf ein großes Schiff, eines mit vielen Segeln. Aber wir nehmen niemand anderes mit, nicht wahr?«

»Nein«, erwiderte Renate, »nur der Papi, du und ich machen Ferien zusammen.« Zum erstenmal erkannte sie, wie sehr Peter an ihr und Richard hing, daß er offenbar sehr genau gespürt hatte, wie wenig Zeit sie oft für ihn erübrigte, weil ihr ein Besuch bei der Kosmetikerin oder im Modesalon, eine Bridgeparty oder ein Tennismatch, eine Gesellschaft oder ein Theaterbesuch wichtiger gewesen waren.

In diesen Tagen sah sie sich zum erstenmal mit den Augen des Kindes und erfuhr, daß sie ihm keine gute Mutter gewesen war. Sie merkte es auch daran, daß Peter zwar die Besuche seines Onkels Herbert und seiner Großmutter höflich und wohlerzogen akzeptierte, aber beinahe erleichtert war, wenn er mit ihr, Renate, allein sein durfte.

Sie schrieb Richard, daß Peter erkrankt sei. Sie telefonierte auch mit ihm, berichtete ihm alles, was die Ärzte über die Erkrankung äußerten. Aber sie bat ihn, seinen Amerika-Aufenthalt nicht abzubrechen.

Drei Wochen vergingen, bevor Peter endlich aus dem Krankenhaus entlassen wurde.

Er war noch sehr schwach und brauchte nach wie vor aufmerksame Pflege.

Aber Renate ließ keineswegs die Verantwortung hierfür wieder in die Hände von Martha, seiner Erzieherin, gleiten.

Renate erhielt von Dr. Kobler genaue Anweisungen, was zu Peters Gesundung zu tun war. Sie ließ sich von ihrer Masseuse die Übungen erklären, welche seinen geschwächten Körper kräftigen sollten, und sie gestaltete die morgendliche Gymnastik zu einem vergnügten Spiel für den Jungen.

An den warmen Tagen fuhr Renate mit ihm ins Bergische Land. Sie wunderte sich selbst, wie viele Namen der Sträucher und Bäume und Waldvögel sie noch kannte, und war bemüht, keine Antwort auf Peters wißbegierige Fragen schuldig zu bleiben.

Renate las ihm allabendlich Tierfabeln vor, die er besonders liebte, und sie schenkte ihm Cocky, einen rostfarbenen Spaniel, den er sich schon lange gewünscht hatte.

Vor allem gab sie Peters Wunsch nach, mit ihr alle Mahlzeiten einzunehmen. Stolz saß er dann zu ihrer Linken und versuchte mit kindlicher Ernsthaftigkeit, ihre Wünsche zu erraten und sie zu bedienen. Nach Beendigung des Essens zog er ihr jeweils höflich den Stuhl zurück, wie er es bei seinem Vater beobachtet hatte.

Renate lebte in dieser Zeit nur für ihren Sohn. Wenn sie Richard schrieb, waren ihre Briefe angefüllt mit – Peter sagt . . . Peter möchte . . . Peter denkt . . .

Aber sie wurde auch für ihre Liebe und Fürsorge durch vieles belohnt.

Manchmal fand sie abends auf ihrem Kopfkissen eine Wiesenblume, die er heimlich gepflückt, ein besonders farbiges Herbstblatt oder einen Kiesel von bizarrer Form, welche er gefunden hatte.

Natürlich legte Peter diese kleinen Geschenke dorthin, doch er fragte nie, ob sie diese auch fand. Er sah Renate nur scheu an, und wenn sie dann lächelnd nickte, überzog sich sein kleines, mager gewordenes Gesicht mit einer so leuchtenden, strahlenden Freude, daß es ihr fast die Tränen in die Augen trieb.

Auch Renates Verhältnis zu ihrer Mutter gestaltete sich wieder so, wie es früher einmal gewesen war – Einverständnis miteinander ohne viele Worte.

Nur Herbert blieb verschlossen, vermied es, mit ihr allein zu sein, beobachtete sie kritisch, wenn er glaubte, sie sähe es nicht.

Renate bemerkte es wohl, aber sie konnte nichts dagegen tun. Sie wollte keine Aussprache herbeiführen, denn sie fürchtete, dann von Kurt Steinweg sprechen zu müssen, und das wollte sie nicht.

Manchmal träumte sie noch von Steinweg, wilde, peinigende Alpträume. Dann sah sie sein dunkles Gesicht mit den hellen, dämonischen Augen, und sie hörte seine leidenschaftliche Stimme. Diese Träume quälten Renate, und sie erwachte stets erschöpft und in Schweiß gebadet.

Im Tagbewußtsein hatte sie Steinweg vergessen, wollte ihn für immer vergessen. Sie wollte nichts als die Liebe ihres Kindes und das Glück wiederfinden, wenn Richard zurückkehrte.

Sie glaubte auch, dies würde ihr gelingen.

Nur eines belastete Renate noch: ihre Fahrt mit Steinweg in die Eifel. Ihr Bruder Herbert hatte damals ihre Unvorsichtigkeit mit einer Lüge bemäntelt und Richard glauben lassen, sie sei mit Katrin unterwegs.

Nun mußte sie diese Lüge untermauern.

So beschloß sie eines Nachmittags, Katrin aufzusuchen.

Katrins Modeatelier lag in der Nähe des Doms. Es war ganz von der zierlichen, lebendigen Person seiner Besitzerin geprägt. Da gab es duftige, hauchdünne Schals aus blassen chinesischen Seiden, Brokate aus Damaskus und den neuesten, ausgefallenen Modeschmuck aus Paris.

Es war Renate jedesmal, als betrete sie eine Schatzkammer aus Tausendundeiner Nacht, in der sich Edelsteine in schimmernde Stoffe verwandelt hatten.

Katrin bediente gerade eine Dame, deren Gesicht ein Schönheitschirurg in eine alterslose Maske verwandelt hatte.

Katrin blickte auf, als Renate eintrat, und ein erfreutes Lächeln erhellte ihre dunklen, schrägstehenden Augen.

Sie kam rasch mit ihren winzigen, trippelnden Schritten herüber. »Nur einen Augenblick, ich bin gleich soweit. Die Mädchen sind schon fort, geh nach hinten . . .«

Im Hinterzimmer roch es dumpf nach zu heiß gebügelten Stoffen wie in allen Schneiderwerkstätten, auch hier türmten sich in verschwenderischer Fülle Ballen der erlesensten Seiden und Samte.

Renate schob eine Schneiderpuppe zur Seite, nahm ein beinahe fertiges Kostüm von einem Stuhl und setzte sich. Sie schlug die Beine übereinander und zündete sich eine Zigarette an.

Sie brauchte kaum zu warten, hörte, wie sich Katrin von der Kundin verabschiedete, dann kam sie herein.

»Du, ich freue mich, daß du mal wieder kommst!« Impulsiv beugte sie sich vor und gab Renate zwei flüchtige Küsse auf die Wangen.

»Was war nur mit dir los? Ich wollte dich immer anrufen, aber ich hab' so den Kopf voll gehabt mit der Frühjahrskollektion. Also ich sag' dir – ach was, alles Quatsch«, unterbrach Katrin sich selbst. »Ich mach' uns jetzt erst mal einen Kaffee, und dann erzählst du mir von dir, ja?«

Schnell, wie sie alles tat, schaltete Katrin den elektrischen Kocher ein, setzte Wasser auf, gab Kaffeepulver in die Tassen, fegte den anderen Stuhl von seinen Nähutensilien frei und ließ sich mit einem Seufzer daraufsinken. »Also, schieß los. Wie ist es dir ergangen als Strohwitwe? Ich wette, du hast deinen Mann betrogen!« Katrin lachte hell auf.

Aber Renate stimmte nicht in ihr Lachen ein.

»Du, ich hab' doch bloß einen Scherz gemacht«, sagte Katrin auch gleich schuldbewußt.

»Natürlich«, erwiderte Renate flach.

»Ist irgend etwas los?« Katrin blickte die Freundin mit einemmal ernst und prüfend an.

»Peter war ziemlich krank«, wich Renate aus.

»Der arme Kleine! Was hat ihm denn gefehlt?«

»Die Ärzte vermuteten zuerst Kinderlähmung, aber das war es nicht. Eine fiebrige Erkrankung, deren Ursprung nicht genau festgestellt worden ist.«

»Du Ärmste. Das hat dich wohl sehr mitgenommen?«

»Es ist ja schon wieder vorbei«, sagte Renate. »Ach – übrigens, da fällt mir etwas ein. Wir haben dich ohne dein Wissen in ein kleines Komplott einbezogen.«

»Ein Komplott?«

»Man kann es so nennen.« Renate lächelte wie selbstverständlich. »Am Morgen des Tages, als Peter erkrankte – ich wußte natürlich noch nichts davon –, da bin ich für ein paar Tage von zu Hause ausgerissen. Weißt du – Richard nicht da, nur meine Mutter und mein Bruder in dem großen Haus allein, da wollte ich einfach mal raus. Ich bin in ein kleines Nest in die Eifel gefahren und dort ein bißchen durch den Wald gelaufen.«

»Aus einer Einsamkeit in die andere?«

»Naja, man macht manchmal eben Unsinn.« Renate zuckte mit den Schultern. »Aber wie gesagt, da rief Richard an, und er schien so überrascht und beunruhigt, weil ich verreist war, daß mein Bruder ihm sagte, ich sei mit dir für ein paar Tage weggefahren, also nicht allein, verstehst du?«

»Und das ist euer Komplott?« Katrin lächelte. »Ich habe gar nicht gewußt, daß du solchen Respekt vor Richard hast.«

»Ach, es war mir einfach zu dumm, hinterher noch einmal alles zu erklären. Und wenn er zurückkommt, warum soll ich es dann tun? Einer Lappalie Wichtigkeit beimessen?«

»Natürlich nicht. Man soll Männer nicht unnötig mißtrauisch machen.«

Das Wasser auf dem Kocher siedete, und Katrin sprang rasch auf, überbrühte den Kaffee.

Beide Frauen tranken ihn schwarz, ohne Zucker. Sie zündeten Zigaretten an, rauchten die ersten Züge genußvoll, langsam, wie man es gern zum Kaffee tut.

»Du, ich muß dir auch etwas erzählen«, sagte Katrin dann. Eine sanfte Röte färbte ihre Wangen. Sie sprang wieder auf, lief unruhig auf und ab, rauchte in kurzen, nervösen Zügen.

»Ich habe mich verliebt. Ich habe mich richtig und wahrhaftig verliebt«, sagte sie beinahe atemlos. »Und das mit meinen dreißig Jahren und meiner so vielgepriesenen Unabhängigkeit! Lach nicht«, bat sie, als sie sah, wie sich Renates Mundwinkel nach oben bogen. »Es ist mir nämlich schrecklich ernst.« Eine hauchdünne Falte erschien zwischen ihren sorgfältig gezupften Brauen. »Es ist mir so ernst, daß ich sogar all das hier aufgeben würde, um ihn zu heiraten.«

»Dein Königreich?« fragte Renate und lachte jetzt doch. »Und wer ist der Glückliche?«

»Du kennst ihn«, sagte Katrin.

»Sag bloß Christian?«

»Aber nein!«

»Er liebt dich schon seit Jahren.«

Katrin hob die Schultern. »Na und? Ich hab' keine Ader für Mitleid.«

»Also spann mich nicht länger auf die Folter«, sagte Renate.

»Er war auf eurer letzten Gesellschaft.«

»Auf unserer letzten Gesellschaft? Aber da waren doch praktisch nur Ehepaare.«

»Hältst du mich für eine Ehebrecherin oder wie immer man das nennt?«

»Natürlich nicht.«

»Also, dann denk nach. Er ist unverheiratet, sieht sehr gut aus und war auf eurer Party.«

Renate schüttelte lächelnd den Kopf.

»Er heißt –« Katrin machte eine beinahe geheimnisvolle Pause. »Kurt Steinweg.«

Es traf Renate völlig unerwartet. Es traf sie so, daß ihr Herzschlag aussetzte.

Sie wollte etwas sagen, mußte sich räuspern, und das einzige, was sie antworten konnte, war: »Ach so.«

»Du bist überrascht, nicht wahr?« fragte Katrin. »Ja, ich habe es selbst nicht für möglich gehalten. Aber vom ersten Augenblick an, als ich ihn sah, als er auf eure Terrasse trat, da – da hat's mich eben gepackt. Du, ich hab' die ganze Nacht nicht schlafen können, und am nächsten Tag bin ich in seine Ausstellung gerast. Ich hab' gehofft, es wären miese Plastiken, weil ich dachte, ich muß wenigstens einen Fehler an ihm entdecken, aber selbst seine Arbeiten waren gut. Weißt du –«, jetzt bekamen Katrins Augen einen feuchten Glanz, »ich habe es ja nie für möglich gehalten, aber ich habe mich verliebt. Ich liebe Kurt Steinweg.«

»Und er?« fragte Renate spröde.

»Er?« Katrin lächelte. »Ich glaube, er mag mich. Ja, das auf jeden Fall! Kurt war gerade da, als ich in die Ausstellung kam, mit so irgendeinem Professor von der Bonner Universität. Du, den ließ er stehen und kam zu mir herüber und begrüßte mich. Ich hatte gar nicht damit gerechnet und war richtig verlegen. Dann bat er mich sogar zu warten und lud mich zu einer Tasse Kaffee ein.«

»Und?« fragte Renate.

»Wir haben uns dann noch einmal abends zum Essen getroffen. Am nächsten Tag mußte Kurt verreisen. Aber er versprach, mich wieder anzurufen.«

»Und?«

»Was ist mit dir, warum siehst du mich so komisch an?« fragte Katrin unsicher. »Langweile ich dich?«

»Aber keineswegs! Im Gegenteil! Hat er dich schon angerufen?«

»Ja«, Katrin nickte glücklich, »schon drei Tage später. Er sagte, er sei früher zurückgekommen als beabsichtigt, und wir haben uns wieder getroffen. Wir haben uns seither sehr oft gesehen.«

»Das freut mich«, sagte Renate, »wirklich, das freut mich.«

»Du sagst das aber fast, als ärgerte es dich.«

»Ach, Unsinn.« Renate lachte auf. »Ich hab' nur an Christian denken müssen. Er wird jetzt ja wohl seine Hoffnungen auf dich endlich begraben müssen.«

»Ja, das muß er wohl«, erwiderte Katrin, und es war Renate, als könne sie keinen Augenblick länger ihr glückliches Lächeln ertragen. Aber genausowenig konnte sie aufstehen und fortgehen. Sie wollte mehr wissen, alles, was zwischen ihrer Freundin und Steinweg geschehen war. Bis vor ein paar Minuten noch war sie froh darüber gewesen, nicht mehr an ihn denken zu müssen, hatte versucht, all das zu vergessen, was in den ersten Tagen nach Richards Abreise nach Amerika geschehen war, daß sie ihren Mann mit dem Geliebten aus langer Vergangenheit betrogen hatte, hatte versucht, Steinwegs Namen, seine dämonische Gewalt über sie auszulöschen ... Und jetzt saß sie da und spürte mit einemmal ein nagendes Gefühl der Eifersucht.

So weit bin ich gekommen, dachte sie bitter. Ich hasse ihn – und gleichzeitig bin ich eifersüchtig auf ihn. Ich könnte froh sein, ihm entronnen zu sein – aber bin ich das wirklich?

Laut fragte sie: »Habt ihr davon gesprochen zu heiraten?«

»Nein. Übrigens, ich hab' vergessen, dir noch etwas zu erzählen. Also, seine Plastiken sind wirklich gut. Sehr modern, du kennst das ja. Man weiß nie so genau, was sie darstellen sollen. Aber ein paar Frauenplastiken sind darunter, Renate, die sehen genauso aus wie du. Die haben dein Gesicht und deinen Hals und deine Schultern. Ich hab' Kurt das gesagt. Ich dachte, vielleicht kennt ihr euch von früher her. Aber er meinte, es sei eine rein zufällige Ähnlichkeit. Diese Frauenplastiken seien ganz seiner Phantasie entsprungen, und er habe dich ja erst auf eurer Gesellschaft kennengelernt.«

»Natürlich«, erwiderte Renate, »wir haben uns nur so flüchtig kennengelernt, daß ich mich noch nicht einmal an ihn erinnern könnte.« Und sie dachte, er hat mich verleugnet. Sie dachte nicht, Gott sei Dank, er hat wenigstens seinen Mund gehalten, sondern sie dachte in jäh aufwallendem, unerklärlichem Zorn, er hat mich verleugnet.

»Du bist mit einemmal so blaß«, sagte Katrin. »Fühlst du dich nicht wohl?«

»Ein bißchen Migräne«, erwiderte Renate und stand auf. »Das hab' ich oft im Herbst.«

»Willst du dir nicht wenigstens noch meine neue Kollektion ansehen?«

»Ein andermal. Es ist schon spät geworden. Ich muß noch ein paar Besorgungen machen. Aber ich komme bald wieder vorbei. Und laß dich auch mal sehen, wenn dir dein – Kurt Zeit dazu läßt.«

»Gern. Ich bring' ihn mal mit, ja? Damit du ihn auch näher kennenlernst.«

»Natürlich«, Renate lächelte. »Wenn Richard zurück ist, geben wir bald wieder eine Gesellschaft.«

Sie behielt das Lächeln auf ihrem Gesicht, bis die Ladentür sich hinter ihr geschlossen hatte, bis sie sicher war, daß Katrin ihr nicht mehr nachschaute.

Renate überquerte die Straße, stieg in ihren Wagen.

Sie legte die Hände flach auf das Steuer, starrte vor sich hin, auf das quirlende, brodelnde Leben in der Straße, die eiligen Passanten, die hupenden, sich durchschlängelnden Wagen, die Neonreklamen, welche über den Geschäften gleißten und mit den glänzenden Auslagen wetteiferten. Renate starrte zum Fenster des Wagens hinaus, ohne auch nur irgend etwas zu sehen.

So ist das also, dachte sie, genau so. Darauf hat er also sieben Jahre lang gewartet, und darauf bist du hereingefallen, hast genau das getan, was er wollte, bist ihm in die Falle gelaufen, als seiest du blind.

Aber was will ich denn eigentlich, was geht eigentlich in mir vor? dachte sie. Soll er doch Katrin haben, soll er sie doch mit Haut und Haaren bekommen, dann bin ich ihn doch los. Ich bin ihn endlich und für immer los. Er kann mir nichts mehr anhaben, er hat seine Macht verloren.

Ich bin frei.

Renate spürte die Erleichterung bis in die Fingerspitzen. Mit einemmal nahm sie auch alles, was um sie her vorging, wieder wahr, sah die alte Frau, die ihren Hund spazieren führte, zwei Jungen, die ihre Nasen am Schaufenster eines Spielwarengeschäfts plattdrückten, ein paar junge Mädchen, die kokett über den Gehsteig staksten.

Aber eines möchte ich doch sehen, dachte sie ganz kühl und glaubte nur Neugier zu spüren – die Plastiken, die mir gleichen sollen.

Renate startete den Wagen, zog ihn aus der Parklücke, fädelte sich in die Autoschlange vor der Kreuzung ein und fuhr dann zur Gilde-Galerie, in der Kurt Steinwegs Plastiken ausgestellt waren.

Sie war die einzige Besucherin an diesem späten Nachmittag in den drei Sälen, und sie blieb lange in dem, der den Frauenplastiken vorbehalten war. Und in jedem der sieben in weißen und grauen und schwarzen Stein gehauenen Gesichtern erkannte sie sich selbst.

»Gefällst du dir?« fragte Steinwegs Stimme hinter ihr.

Sie drehte sich langsam um. Er blickte sie mit forschenden Augen an. Das für ihn so typische kalte, spöttische Lächeln hing um seine Lippen.

»Sieh sie dir genau an«, sagte er. »Sieben Plastiken für sieben Jahre der Einsamkeit.«

»Du übertreibst wie stets«, erwiderte sie kalt.

»Ich habe dich lange nicht gesehen«, sagte er. »Fünf Wochen ist es her.«

»Du wirst mich auch nicht mehr sehen.«

»Warum bist du dann hergekommen? Um mir das zu sagen?«

»Ja, um dir das zu sagen.«

»Du lügst«, sagte er leise.

Eine Gruppe junger Mädchen betrat den Raum, angeführt von einer spitznasigen älteren Frau, offenbar ihrer Lehrerin.

»Laß uns gehen«, sagte Steinweg und nahm Renates Arm. Er führte sie nach draußen.

»Läßt du deinen Wagen hier stehen?« fragte er.

»Ich komme nicht mit dir.«

»Fang doch nicht wieder von vorne an.«

»Ich komme nie mehr.«

»Das hab' ich schon ein paarmal gehört.« Er lächelte, und es zuckte in ihrer Hand, ihm dieses Lächeln aus dem Gesicht zu schlagen.

»Ich war bei Katrin«, sagte sie. »Ich möchte euch beiden viel Glück wünschen.« Ihre Stimme klang noch nicht einmal spöttisch, als sie das sagte.

Sein Lächeln wurde unsicher.

»Ach so«, sagte er. »Katrin ist es also . . .«

»Ja, Katrin. Und ich bin sehr froh darüber.«

»Das klingt aber nicht so.« Er steckte die Hände in die Taschen seines Mantels und versuchte, nonchalant und forsch zu wirken.

»Ich bin froh«, wiederholte sie.

»Du hast das *sehr* vergessen.«

»Ich bin froh, weil ich dich nun los bin.«

»Ich würde an deiner Stelle nicht so sicher sein.«

»Ich bin es aber«, sagte sie, »und weißt du auch, warum? Weil ich erkannt habe, was du von mir wolltest, weil ich nun weiß, daß es nur Rache für deine gekränkte Eitelkeit war, die dich nach sieben Jahren zu mir zurücktrieb.« Sie sah, daß er blaß wurde, daß selbst die Farbe seiner Augen verblich.

»Starr mich nur an«, sagte sie, »starr mich nur an, als wenn du es nicht glauben könntest. Aber es ist so, wie ich gesagt habe, du wolltest dich nur an mir rächen, indem du nach sieben Jahren kamst und mich zwangst, dir zu Willen zu sein. Aber das ist jetzt vorbei – für immer.«

»Du bist ja nur eifersüchtig«, sagte er.

Renate lachte auf. »Eifersüchtig? Du armer Kurt Steinweg!«

»Warum bist du dann in die Ausstellung gekommen? Warum bist du dann überhaupt hergekommen?«

»Um es dir deutlich zu sagen. Du hast mir viel angetan in den letzten Wochen. Du hast mich zu etwas gezwungen, was ich niemals wollte. Du hast mich gedemütigt, um deiner Eitelkeit und deiner Rache zu frönen. Aber ich habe heute eines gesehen, und zwar in deiner Ausstellung: du hast dafür, was du mir jetzt angetan hast, schon im voraus bezahlt. Die sieben Plastiken erzählen davon. Sie tragen mein Gesicht, und jedes dieser Gesichter sagt mir, daß du bitter bezahlt hast in diesen sieben Jahren, daß du das Wort Dirne, das du mir damals zuriefst, bitter bereut hast . . . Ja, Kurt Steinweg, du hast schon im voraus für das bezahlt, was du mir später antun würdest. Und deswegen bin ich froh. Ich habe nur ein paar Wochen gelitten, aber du sieben Jahre lang!«

Seine Hand fuhr hoch, als wollte er sie schlagen. Sie sah ihm fest in die Augen.

»So«, sagte sie, »das war alles.«

Sie zog ihre Handschuhe an und wandte sich zum Gehen.

Seine Hand sank herab.

»Du kommst nicht frei von mir«, sagte er mit dumpfer Stimme.

»Ich bin es schon«, erwiderte sie, »und ich bleibe es.«

»Du kommst wieder.«

»Die Vergangenheit ist tot«, sagte Renate, »es hat sie nie gegeben, und es hat dich nie gegeben.« Damit drehte sie sich um und ging.

Wenige Wochen später, beim gemeinsamen Frühstück, schützte Renate einen Besuch bei der Kosmetikerin vor, der sie zwingen würde, den ganzen Vormittag in der Stadt zu bleiben.

Wäre ihr jemand gefolgt, hätte er sehr bald herausgefunden, daß sie keineswegs in Richtung City, sondern in einen der Randbezirke der Stadt fuhr, der nur aus Arbeitersiedlungen bestand.

In einer schmalen Seitenstraße parkte sie ihren Wagen, kehrte dann zur Hauptstraße des Viertels zurück.

Eine Straßenbahn rasselte kreischend vorüber, an einer roten Ampel mußte Renate warten, wo ein gelber Bagger gefräßig das Pflaster aufwühlte.

Renate schritt weiter, bemühte sich automatisch, Pfützen zu umgehen, die den unebenen Bürgersteig bedeckten. Aufmerksam folgte sie den Hausnummern, fand dann die, welche sie suchte.

Ludwigstraße 54.

Es war ein Geschäftshaus, das aussah wie alle anderen in dieser Gegend, vernachlässigt, dunkel von Ruß und jahrelangem Schmutz, mit Fensterrahmen, von denen die Farbe abblätterte.

Im Erdgeschoß befand sich eine Bierkneipe. Die Tür stand auf, und schaler Bier- und Zigarettendunst vom Vorabend quoll heraus. Ein Mann kehrte das Lokal aus, trat in den Eingang, musterte Renate ungeniert, von den glatten schwarzen Pumps bis zu dem Mantel, dessen unauffälliges Grau den eleganten Schnitt nicht verbarg.

Sie schritt an ihm vorbei zu der Haustür, welche in die oberen Stockwerke führte. Hier war auch ein weißes Emailleschild angebracht: *Dr. med. Hauser, Praxis I. Stock.*

Renate stieg in die erste Etage hinauf.

Sie trat in eine düstere Diele. Von einem kleinen Schreibtisch sah ein junges Mädchen auf.

»Guten Morgen.«

»Mein Name ist Bach«, sagte Renate, »ich bin für neun Uhr angemeldet.«

Das Mädchen blätterte in einem Notizheft, wies dann auf eine Tür zu ihrer Linken. »Bitte, warten Sie dort.«

Drei Frauen saßen in dem Wartezimmer, wandten kaum den Kopf.

Eine von ihnen war sehr jung, fast noch ein Mädchen, mit fleckigem Gesicht und hochgewölbtem Leib. Die beiden anderen waren ältere Frauen mit derben und von der Arbeit gegerbten Gesichtern.

Renate nahm nahe der Tür Platz. Sie zog ihre Zigaretten hervor, aber ein Schild, gleich an der Wand gegenüber, bat, hier nicht zu rauchen.

Renate wartete, stumm wie die anderen – vielleicht nicht so gleichgültig, dachte sie, aber wer wollte das entscheiden? Wer konnte wissen, was diese anderen Frauen zu dem Arzt führte?

Renate versuchte, nicht daran zu denken, warum sie selbst hierher gekommen war, aber sie konnte es nicht.

»Frau Bach, bitte.« Das Mädchen aus der Diele hielt ihr die Tür zum Nebenzimmer auf.

Renate trat ein. Die Tür schloß sich hinter ihr. Und in diesem Augenblick wäre sie am liebsten fortgelaufen. Aber dazu war es nun zu spät.

Der Arzt trat hinter einem Wandschirm hervor, welcher das Zimmer in zwei Hälften teilte.

»Guten Morgen. Bitte, nehmen Sie Platz.«

Renate setzte sich auf den Stuhl vor dem Schreibtisch, gab noch einmal ihre Personalien an.

Sie hatte den Arzt willkürlich gewählt, seinen Namen aus dem Telefonbuch entnommen, weil er in einem Viertel der Stadt praktizierte, in das sie normalerweise niemals kam. Er hatte ein Gesicht wie alle Menschen, die ihr hier bisher begegnet waren und wie sie diese noch aus ihrer Jugend kannte, flach, durchschnittlich, etwas blaß, ohne jeden besonderen Ausdruck.

»Sie kommen als Privatpatientin.«

»Bitte?« Sie schreckte auf.

Der Arzt wiederholte seine Frage. Nickte kurz auf ihr Ja. Stellte dann die Routinefragen nach den Beschwerden.

Nein, sie hatte kein Erbrechen am Morgen, aber das hatte wohl nichts zu bedeuten. Auch bei ihrem ersten Kind hatte sie nicht darunter gelitten. Ja, die erste Geburt war sehr leicht gewesen.

Die Untersuchung verlief ebenso routinemäßig wie die Fragen, und es war Renate, als geschehe dies alles nicht an ihr selbst, sondern an einer Fremden, und sie müsse zusehen, ob sie wolle oder nicht.

»Ich kann Ihre Vermutung nur bestätigen«, sagte der Arzt dann. »Aber um ganz sicher zu sein, sollten Sie in etwa drei Wochen noch einmal vorbeikommen.«

Renate wußte, daß sie dies nicht tun würde, und er wußte es auch. Sie sah es an seinen Augen, als sie sich verabschiedete.

Der Arzt wußte, woher sie kam, daß sie nicht in dieses Viertel gehörte, und Renate fragte sich einen Herzschlag lang, ob er auch ahnte, daß dieses Kind, welches sie erwartete, nicht von ihrem Mann, sondern von einem anderen war.

4

Als Renate auf die Straße trat, regnete es wieder. Der Wind war scharf und viel zu kühl für die Jahreszeit.

Renate hüllte sich fester in ihren Mantel. Sie blickte sich um, aber weit und breit war kein Taxi zu sehen.

Renate betrat die Bierkneipe, die sich im selben Haus wie die Praxis des Arztes befand.

Der Mann, der vorher das Lokal ausgefegt hatte, stand nun hinter der Theke und polierte Gläser. Seine Blicke liefen flink über Renates Gestalt.

»Bringen Sie mir einen Cognac und einen Kaffee«, sagte Renate. Dann ging sie zu einem der Tische am Fenster und setzte sich auf die schmale Holzbank.

»Das Wetter macht einen ganz krank, nicht?« sagte der Wirt, als er die Getränke brachte. Er blieb am Tisch stehen. »Immer dieser Regen, nicht?«

»Jaja«, erwiderte Renate. Sie rührte ihren Kaffee um.

Der Mann strich sich über das spärliche Haar, das ihm in die niedrige Stirn hing. »Der Arzt hier im Haus hat mehr Betrieb als ich, obwohl ein guter Schnaps doch eigentlich besser ist als alle Medizin . . .«

»Jaja«, antwortete Renate wieder und fügte ungeduldig hinzu: »Ich möchte allein sein. Ich möchte meinen Kaffee allein und in Ruhe trinken.«

Das Gesicht des Wirtes rötete sich. Verlegen zuckte er mit den Schultern. Er wandte sich rasch ab und ging zur Theke zurück.

»Rufen Sie mir ein Taxi, und dann möchte ich zahlen«, sagte Renate, ohne sich nach ihm umzudrehen.

»Sofort«, antwortete der Wirt mit einer Stimme, die beinahe lächerlich vor Unterwürfigkeit klang.

Renate trank ihren Cognac und einen Schluck Kaffee hinterher. Aber es nützte nichts. Die Kälte, die ihren Körper taub machte, blieb. Sie bemühte sich, an nichts zu denken, aber das konnte sie nicht.

Sie bekam ein Kind – von Steinweg. Sie hatte es geahnt, gefürchtet – aber nun war es Gewißheit.

Was sollte sie tun?

Renate zahlte, als das Taxi vorfuhr, und ging nach draußen. Sie ließ sich ein paar Straßen weiter zu ihrem Wagen fahren.

Dann saß sie hinter dem Steuer und wußte nicht, wohin sie sich wenden sollte.

Nach Hause? Jetzt ihrem kranken Bruder begegnen, ihrer alten Mutter oder Peter, ihrem unschuldigen Sohn? Das konnte sie nicht.

Zu ihrer Freundin Katrin – um mit ihr über Steinweg zu sprechen. Renate lachte bitter auf.

Also zu ihm.

Ob sie es wollte oder nicht, sie mußte zu Steinweg fahren. Er war so schuldig an dem, was geschehen war, wie sie. Wenn es einen Ausweg gab, mußte er ihn finden.

Der Bungalow lag da, als sei er unbewohnt. Alle Vorhänge waren zugezogen.

Renate stieg aus dem Wagen, schritt zur Haustür hinüber. Sie klingelte, wartete. Niemand öffnete.

Sie versuchte es noch einmal. Ohne Erfolg.

Sie kehrte zu ihrem Wagen zurück. Zündete sich eine Zigarette an. Sie blickte auf die Uhr des Armaturenbretts. Es war erst kurz nach zehn.

Renate beschloß zu warten.

Sie stieg wieder aus, schritt auf und ab.

Über die weite, ebene Heide wallte Nebel. Es war sehr kühl, und Renate fror. Sie spürte die Kälte an ihren Beinen und in ihrem ganzen Körper.

Renate sah auf ihre Armbanduhr. Sie wartete nun schon seit einer halben Stunde. Immer noch rührte sich nichts im Haus; die Vorhänge blieben geschlossen.

Das Dorf lag weit hinter dem Haus, halb verborgen von einer Reihe verkrüppelter Pappeln, zwischen denen der Dunst hing wie graue Laken. Vergeblich hoffte Renate, daß von dort Steinwegs grüner Porsche auftauchen würde.

Noch fünf Minuten wollte sie sich geben und lief unruhig auf und ab.

Die Zeit verstrich, versickerte ungenutzt im grauen Tag.

Renate blieb stehen, blickte wieder zu dem Bungalow hinüber. Die Vorhänge der breiten Fenster waren dicht zugezogen, düsterrote Flächen im kreidigen Weiß der Mauern.

Wie sehr sie dieses Haus haßte und verabscheute. Es war der Ort ihrer Tat, die Stätte ihrer Schuld, und sie hatte nie mehr hierher zurückkehren wollen. Das hatte sie sich damals geschworen.

Es wäre mir gelungen, dachte sie, ich hätte mich von Steinweg befreien können. Ich wäre seiner verfluchten dämonischen Gewalt entkommen.

Ich war ihm schon entkommen, an jenem Nachmittag in seiner Ausstellung. Da hatte er zum erstenmal keine Macht mehr über mich.

Aber nun bin ich wieder hier. Ich muß mit ihm sprechen, denn er muß einen Ausweg finden. Ich werde ihn dazu zwingen. Während Renate dies dachte, ballte sie unwillkürlich die Hände gegen das verschlossene und wie es schien leere Haus.

Aber das Haus war nicht leer.

Steinweg stand in seinem Schlafzimmer am Fenster, verborgen von dichten Vorhängen.

Er war durch das Motorengeräusch des ankommenden Wagens erwacht und hatte gesehen, daß Renate ausgestiegen war.

Aber er hatte nicht geöffnet, als sie klingelte.

Steinweg stand da und starrte nach draußen, nahm gierig jede der spärlichen nervösen Bewegungen von Renate wahr.

Sie war wiedergekommen, er hatte es ja gewußt. Er hatte seine Macht über sie nicht verloren. Renate würde sich niemals von ihm befreien können. Seine Hand krallte sich in den Vorhang, als kralle sie sich in das lange silberne Haar von Renate.

Fast eine Stunde wartete sie nun schon auf ihn.

Ein Lächeln kroch in Steinwegs Mundwinkel, nistete sich dort ein.

Sollte sie doch warten, sollte sie noch viel länger warten. Warum regnete es denn nicht mehr, warum hatte der Wind sich gelegt? Steinweg wünschte, daß Renate frieren sollte, zittern vor Kälte und trotzdem auf ihn warten. Ja, er genoß Renates Warten auf ihn mehr als jemals etwas zuvor.

Plötzlich blieb Renate stehen. Steinweg sah, wie sie die Lippen zusammenpreßte und ihre Hände zu Fäusten ballte. Sie öffnete ihre Handtasche, riß einen Zettel von einem kleinen Block, schrieb etwas darauf und ging zur Haustür hinüber.

Steinweg lief in die Halle, fand den Zettel im Briefkasten.

Ich muß dich sprechen, R – in Druckbuchstaben hatte sie es geschrieben.

Draußen sprang der Motor des Kabrioletts an.

Steinweg lief hinaus zum Wagen.

»Renate!«

Sie wandte ihm ihr blasses Gesicht zu.

Er öffnete die Wagentür. Sie schaltete den Motor ab, stieg aus.

»Du bist also doch da«, sagte sie bitter, »ich hätte es mir denken können.«

»Wie schön, daß du gekommen bist.« Er lächelte. »Ich wußte, daß du zu mir zurückkehren würdest.« Er streckte die Hand nach ihr aus, aber Renate wischte diese schroff zur Seite, trat an ihm vorbei ins Haus.

In dem großen Wohnraum setzte sie sich in einen Sessel vor dem Kamin.

»Gib mir etwas zu trinken«, sagte sie.

Steinweg zog in gespielter Verwunderung die Augenbrauen hoch. »So früh am Morgen?«

Renate zündete sich eine Zigarette an.

»Ich habe mit dir zu reden«, sagte sie.

Ihre Augen brannten in hartem Glanz. Sie waren das einzig Lebendige in ihrem Gesicht.

Steinweg beobachtete sie aufmerksam, während er zur Anrichte ging und den Martini mixte.

Renate nahm das Glas entgegen und trank es in langen Zügen leer.

»Noch einen?« fragte Steinweg. Er selbst trank nichts.

»Ich muß mit dir reden«, wiederholte Renate.

»Bitte.« Steinweg setzte sich ihr gegenüber. Er blickte Renate weiterhin prüfend an.

Ihre Lider flatterten, ihre Lippen öffneten und schlossen sich. Eine dünne Falte kerbte sich zwischen ihre Brauen ein. Er sah, welche Anstrengung es sie kostete, das auszusprechen, was sie beabsichtigte.

Dann sagte sie mit tonloser Stimme: »Ich bekomme ein Kind.«

Steinweg spürte, wie es in seinem Gesicht zu zucken begann, wie es heiß in ihm aufstieg, wie sein Herz mit einemmal rasch schlug. In seine Hände kroch ein Zittern. Er preßte sie flach auf seine Knie.

Renate sah ihn nicht an.

»Ich bekomme ein Kind«, wiederholte sie, »von dir.«

Steinweg begann zu lachen. Er konnte einfach nicht anders. Er mußte lachen und tat es laut und unbeherrscht.

Röte stieg in Renates Gesicht. Er sah, wie sie über ihren Hals kroch, die Wangen erreichte, die Schläfen färbte.

»Du Schuft«, stieß sie hervor. »Lach nur – aber ich wünschte, du würdest daran ersticken.«

Da lachte er nicht mehr.

»Wann hast du es erfahren?« fragte er. »Seit wann weißt du es?«

»Seit heute morgen.«

»Du warst bei einem Arzt?«

»Ja.«

»Und du bist ganz sicher?«

»Ja.«

»Auch – daß es von mir ist?«

Ihr Kopf fuhr hoch. Ihre Augen funkelten ihn an.

»Ich möchte es genau wissen«, sagte er. »Du mußt das verstehen, denn ich bin ja nicht der einzige, mit dem du . . .«

»Hör auf«, schrie sie ihn an, »meinst du, ich wäre hier, wenn ich nur die leiseste Hoffnung haben könnte, das Kind wäre nicht von dir?«

»Beruhige dich doch«, er lächelte, »es ist wirklich kein Grund vorhanden, sich so aufzuregen. Was dir passiert ist, geschieht häufiger, als du glaubst.«

Renate starrte ihn an, mit geweiteten Augen, das Grün der Iris fast schwarz. Sie haßte ihn, verabscheute ihn, er las es in ihren Augen – aber er lächelte.

»Freust du dich?« fragte er.

Sie preßte die Lippen aufeinander.

»Es heißt doch immer, Frauen freuen sich auf das Kind von einem geliebten Mann?« Langsam stand er auf, trat hinter sie, umfaßte ihre Schultern mit beiden Händen.

»Du freust dich doch auf unser Kind, nicht wahr?«

»Hör auf!« Sie riß sich los, sprang auf.

»Aber, Renate, du willst doch noch nicht gehen?«

Sie zerrte die Handschuhe über, nahm ihre Handtasche auf.

»Renate, du wirst doch nicht weinen?«

»Du Schuft«, schluchzte sie, »du gemeiner Kerl.«

»Wir wollen uns nicht streiten«, sagte er sanft. »Laß uns lieber in Ruhe über alles reden, ja?«

Steinweg sah, wie sie sich zusammennahm, ihren ohnmächtigen Zorn auf ihn zu bändigen suchte, und er war sich einmal mehr seiner Macht über sie bewußt.

»Also, was beabsichtigst du zu tun?« fragte er. »Was wirst du deinem Mann sagen?«

»Er wird es nie erfahren.«

»Aber das geht doch gar nicht!«

»Ich könnte es ihm nicht erklären, niemals. Eher werde ich ihn verlassen.«

»Du willst deinen Mann verlassen?« fragte er mit falscher Verblüffung. »Das solltest du dir aber gut überlegen. Denk daran, daß du alles, was du besitzt, aufs Spiel setzen würdest. Die Entscheidung liegt natürlich bei dir, aber . . .« Steinweg vollendete mit Absicht den Satz nicht, zündete sich betont langsam eine Zigarette an, ließ Renate nicht aus den Augen.

Renate starrte vor sich hin. Ihr Gesicht war leer.

Aber dann füllte es sich wieder, und Steinweg las in der Verkrampfung ihres Mundes und im dunklen Glanz ihrer Augen verzweifelte Entschlossenheit.

»Ich will das Kind nicht«, sagte sie.

Er schwieg.

»Ich will es nicht, hörst du.«

Er erwiderte nichts.

»Ich darf es nicht bekommen.«

Renate beugte sich vor. Ihre Augen brannten in einem wilden, kalten Feuer.

»Du wirst mir dabei helfen!«

Er schüttelte langsam den Kopf.

»Du wirst«, wiederholte sie. »Mach einen Arzt ausfindig, tu irgend etwas! Ich darf das Kind nicht bekommen!«

»Du weißt nicht, was du verlangst.«

»Doch.« Sie flüsterte, jetzt mit einer Stimme, die heiser war vor Erregung. »Ich weiß, was ich rede. Es geht nicht allein um mich, es geht um meine Familie, meine alte Mutter, meinen kranken Bruder, von meinem Sohn und Richard will ich gar nicht reden.«

»Nein«, sagte Steinweg, »ich kann dir nicht helfen – wie du es nennst.«

»Ist das – ist das dein letztes Wort?«

»Renate, was du von mir verlangst, ist ein Verbrechen.«

»Es braucht niemals jemand davon zu erfahren. Und wenn du mir hilfst, dann . . .« Sie zögerte, er wartete, und nicht umsonst – »dann tu ich alles, was du willst.«

»Ich kann dir nicht helfen«, beharrte Steinweg, denn er konnte nicht aufhören, sie zu quälen.

»Bitte . . .« Renate faßte nach seinen Händen, klammerte sich daran. »Du hast gesagt, daß du mich liebst, daß du mich nie vergessen konntest. Ich bin dir wieder zu Willen gewesen, ich habe getan, was du wolltest. Ich habe schon alles aufs Spiel gesetzt, wegen dir – und nun läßt du mich im Stich? Bitte, überleg es dir wenigstens!«

Er wandte sein Gesicht ab, damit sie den Triumph nicht darin lesen sollte. Mit jedem Wort gab sie sich mehr in seine Gewalt.

»Gut, ich werde es mir überlegen«, sagte er zögernd.

Renate ließ seine Hände los. Sie stand auf, schwankte ein wenig. Ihr Gesicht war mit einemmal weiß vor Erschöpfung.

»Ich rufe dich an«, sagte sie. »Heute abend.«

»Nein«, widersprach er, »ich bin für ein paar Tage unterwegs. Ich benachrichtige dich, wenn ich zurückkomme.«

»Wann kommst du zurück?«

»Ich weiß es noch nicht.« Er zuckte mit den Schultern. »Ich kann die Reise nicht aufschieben.«

»Du willst mich quälen«, sagte sie, aber in ihrer Stimme war kein Aufbegehren mehr dagegen.

»Renate, nun sei vernünftig.«

Ihre Mundwinkel zitterten. »Ja«, murmelte sie, »ich werde vernünftig sein.«

Damit ging sie, und Steinweg blickte ihr mit seinem kalten, zynischen Lächeln nach.

Vor dem Jansenschen Haus in der roten Kiesauffahrt parkte Katrins Sportcoupé.

Ausgerechnet an diesem Morgen mußte Katrin kommen, wie sollte sie auch das noch ertragen. Renate spürte, wie das Zittern erneut in ihre Hände kroch. Die Nervosität zerrte an all ihren Muskeln. Sie lenkte ihren Wagen in die Garage, blieb noch für eine Zigarettenlänge hinter dem Steuer sitzen.

Dann konnte sie es nicht mehr hinausschieben, sie mußte aussteigen und ins Haus gehen.

Ihre Mutter kam ihr in der Halle entgegen. »Katrin erwartet dich schon seit einer Weile. Sie scheint dir etwas Wichtiges mitteilen zu wollen.« Und dann, mit plötzlich besorgtem Blick: »Kind, ist dir nicht gut?«

»Mußt du das wirklich jeden Tag fragen?« Renate wich den Augen ihrer Mutter aus. »Es ist doch wahr«, fügte sie hinzu, »jeden Tag, seitdem Richard fort ist, fragst du, ob es mir nicht gutgeht!«

»Du bist seither so verändert«, sagte ihre Mutter leise, »so habe ich dich nie gekannt – oder doch, aber das ist lange her.«

»Was willst du damit sagen?« Renate wandte sich abrupt von dem Spiegel ab, vor dem sie ihre Haare gerichtet hatte.

Ihre Mutter lächelte halb verlegen, halb furchtsam. »So wie du jetzt bist, warst du nur damals, als Kurt Steinweg zu uns kam.« Sie flüsterte den Namen, als habe sie Angst, daß jemand lauschen könnte.

»Ich werde nicht gern an diese Zeit erinnert«, sagte Renate hart, »das solltest du dir endlich merken.«

Sie ließ ihre Mutter stehen und trat schnell in den Salon.

Katrin sprang aus dem Sessel auf, in dem sie gesessen hatte.

»Ich hatte schon alle Hoffnung aufgegeben, dich noch zu sehen«, rief sie mit ihrer hellen, aufgeregten Stimme.

Sie hauchte zwei Küsse auf Renates Wangen. »Du, stell dir vor, was geschehen ist!«

»Ich weiß es nicht.« Renate lächelte und wunderte sich, daß ihr dies gelang. Sie wollte nach den Zigaretten greifen, unterließ es aber, weil sie fürchtete, daß die Hände ihre Erregung verraten würden.

»Also, stell dir vor«, fuhr Katrin fort, »ich verreise.« Sie sagte es, als müsse sie Renate an einer Verschwörung teilnehmen lassen. »Und nun rate, mit wem?«

»Spann mich nicht auf die Folter«, Renate wandte sich ab, rückte die Uhr auf der Kommode zurecht, obwohl dies nicht nötig war.

»Mit ihm – mit Kurt!«

»Na, fabelhaft!«

»Nicht wahr? Renate, du glaubst ja gar nicht, wie glücklich ich bin.« Katrin faßte ihren Arm. »Als du Richard kennengelernt hast, im Anfang, war das auch so bei euch? Warst du auch so glücklich und so – ach, ich weiß gar nicht, wie ich es ausdrücken soll – ich meine, dauernd so verwirrt? Ich sause von einem Gefühl in das andere. Manchmal heule ich stundenlang ohne Grund, und dann wieder bin ich ausgelassen, daß ich alle möglichen Dummheiten anstellen möchte. Du, ich kann's dir gar nicht erklären, es ist einfach phantastisch!«

»Das glaube ich dir«, sagte Renate.

»Aber meinst du, daß so etwas Bestand haben kann – wenn wir vielleicht heiraten?«

»Warum nicht.« Renate zuckte mit den Schultern.

»Ich muß dir schrecklich dumm vorkommen«, sagte Katrin verlegen. »Jaja, ich merk es schon. Du siehst mich an, als hätte ich eine Schraube locker. Aber ich mußte es einfach jemandem sagen, verstehst du?«

»Natürlich«, Renate nickte. »Ich verstehe dich schon. Man wird nicht immer mit allem allein fertig.«

»Wünsch mir Glück«, bat Katrin. »Drück mir beide Daumen für diese Reise. Ich hab' so das Gefühl, als würde sie über alles weitere entscheiden.« Die sonst so selbstbewußte dreißigjährige Katrin wirkte plötzlich ängstlich wie ein Kind, das sich vor dem Dunkeln fürchtet.

»Es wird schon alles gutgehen«, erwiderte Renate, und sie dachte: Geh doch, geh endlich, ich kann mich nicht mehr zusammennehmen. Ich heule gleich los, ich bin doch auch nur ein Mensch.

Katrin verabschiedete sich bald, und Renate lief in ihr Zimmer hinauf.

Sie riß sich die Kleider herunter und legte sich ins Bett. Sie sagte dem Mädchen, daß sie nicht gestört werden wollte. Nein, weder zum Mittag- noch zum Abendessen.

Renate nahm zwei Schlaftabletten, und als diese nicht halfen, noch zwei weitere – dann schlief sie endlich ein.

Renates Mutter, Gertrud Bach, saß vor dem Schreibtisch in ihrem Zimmer. Sie hatte die Hände vor sich auf der Tischplatte gefaltet. Unter ihren Händen lag die aufgeschlagene Schreibmappe. Aber noch hatte sie sich nicht dazu entschließen können, den Brief zu schreiben, der ihr notwendig erschien.

Da stand nur – *Lieber Richard –*, dann hatte sie innegehalten und blickte nun nachdenklich aus dem Fenster.

Draußen breitete sich die Dämmerung über das Land. Die Sonne verbrämte die regenschweren Wolken mit düsterem Rot. Ein Schwarm Krähen flatterte über die Bäume des Parks. Sie krächzten so laut, daß die alte Frau es trotz der geschlossenen Fenster hören konnte.

Unten über den Kiesweg zwischen den breiten Rasenflächen kam Herbert heran. Er ging langsam, seine Schultern hingen herab. Hin und wieder tastete seine Hand nach der Brust. Einmal blieb er stehen, lehnte sich gegen einen Baum. Gertrud Bach sah, daß er hustete. Unwillkürlich verkrampften sich ihre Hände ineinander.

Zwei Kinder besaß sie, viel und doch wenig als Fazit ihres Lebens.

Herbert, den Sohn, der stets krank gewesen war wie Eberhard, ihr Mann.

Mutter, wenn ich erst gesund bin, brauchst du nicht mehr putzen zu gehen. Mutter, wenn ich nächstes Jahr aus dem Sanatorium komme, fange ich an zu arbeiten. Dann verdiene ich viel Geld, und du sollst es gut haben – wie oft hatte Herbert dies gesagt, obwohl sie beide wußten, daß er sein Versprechen niemals halten konnte.

Aber ich darf nicht undankbar sein, dachte Gertrud Bach, denn ich habe ja auch Renate. Sie hat stets versucht, mir eine Stütze zu sein. Welche Tochter hätte schon ihre alte, einfache Mutter mitgenommen, wenn sie die Chance hatte, in ein neues, reiches Leben zu heiraten?

Renate hatte dies getan, ohne zu zögern. Richard hatte es akzeptiert, auch ohne zu zögern.

Er war ihr wie ein zweiter Sohn, und deshalb hatte er ein Recht darauf, zu wissen, was in seinem Haus vor sich ging.

Aber was ging hier vor sich, seit Richard in Amerika war? Gertrud Bach konnte es nur ahnen, Gewißheit besaß sie nicht. Und das, was sie ahnte, erschien ihr zu entsetzlich, als daß sie es zu Ende dachte.

Es durfte nicht wahr sein, es konnte nicht wahr sein, daß Renate ihren Mann betrog.

Mein Gott, konnte sie so vermessen sein?

Aber da waren diese sonderbaren und vielleicht untrüglichen Anzeichen – Renates spätes Nachhausekommen, ihre überstürzte, hastige Reise mit unbekanntem Ziel, ihre wechselnden Stimmungen, ihre heftigen Reaktionen auf jede persönliche Frage.

Bei der Kosmetikerin war Renate heute morgen gewesen – wie sie sagte. Aber sie war zurückgekehrt, hatte sich in ihr Zimmer eingeschlossen und wollte niemanden sehen.

Vielleicht ist Renate krank, schwer krank und will es nur nicht zugeben?

Ja, nur das konnte es sein. Gertrud Bach hatte stets mit kranken Menschen zusammengelebt, und Krankheit erschien ihr als eines der entscheidendsten Übel im Leben.

Also mußte ihre Tochter krank sein – anders ließ sich ihre Veränderung nicht erklären.

Als Gertrud Bach in ihren Überlegungen so weit gekommen war, fiel es ihr auch nicht mehr schwer, den Brief an ihren Schwiegersohn zu schreiben.

Lieber Richard, wenn Du es möglich machen kannst, komm bald zurück. Es scheint mir, als sei Renate krank. Sie will mit niemandem darüber sprechen, aber Dir würde sie es sicherlich sagen, denn Du bist ihr Mann. In Sorge und Liebe, Deine ... Gertrud Bach zögerte, und dann schrieb sie doch: *Mutter.*

Sie fügte noch hinzu: *Renate weiß nichts davon, daß ich Dir schreibe.*

Mit großen, sorgfältigen Buchstaben malte sie die Adresse auf den Luftpostumschlag. Sie brachte den Brief selbst zum Postamt des Vorortes, ließ ihn frankieren und warf ihn in den Briefkasten. Mit einemmal fühlte Gertrud Bach sich erleichtert, weil sie sicher war, das Richtige getan zu haben.

Zwei Nächte später schreckte Renate aus tiefem, traumlosem Schlaf hoch, als das Telefon klingelte.

Sie tastete im Dunkeln nach dem Hörer, nahm ihn ab.

»Hallo?«

Es rauschte in der Leitung, knatterte. Dann kam klar eine Stimme. »Einen Augenblick bitte, Sie werden aus New York verlangt.«

Renate richtete sich auf, knipste die Nachttischlampe an.

Sie war jetzt hellwach.

»Hallo, Renate?« Richards Stimme klang überraschend nah und vertraut.

»Richard«, sagte sie, »wie schön, daß du anrufst.«

»Wie geht es dir?« fragte er. »Alles in Ordnung?«

»Natürlich.«

»Hast du schon geschlafen?«

»Ja.«

»Gibt es etwas Neues?«

»Nein. Aber bei dir?«

»Das ist mein letzter Anruf, Renate.«

»Ja?«

»Ich komme zurück.«

Sie wollte antworten, ich freue mich, ich bin glücklich, daß du zurückkommst, aber sie brachte kein Wort heraus.

Und dann hörte Renate ganz deutlich und zum erstenmal, seit sie Richard kannte, in seiner Stimme Mißtrauen. »Freust du dich nicht, daß ich zurückkomme?«

»Doch«, erwiderte sie hastig, »natürlich freue ich mich.«

»Renate, in zwei Tagen um diese Zeit bin ich wieder da.«

»Ich freue mich«, wiederholte sie.

»Renate, ich auch, ich kann es kaum erwarten.«

»Wann kommst du hier an?«

»Bitte, hol mich nicht ab. Du weißt, ich mag keine Begrüßungsszenen in der Öffentlichkeit.«

»Gut, ich hole dich nicht ab.«

»Ich komme sehr früh am Morgen an. Die genaue Zeit telegrafiere ich noch.«

»Ja«, sagte sie.

»Renate?«

»Ja?«

»Ich liebe dich.«

Er wartete – wartete stumm auf ihre Erwiderung.

»Ich dich auch«, flüsterte sie, »gute Nacht.«

Tränen rannen über ihr Gesicht, als sie den Hörer auflegte.

Sie warf sich herum und preßte ihr Gesicht ins Kissen. Sie preßte ihre Hände vor den Mund, um nicht laut aufzuschluchzen.

Was habe ich getan! Mein Gott, was habe ich getan! Er sagt, er liebt mich, und wartet auf meine Antwort. Ich sage ihm, ich dich auch, und dabei habe ich ihn betrogen. Ich habe ihn betrogen, und ich bekomme ein Kind, nicht sein Kind, nicht sein Kind . . .

Richard kommt zurück. Noch zwei Tage habe ich Zeit, dann kommt er zurück, und ich muß es ihm sagen. Ich muß ihm wenigstens jetzt die Wahrheit sagen. Es gibt keinen Ausweg mehr.

Sie drehte sich auf den Rücken, lag da und starrte gegen die Decke, ohne irgend etwas zu sehen.

Und dabei liebe ich Richard, liebe ihn mehr als jemals zuvor. Aber er wird mich fortschicken, und ich muß gehen. Das ist das einzig Anständige, was ich noch tun kann.

Dann ist alles aus, dachte sie. Nur das: Dann ist alles aus.

Renate saß vor ihrem Ankleidespiegel. Sie hatte ein weiches, hellgrünes Wollkleid gewählt und dazu das Kollier aus Rosenquarz. Sie hatte bräunlich getöntes Make-up aufgelegt und tupfte noch einen Hauch Puder auf die Lider, welcher die dunklen Schatten verbergen sollte.

Von unten, aus Halle, Küche und Speisezimmer, tönten die vielfältigsten Geräusche zu ihr herauf. Das ganze Haus bereitete sich auf Richards Ankunft vor. Er mußte jeden Augenblick eintreffen.

Renate beugte sich ganz nah an den Spiegel heran. Vergeblich suchte sie nach Spuren der letzten durchgrübelten, verzweifelten Tage und Nächte.

Sie haßte sich in diesem Augenblick, haßte ihr glattes, junges, unschuldiges Gesicht und war gleichzeitig dankbar, daß es nichts von dem zeigte, was sie empfand.

Renate hörte den Wagen draußen vorfahren, das Ratschen der Räder auf dem Kies der Auffahrt, das dumpfe Surren des Motors, dann Richards Stimme und Peters Jauchzen, die Stimmen ihrer Mutter und ihres Bruders und dazwischen das aufgeregte Kläffen von Cocky, dem Spaniel.

Renate saß reglos, lauschte, und es war ihr, als überdröhne der dumpfe, schwere Schlag ihres Herzens die Geräusche der Freude, die zu ihr heraufschallten.

Aber dann stand sie doch auf. Plötzlicher Schwindel befiel sie, und sie mußte sich gegen die Wand stützen.

Sie hatte die Tür ihres Schlafzimmers noch nicht erreicht, als sie aufgestoßen wurde.

»Richard!«

Er war bei ihr und nahm sie in seine Arme.

»Richard«, flüsterte sie, flüsterte immer wieder seinen Namen. Und im selben Augenblick wußte sie, sie konnte ihm jetzt noch nichts sagen. Nicht am ersten Tag seiner Rückkehr. Sie wollte nur einen Tag Gnadenfrist, nur einen Tag und eine Nacht.

»Papi, wo bist du denn?« ertönte Peters Stimme aus dem Flur, und dann kam er auch schon herein. Er strahlte über das ganze Gesicht.

»Mami, guck doch mal.« Stolz schwang er einen riesigen Stofftiger mit leuchtendgrünen Augen.

»Sehr schön«, Renate lächelte unter Tränen. Sie schmiegte sich in Richards Arm, der sie nicht losließ.

»Kommt ihr jetzt auch nach unten?« fragte Peter. »Ich hab' solch einen Hunger, und Oma hat einen Apfelstrudel gebacken.« Und zu Renate: »Du brauchst doch nicht zu weinen, jetzt ist der Papi doch wieder da.«

»Ich weine ja gar nicht«, schluchzte sie, »ich – ich freue mich doch bloß.«

Sie gingen zusammen nach unten.

Während des gemeinsamen Frühstücks, während Richard seine Geschenke auspackte, von Amerika erzählte, vergaß sie beinahe zum zweitenmal, wie sehr sie wegen der unvermeidlichen Aussprache seine Rückkehr gefürchtet hatte.

Den ganzen Tag über gelang es ihr, die Gedanken nur auf die Gegenwart zu konzentrieren. Aber sie konnte sich nicht darüber hinwegtäuschen, daß Richards Blicke immer wieder forschend auf ihr ruhten, daß ihm, vielleicht als einzigem, das Hektische ihrer Fröhlichkeit auffiel.

Bald nach dem Abendessen ließen Herbert und ihre Mutter sie allein. Sie brachten Peter zu Bett, der sofort, wie nur Kinder es können, einschlief. Er hatte darauf bestanden, den zottigen Stofftiger mit ins Bett zu nehmen. Er hielt ihn fest im Arm, und auf seinem Gesicht lag noch der Abglanz seiner kindlich-überschwenglichen Freude.

Renate spürte das Würgen in der Kehle, wie nun stets, wenn sie ihren Sohn ansah, als sei jedesmal das letzte.

»Was hieltest du davon, wenn wir Peter eine noch größere Freude machten?« fragte Richard leise. Er umfaßte ihre Taille und küßte ihren Nacken. »Peter wünscht es sich brennend, genauso wie ich.«

»Ich weiß nicht, was du meinst«, flüsterte sie spröde und wandte sich um. »Laß uns nach unten gehen, Richard.«

»Aber . . .«

»Das Mädchen hat schon den Kamin im Salon angezündet, und ich möchte einen Cognac«, unterbrach Renate ihn. Sie übersah den fast verletzten Ausdruck seiner Augen. Sie mußte jetzt mit ihm allein sein, aber sie wollte es nicht in der intimen Zweisamkeit ihres Schlafzimmers – noch nicht.

Sie gingen in den Salon.

»Du mußt mir noch so viel erzählen.« Sie lächelte und nickte dankend, als Richard ihr das Glas mit dem Cognac reichte.

»Von mir weißt du schon alles. Aber wie ist es dir ergangen? Was hast du unternommen? Bist du oft ausgewesen?«

»Ich war sehr solide«, sagte sie.

»Und deine Reise mit Katrin?« Richard setzte sich ihr gegenüber. Das Licht der Stehlampe erhellte seine Hände, die ruhig das Cognacglas hielten, aber sein Gesicht blieb im Schatten.

»Ich bin sozusagen ausgerissen«, erwiderte sie. »Du warst fort und damit das Haus mit einemmal so leer.«

»Wo wart ihr?«

»Nur in der Eifel.«

»Bist du müde?« fragte er.

»Nein, aber warum fragst du?«

»Du bist plötzlich so einsilbig.«

»Gib mir bitte eine Zigarette«, sagte sie statt einer Erwiderung.

Er rauchte die Zigarette an, reichte sie ihr.

»Rauchst du nicht ein bißchen viel?«

»Das ist vielleicht die Aufregung«, sie lächelte. »Rück etwas näher ans Feuer oder unter die Lampe, ich möchte dein Gesicht sehen.«

Es klopfte. Das Mädchen trat ein.

»Was ist, Lisa?« fragte Renate.

»Es ist ein Brief für Sie abgegeben worden, gnädige Frau.«

Renate sprang auf.

»Der Expreßbote hat ihn gebracht.«

»Ach so. Danke schön.« Renate nahm den Brief und ließ ihn ungeöffnet in die Tasche ihres Kleides gleiten. Sie hatte nur einen Blick auf die Schrift der Adresse geworfen, aber diese sogleich erkannt – eine Nachricht von Steinweg.

Sie spürte, wie ihr Herz in schnellen, flatternden Schlägen zu klopfen begann.

»Du bekommst einen Expreßbrief?« fragte Richard.

»Ja«, antwortete sie und sah ihn nicht an. »Von Katrin – es soll eine Überraschung sein ... für dich.« Sie log schlecht und fügte hinzu: »Ich bat sie, etwas für dich zu besorgen – oder hast du vergessen, daß du bald Geburtstag hast?«

»Aber warum ruft sie dich denn nicht an?« fragte Richard in einem ganz beiläufigen Ton.

Renate hob die Schultern. »Katrin ist unterwegs – vielleicht hat sie es auch schon vergeblich versucht.«

»Komm zu mir«, sagte Richard, »setz dich zu mir. Du stehst mitten im Zimmer, als seiest du auf Besuch.«

Renate zuckte unter seinen Worten zusammen, ging zu ihm. Er zog sie neben sich auf die Couch, legte seinen Arm um ihre Schultern.

»Wie wäre es, wenn wir gleich morgen für ein paar Tage fortführen, vielleicht nach Paris? Nur du und ich?« Seine Lippen streiften ihre Wangen, seine Hand streichelte ihr Haar.

Fortfahren, alles hinter sich lassen, wenigstens für ein paar Tage vergessen, Aufschub gewinnen – aber sie konnte es nicht. Sie durfte es nicht tun.

»Erwartet man dich nicht im Betrieb?« fragte sie.

»Ich bin früher zurückgekommen, als ich beabsichtigte. Die Arbeit kann gut noch ein paar Tage warten.«

»Und Peter?« wandte sie ein. »Auch er hat sich so auf dich gefreut.«

»Wir könnten ihn ja mitnehmen«, sagte er zögernd.

»Nein, bitte nicht«, erwiderte sie schnell. Und dann mit einem halben Lächeln, wie um Verzeihung bittend: »Können wir nicht die Reise um vierzehn Tage verschieben? Ich meine, dann hat Peter sich wieder daran gewöhnt, daß du hier bist. Und wir haben doch schon die Party für den Samstag in acht Tagen angekündigt.«

»Gut«, sagte er, »wie du willst.« Aber Renate hörte genau, daß er enttäuscht war. Er nahm den Arm von ihrer Schulter und stand auf.

»Es ist spät geworden, wir wollen nach oben gehen«, sagte er.

»Ich habe noch eine Flasche Champagner kalt stellen lassen.« Renate sah zu ihm auf und blieb sitzen.

»Ist dir wirklich noch danach?« fragte er.

Sie nickte lächelnd.

Er beugte sich über sie und umfaßte ihre Taille. Sie spürte seine warmen Hände durch den dünnen Stoff ihres Kleides.

»Nicht«, flüsterte sie, »bitte, jeden Augenblick kann das Mädchen hereinkommen.«

Er ließ sie sofort los. Mit einer beinahe verlegenen Gebärde strich er sich über das Haar. »Ich sehe noch einmal nach Peter«, murmelte er, und damit ging er hinaus.

Renate hörte, wie er die Treppe hinaufstieg, dann nichts mehr. Sie zog Steinwegs Brief aus ihrer Tasche, riß ihn auf, las. *Erwarte Dich am Freitagabend.* Sie zerfetzte den Brief und warf ihn ins Feuer.

Freitagabend. Steinweg mußte einen Ausweg gefunden haben. Am Freitagabend. All ihre Hoffnung klammerte sich an diesen Gedanken. Wenn es wirklich einen Ausweg gab, wenn sie das Kind nicht bekommen mußte, dann brauchte Richard niemals etwas zu erfahren.

Sie würde schweigen, sie würde das Maß ihrer Schuld bis ans Ende ihrer Tage allein tragen – das mußte ihre Sühne sein.

Ich werde sühnen, dachte sie, denn ich werde meinen Betrug nie vergessen und immer wissen, daß ich in Wahrheit kein Recht mehr habe, bei Richard zu sein. Aber ich werde weder sein Leben noch das der anderen zerstören.

Mit einemmal fühlte sie sich erleichtert, jetzt, da sie wußte, was sie tun mußte, auch wenn es schwer war, wenn es vielleicht ihre Kraft übersteigen würde.

Renate stand auf, knipste die Stehlampe aus. Durch das Halbdunkel, nur erhellt vom flackernden Feuer, tastete sie sich zur Tür.

Sie stieg nach oben, betrat ihr Schlafzimmer.

Die Tür zum Bad stand auf. Sie hörte das Plätschern der Dusche.

Langsam zog sie sich aus, nahm den Bademantel über.

Richard trat ein.

»Ich muß auch noch kurz ins Bad«, sagte sie.

Er nickte, setzte sich auf den Bettrand.

Sie berührte seine Wange mit den Fingerspitzen. Er sah sie nicht an.

Sie ging ins Bad, duschte, bürstete ihr Haar.

Als sie in ihr Zimmer zurückkehrte, hatte Richard das Licht gelöscht.

Sie ging zum Bett, legte sich hin, zog die Decken über sich. Sie wandte den Kopf, versuchte sein Gesicht zu erkennen, aber die Dunkelheit stand zwischen ihnen wie eine Wand.

»Richard«, flüsterte sie und streckte die Hand nach ihm aus.

»Willst du mir nicht endlich die Wahrheit sagen?« fragte er.

5

Dicht wie die Dunkelheit stand plötzlich Stille im Schlafzimmer. Renate lag da und konnte sich nicht bewegen.

»Ich will die Wahrheit wissen«, sagte Richard noch einmal.

Es war, als explodiere die dunkle Stille, werde plötzlich zerrissen vom grellen Blitz ihrer Angst. Die Wahrheit – was ahnte er, was wußte er schon? Woher und von wem?

»Ich weiß nicht, was du meinst«, sagte sie mühsam.

»Du weichst mir aus.«

»Nein . . .«

»Hast du kein Vertrauen zu mir?«

»Doch«, sagte Renate tonlos, »doch, Richard.«

Sie hörte, wie er nach dem Lichtschalter tastete.

»Bitte, mach kein Licht.«

Richard zog seine Hand zurück.

Renate hörte seinen gepreßten Atem und wußte, er war mißtrauisch und verletzt.

»Ich habe mich so darauf gefreut, wieder bei dir zu sein, ich habe die Reise früher beendet, weil ich mir Sorgen um dich machte . . .« Dann plötzlich zornig: »Sag mir doch, was mit dir ist.« Er beugte sich über sie und faßte sie bei beiden Schultern.

Renate konnte sein Gesicht nur ahnen, und sie wußte, daß es ihm mit dem ihren genauso ging. Sie war dankbar für die Dunkelheit, in der weder ihre Augen noch das Zucken ihres Mundes sie verraten konnten.

»Du bist verändert«, fuhr er fort. »Ich habe es schon in deinen spärlichen Briefen und Anrufen gespürt, vielleicht sogar schon früher. Aber heute abend . . .« Er verstummte.

Renate hörte, wie er tief Atem holte.

»Wenn du dich nicht wohl fühlst, ich meine, wenn du krank bist, mußt du es mir sagen«, drängte er.

»Ich bin nicht krank«, erwiderte sie, »ich habe mich heute abend nur nicht wohl gefühlt. Eine leichte Erkältung, weiter nichts . . .«

»Ist das wirklich alles?« Immer noch war Mißtrauen in seiner Stimme.

»Ja«, flüsterte Renate, »und es tut mir leid. Du weißt ja nicht, wie sehr.« Sie merkte plötzlich, daß sie weinte, und schlang ihre Arme um Richards Hals, klammerte sich an ihn.

»Halt mich ganz fest, Richard, halt mich ganz fest«, flehte sie, als könne das etwas helfen.

Er streichelte ihr Haar, ihren Rücken.

»Was ist nur mit dir, Renate, bitte, sag es mir doch endlich.«

Aber sie schüttelte nur stumm den Kopf.

Und nach einer Weile flüsterte sie: »Ich liebe dich, vergiß es nie. Was auch geschieht, bitte, vergiß es nie . . .«

Nach außen hin schien alles in Ordnung, nach außen hin bewahrten sie lächelnden Gleichmut. Aber sie alle spürten eine seltsame Spannung, wie den Atem eines kommenden Unheils.

Als sich die erste freudige Aufregung über die Rückkehr von Richard Jansen aus Amerika gelegt hatte, ging jeder wieder seinen gewohnten Beschäftigungen nach.

Herbert widmete sich seinen geschichtlichen Studien, eine der wenigen Betätigungen, die ihm keine körperliche Qual bereiteten. Er saß stundenlang in seinem Zimmer über alten lateinischen Texten, die er las und übersetzte. Es war eine Tätigkeit, der niemand im Haus Wichtigkeit beimaß, die aber jeder für sinnvoll hielt, weil sie seine sonst leeren Stunden ausfüllte.

Gertrud Bach, seine Mutter, beschäftigte sich mit Peter, dessen Erziehung zwar in der Obhut Fräulein Marthas lag, der aber gern und oft mit seiner Großmutter spazierenging oder ihren Märchen lauschte. Gertruds Hände, von Jugend an Arbeit gewöhnt, lagen dabei nie still. Stets strickte oder häkelte sie irgend etwas, Pullover, Handschuhe und Strümpfe, die sie jedes Vierteljahr einmal für die Armen in das nahe Kloster brachte.

Renate kümmerte sich wie stets um ihren Haushalt.

Richard Jansen endlich stürzte sich mit vollem Elan in die Arbeit im Werk. Gewohnt, alle Entscheidungen selbst zu treffen, fand er nach seiner langen Abwesenheit eine Menge unerledigter Dinge vor.

Sie alle trafen sich eigentlich nur zu den gemeinsamen Mahlzeiten, und auch hier blieb die gewohnte Ordnung gewahrt.

Man unterhielt sich über belanglose, zumeist erfreuliche

Dinge. Oft fuhr Richard nach dem Abendessen noch einmal ins Werk. Renate, die früher gerade seine Arbeitswut gefürchtet hatte, war nun froh darüber.

Sie gewann Zeit – mußte Zeit gewinnen, wenigstens bis zu dem Freitag, an dem sie Steinweg treffen sollte.

Es schien alles in bester Ordnung, aber das war nur oberflächlich. Darunter schwelte das Mißtrauen.

Renate war sich dessen bewußt, und sie tat alles, um gegen dieses Mißtrauen anzukämpfen, aber gerade die Vorsicht, mit der sie jedes Wort wählte, jede Bewegung, jede Handlung von vornherein bedachte, steigerte ihre Unsicherheit und damit wieder das Mißtrauen der anderen.

Richard kam nie mehr auf die erste Nacht nach seiner Rückkehr aus Amerika zu sprechen. Aber er hatte den Klang ihrer Stimme nicht vergessen, als sie sagte: Ich liebe dich, vergiß das nicht, was auch geschieht . . .

Dies wußte Renate nicht, und ebensowenig, daß Richard schon am anderen Morgen ihren Hausarzt, Dr. Hernau, aufgesucht hatte, um zu erfahren, ob Renate in seiner Abwesenheit krank gewesen sei.

Der Arzt verneinte dies, wußte nur zu berichten, daß Frau Jansen über keinerlei Beschwerden geklagt hätte.

Richards Mißtrauen beschränkte sich nun auf ein stummes Beobachten, gerade dann, wenn Renate sich unbeobachtet glaubte. Er sah die schmale Falte, die sich zwischen ihren Brauen bildete, den grüblerischen, beinahe schwermütigen Ausdruck, den ihre Augen annahmen. Aber er machte keinen Versuch mehr, Renate zu einer Aussprache zu bewegen.

Auch Herbert und seine Mutter beschränkten sich auf diese stumme Beobachtung, bis es am Freitagmorgen zu dem Wortwechsel zwischen Renate und dem Mädchen Lisa kam.

Richard war noch einmal in sein Arbeitszimmer gegangen, um ein paar wichtige Akten zu holen, die er im Werk brauchte. Da brachte das Mädchen die Post.

Zwei Karten reichte sie Gertrud Bach. Die übrige Post, fünf Briefe, legte sie neben Richards Gedeck.

Renate stellte ihre Kaffeetasse mit einem harten Klacken auf den Unterteller zurück.

»Lisa, wie oft habe ich Ihnen schon befohlen, daß Sie mir meine Post persönlich geben sollen?«

Das Mädchen fuhr erschrocken zusammen. »Aber gnädige Frau, es sind nur Briefe für Ihren Mann.«

»Und warum sagen Sie mir das nicht?«

»Entschuldigen Sie bitte, ich dachte . . .«

»Was Sie denken, interessiert mich nicht. Sagen Sie mir in Zukunft, ob Post für mich dabei ist oder nicht, und legen Sie die Briefe auf den Sekretär in meinem Zimmer.«

»Jawohl«, stammelte das Mädchen verwirrt.

»Sie können gehen«, sagte Renate.

»Jawohl.« Das Mädchen lief hinaus.

Sekundenlang herrschte Stille im Wintergarten. Die blanke Septembersonne schien mit einemmal nicht mehr so hell, und der sorgfältig gedeckte Frühstückstisch hatte von seinem Glanz eingebüßt.

»Mami, warum bist du denn so böse?« fragte Peter.

»Das verstehst du noch nicht«, sagte Renate. »Paß lieber auf, du schmierst dein Ei auf das Tischtuch.«

So erschrocken wie vorhin das Mädchen starrte Peter sie an.

»Jetzt sei doch brav und iß dein Ei«, Renate strich flüchtig über seine Wange.

»Renate, wirklich, das war ganz und gar unnötig«, ließ sich ihre Mutter vernehmen. »Wie kannst du so unfreundlich sein? Lisa hat doch nichts anderes getan, als Richards Post zu seinem Gedeck zu legen.«

Renate preßte die Lippen zusammen, blickte von ihrer Mutter zu Herbert. »Na, und du, hast du auch etwas an mir auszusetzen?«

»Du bist schlecht gelaunt, das ist alles. Aber du solltest es nicht an uns auslassen«, entgegnete er ruhig.

»Ja, du hast recht«, gab Renate mit halbem Lächeln zu. »Entschuldigt bitte.«

Sie schob ihren Stuhl zurück. In diesem Augenblick trat Richard ein.

»Schon fertig mit dem Frühstück?« Er berührte ihre Schulter mit seiner Hand. »Du ißt sehr wenig, finde ich.«

»Ich habe keinen Appetit«, sagte sie und stand auf.

»Willst du mir nicht wenigstens noch Gesellschaft leisten, während ich frühstücke?«

Aber Renate schüttelte den Kopf. »Ich bin für halb zehn beim Friseur angemeldet. Ich muß mich also beeilen.«

»Bitte, nimm mich mit in die Stadt. Ich muß in die Klinik«, sagte Herbert.

»Gut«, sie nickte nach leichtem Zögern, »in zehn Minuten fahre ich.«

Renate lächelte in die Runde, küßte Peter auf die Wange. »Sei ein braver Junge, dann bringe ich dir was mit.«

Peter nickte ernsthaft, aber an seinen Augen sah sie, daß er den Vorfall von eben noch nicht vergessen hatte.

»Fahr rechts ab«, sagte Herbert, »über die Brücke.«

»Wieso, was willst du in Deutz?« fragte Renate verblüfft.

»Nun mach schon.«

Sie gab Zeichen, fädelte sich rechts ein. »Ich denke, du willst ins Krankenhaus?«

»Nein.«

»Aber ich muß zum Friseur.«

»Der kann bis morgen warten.«

»Was soll der Unsinn? Ich bin dort angemeldet.«

»Ich muß mit dir reden.« Herbert sagte es so bestimmt, daß sie eine Weile lang nichts erwiderte.

Ihre Hände umfaßten das Steuer fester. In ihre Stirn kerbte sich die steile Falte.

»Ich habe das Krankenhaus nur als Ausrede benutzt«, sagte er. »Damit Richard nicht noch mißtrauischer wird.«

»Er ist nicht mißtrauisch«, fuhr Renate auf. »Denn er hat keinen Grund dazu.«

»Halt an irgendeinem Lokal, wo man uns nicht kennt«, sagte Herbert statt einer Erwiderung. Er fügte bitter hinzu: »Darin sollst du ja schon Übung haben.«

Renate preßte die Lippen zusammen. Aber sie tat, was er verlangte. Sie hielt vor einem kleinen Gasthaus an der Ausfallstraße ins Bergische Land.

Das Lokal war eine Baracke mit grau gestrichenen Holzwänden. In den Blumenkästen unter den Fenstern verstaubten Geranien. In dem düsteren Schankraum standen ein paar alte Tische und Stühle. Die Wände hatten einen Anstrich nötig, und der rohe Bretterboden war offenbar schon lange nicht mehr gefegt worden. Die Wirtin, eine Frau mit strähnigem grauen Haar, brachte ihnen den Kaffee in abgenutztem Porzellan. Aber er war heiß und roch gut.

Renate trank davon, blickte nicht auf.

Herbert betrachtete sie eine Weile lang schweigend. Er unterdrückte den Husten, der ihn immer quälte, wenn er erregt war. Er wartete, bis die Wirtin wieder in die Küche gegangen war.

»Was denkst du dir eigentlich bei all dem, was du tust?« fragte er dann.

Renate erwiderte nichts.

»Solange Richard fort war, habe ich gehofft, wenn er zurückkehrt, wirst du zur Vernunft kommen . . .«

»Ich weiß nicht, was du von mir willst«, unterbrach sie ihn.

»Nein, wirklich nicht?« Er beugte sich vor. »Meinst du, ich merke nicht, daß du uns allen ausweichst, daß du von Tag zu Tag launenhafter, nervöser wirst? Schau doch in den Spiegel, du bist nur noch ein Schatten deiner selbst.«

Sie zündete sich mit fahrigen Händen eine Zigarette an. Einen Augenblick lang spürte Herbert Mitleid, aber das war schnell vorbei.

»Du richtest dich zugrunde«, sagte er, »und wenn du es noch nicht wissen solltest – uns alle.«

»Das ist nicht wahr, das stimmt nicht.«

Zum erstenmal blickte sie auf. In ihren Augen stand nackte Verzweiflung.

»Willst du nicht wenigstens mir sagen, was mit dir los ist?« fragte er und bemühte sich, seine Stimme ruhig zu halten. »Da ist ein anderer Mann, nicht wahr?«

Ihre Augen irrten ab.

»Lüg mich nicht mehr an. Ich weiß es schon seit jenem Abend in der Klinik, als du aus der Eifel kamst.«

Herbert nahm ihr die Zigarettenkippe aus der Hand, die ihre Finger zu verbrennen drohte, und drückte sie im Aschenbecher aus. »Bitte, Renate, hab' wenigstens Vertrauen zu mir.«

Sie schüttelte stumm den Kopf.

»Als du noch ein Kind warst, kamst du immer mit allem zu mir. Du nanntest mich deinen großen Bruderfreund, weißt du noch?«

Diesmal nickte sie.

»Renate, ich bin immer noch dein großer Bruder und immer noch dein großer Freund.« Er betonte das ›noch‹.

»Ja«, flüsterte sie.

»Dann sag mir endlich, was los ist. Vielleicht kann ich dir helfen . . .« Seine Stimme senkte sich zu einem Flüstern. »Da ist ein anderer Mann, gib es doch zu.«

Sie nickte kaum merklich.

»Und – du liebst ihn?«

»Nein«, stieß sie hervor. »Nein, ich hasse ihn!«

Dann sprudelte alles aus ihr hervor, was sie so lange für sich hatte behalten müssen. »Ich hasse ihn, aber ich kann mich nicht gegen ihn wehren. Ich bin ihm ausgeliefert, wenn er da ist. Ich will ja gar nicht zu ihm gehen, aber ich komme nicht von ihm los. Ich liebe Richard. Mein Gott, ich habe ihn nie so geliebt wie jetzt, aber das andere zwingt mich, verstehst du, es läßt mir keine Ruhe. Ich bin einfach zu schwach. Ich kann nicht anders!«

Sie schlug die Hände vors Gesicht.

»Wer ist es?« fragte er.

»Ich kann es dir nicht sagen.«

»Du mußt.«

»Nein.«

»Kenne ich ihn?«

»Nein.« Sie schrie es fast. »Quäl mich nicht länger, mehr kann ich nicht sagen.«

»Renate, du mußt . . .« Seine Worte erstickten in einem Hustenanfall. Blut schoß süßlich-bitter in seinen Mund. Er konnte gerade noch sein Taschentuch vor die Lippen pressen.

Als der Anfall vorbei war, lehnte Herbert sich erschöpft zurück. Renate saß ihm gegenüber, ihr Gesicht war weiß und leer vor Furcht.

Er bemühte sich, zu lächeln. »Es ist schon wieder vorbei.« Dann fragte er: »Wo hast du ihn kennengelernt?«

Renate zögerte jetzt nicht mehr, gab schnell Antwort: »Am Abend von Richards Abschiedsparty. Richard hatte ihn eingeladen.«

»Und dann?«

»Richard fuhr fort. Ich blieb zurück. Der andere stellte mir nach. Ich traf ihn, um ihm zu sagen, daß es keinen Zweck habe, daß er mich in Ruhe lassen solle.«

»Und?«

»Ich war mit ihm in der Eifel.«

»Und dann?«

»Machte ich Schluß mit ihm.«

»Aber du hast ihn wiedergesehen?«

»Ja.«

»Seit Richard zurück ist?«

»Nein!«

Die Wirtin betrat den Schankraum. »Wollen Sie noch einen Kaffee?« fragte sie und kam an den Tisch. Sie musterte Renate ungeniert von den eleganten Krokodilpumps, über das herbstliche Chanelkostüm bis zum sorgfältigen Make-up.

»Ja, bringen Sie uns noch zwei Kaffee«, sagte Herbert rasch.

Die Frau kehrte zur Theke zurück. Sie spitzte die Ohren. Herbert und Renate schwiegen, bis sie wieder in ihre Küche gegangen war.

»Du darfst den anderen nicht wiedersehen«, sagte Herbert. »Du mußt jetzt endgültig Schluß machen. Noch kannst du verhindern, daß Richard es jemals erfährt. Aber wenn du weitermachst wie bisher, wird es nicht ausbleiben, daß ihn irgend jemand eines Tages davon unterrichtet. Ihr Jansens seid bekannt in der Stadt. Irgend jemand braucht dich nur mit diesem Kerl zu sehen, nur ein einzigesmal! Sei doch vernünftig, ich bitte dich! Denk auch an Mutter. Sie macht sich schon solche Sorgen. Willst du, daß sie jetzt auf ihre alten Tage die Ruhe und Zufriedenheit verliert, die sie nur durch dich und Richard hat?« Herbert griff nach ihren Händen. »Renate, alles, was wir besitzen, haben wir durch Richard – willst du das aufs Spiel setzen? Willst du wieder dahin zurück, woher wir gekommen sind?«

Sie schüttelte heftig den Kopf.

»Und du sagst selbst, du liebst deinen Mann. Aber wenn er von dem anderen jemals erfahren würde, weißt du, was geschähe. Und denk doch auch an deinen Sohn, an Peter.«

»Ich denke die ganze Zeit daran«, flüsterte sie.

»Renate, versprich mir, daß du den anderen nie mehr wiedersiehst.«

»Ich verspreche es«, log sie, weil sie nicht anders konnte.

Aber noch am selben Abend stahl Renate sich aus dem Haus. Richard war in einer Aufsichtsratssitzung. Sie erwartete ihn nicht vor Mitternacht. Bis dahin hoffte sie längst zurück zu sein.

Vom nächsten Taxistand aus ließ Renate sich in die Heide fahren. Sie ließ das Taxi vor dem Haus warten, schritt schnell zum Eingang. Steinweg öffnete, noch ehe sie geklingelt hatte. Renate trat rasch ein.

»Was hast du erreicht?« fragte sie. »Hast du einen Arzt gefunden?«

Steinweg lächelte schmal. »Dein Mann ist zurück, nicht wahr? Aber komm erst einmal herein. Bei einem Cognac bespricht sich alles leichter.«

»Ich habe keine Zeit.« Doch sie folgte ihm in den Wohnraum.

Das Feuer im Kamin brannte, und die Masken der indianischen Dämonen grinsten von den Wänden. Es war genau wie an jenem ersten Abend nach sieben Jahren. Die Erinnerung trieb ihr die Schamröte ins Gesicht.

Renate zuckte zusammen, als Steinweg ihren Arm berührte.

»Setz dich doch«, sagte er mit seiner sanften Stimme.

Sie fuhr herum. »Sag mir, ob du etwas erreicht hast.«

»Vielleicht . . .«

»Was heißt vielleicht?«

Er zuckte die Achseln. »Ich bin noch nicht sicher. Er verlangt eine Menge Geld.«

»Wieviel?«

»Zweitausend.«

»Zweitausend«, wiederholte sie stumpf.

»Du hast doch einen reichen Mann«, Steinweg lächelte. »Wenn ich mich recht erinnere, hast du ihn gerade aus diesem Grund geheiratet.«

»Hör auf!«

»Renate, ich mag diesen Ton gar nicht an dir, das weißt du doch.«

Seine Stimme blieb sanft, aber sie kannte die drohende Brutalität, die gerade in dieser Sanftheit lag.

Steinweg reichte ihr ein Glas Cognac.

Sie griff nicht richtig zu, das Glas zerschellte auf dem Boden.

»Schade«, sagte er und bückte sich nach den Scherben. »Ich hatte diese Gläser extra in Murano für mich blasen lassen.«

»Wann brauchst du das Geld?« fragte sie.

»Wann kannst du es beschaffen?«

»In ein paar Tagen.«

»Ist dein Mann so knauserig, daß du dir erst einen plausiblen Grund ausdenken mußt, wofür du das Geld brauchst?«

»Das geht dich nichts an«, sagte sie.

Er trat nah an sie heran. »Wenn du mich sehr schön bitten würdest, könnte ich es dir auch geben.«

»Ich bringe dir das Geld am Mittwoch«, sagte sie kalt.

»Gut, wie du willst.«

Und dann trat er noch näher an sie heran. Er hob seine Hände und legte sie auf ihre Schultern, ehe sie ihm ausweichen konnte. Sie riß seine Hände herunter und lief zur Tür.

Sein spöttisches Lachen folgte ihr, bis die Haustür hinter ihr zuschlug.

Am Eingang des Dorfes parkte ein Taxi mit abgeblendetem Licht und laufendem Motor.

Renate achtete nicht darauf, während sie sich zurück in die Stadt fahren ließ.

Aber Herbert, der in dem Taxi saß, richtete sich auf, als ihr Wagen vorbeischoß. Er klopfte dem Taxichauffeur auf die Schulter, der eingenickt war. »Wenden Sie«, sagte er, »und fahren Sie noch einmal zu dem Bungalow.«

Der Taxichauffeur gähnte hörbar, während er den Gang einlegte und wendete.

Vor dem Bungalow hielt er an.

Herbert blickte zu dem Haus hinüber, aber an den dicht zugezogenen Vorhängen, die kaum Licht durchließen, regte sich nichts. Er stieg aus, schritt zur Haustür.

An der Mauer neben dem Klingelknopf war ein Namensschild angebracht. Herbert klickte sein Feuerzeug an. Kurt Steinweg.

Der Name traf ihn wie ein Schlag. Siedendheiß schoß der Haß in ihm auf, längst vergessener, längst begrabener Haß.

Herbert wankte mehr, als er ging, zu dem Taxi zurück.

»Nanu, ist Ihnen nicht gut?« fragte der Fahrer.

Er war aus dem Wagen gesprungen und hielt Herbert den Schlag auf, er faßte nach seinem Arm, schob ihn auf den Rücksitz.

»Doch, doch.« Herbert hustete dumpf.

»Nehmen Sie's nicht so schwer«, sagte der Chauffeur und rutschte wieder hinter das Steuer des Wagens. »So was kommt öfter vor, als Sie glauben. Ich sage immer, alle Frauen sind nichts wert. Meine Alte hat mich mit Amis betrogen, als ich noch im dicksten Dreck in Rußland lag. Und dann hat sie gesagt, es wär' bloß gewesen, weil sie sonst umgekommen wär' vor Angst um mich.« Der Mann lachte böse. »Rausgeschmissen hab' ich sie, sofort, als ich alles erfuhr . . .«

Aber all das drang kaum in Herberts Bewußtsein.

»Fahren Sie mich zurück«, sagte er mit einer Stimme, die ihm kaum gehorchte.

Alles hatte er erwartet, alles – er war bereit gewesen, mit Renate Mitleid zu haben, ihr zu helfen, wenn es möglich war, alles zu vertuschen, damit Richard es niemals erfahren würde.

Aber daß Kurt Steinweg der andere war, damit hatte Herbert nicht gerechnet.

Er hatte Steinweg vom ersten Augenblick an, als er ihn kennenlernte, verabscheut. Er haßte seine kalten bernsteinfarbenen Augen, unter denen Renate zu einem gefügigen, willfährigen Spielzeug wurde. Herbert ahnte, was geschehen war, wenn Renate von angeblichen Spaziergängen oder Kinobesuchen zurückkehrte, die großen grünen Augen dunkel umrandet.

»Warum tust du das?« hatte er sie einmal gefragt, als sie allein waren, als ihre Mutter zum Friedhof an das Grab ihres Vaters gegangen war, wie jeden Samstag.

Renate stand schon zum Ausgehen bereit im Mantel vor ihm, das grüne Kopftuch unter dem Kinn geknotet, in den Händen ihre kleine, billige Handtasche, die ihre Finger jetzt umkrampften.

»Was tue ich denn?« fragte sie.

»Du wirfst dich weg. Mit siebzehn Jahren wirfst du dich an einen Kerl weg, der es nicht wert ist. Was meinst du, was Mutter sagen würde, wenn sie es wüßte, oder Vater, wenn er noch lebte?«

»Wenn, wenn, wenn«, äffte Renate ihn nach.

»Du solltest dich schämen. Du bist fast noch ein Kind.«

»Du weißt nicht, was du sagst.« Sie schüttelte wild den Kopf. »Ich liebe ihn, und er ist ganz anders, als du glaubst. Er liebt mich auch.«

»Er liebt dich nicht. Du bist für ihn nur ein Spielzeug. Er nutzt dich aus, um dich eines Tages wegzuwerfen.«

»Woher willst du das wissen?«

»Ich fühle es.« Und das war genau das Falscheste, was er sagen konnte. Aber er hatte ja keinen Beweis in Händen, und es war wirklich nur ein Gefühl, geboren aus seinem Haß, der sich ohne wirklichen Anlaß sofort gegen Steinweg gerichtet hatte.

»Ich fühle, daß er dich nur ausnutzt«, sagte Herbert noch einmal.

Renate zuckte beinahe verächtlich die Schultern und ging – zu Steinweg.

Dies war das einzigemal, daß sie über Steinweg sprachen. Aber zwei Jahre später heiratete Renate Richard Jansen – und sie blieb nicht, wie Herbert gefürchtet hatte, bei Steinweg.

Am Tag vor der Hochzeit, auf dem Spaziergang am Fluß, da hatte Renate selbst angefangen, von Steinweg zu sprechen. Sie blieb am Geländer der Uferböschung stehen, wieder suchten ihre Hände einen Halt und legten sich diesmal um die dünne Eisenstange, welche das Geländer abschloß.

»Du hattest damals recht«, sagte sie.

Er fragte: »Was meinst du?«

»Mit Steinweg«, erwiderte sie. »Ich habe es eingesehen.«

»Wenigstens nicht zu spät.«

»Aber beinahe. Wenn Richard nicht gekommen wäre . . .« Sie sah Herbert an und fügte leise hinzu: »Ich liebe ihn, und du magst ihn auch, nicht wahr?«

»Ja, sehr«, antwortete er.

Ihr Gesicht begann zu leuchten von dem Lächeln, das sich darüber legte.

Sieben, beinahe acht Jahre waren seither vergangen, gute, zufriedene und beinahe glückliche Jahre.

Und nun war Steinweg wieder da. Ausgerechnet Steinweg.

Herbert ballte die Hände zu Fäusten.

»Wir sind da«, sagte der Taxichauffeur.

Durch die Sträucher am Rande des Jansenschen Anwesens schimmerte Licht, das aus den Fenstern des Salons fiel.

Herbert bezahlte das Taxi, stieg aus. Langsam schritt er die Auffahrt hoch. Er hörte Stimmen, und als er sie verstand, blieb er im Schatten eines Baumes stehen.

Die Stimmen kamen aus dem Salon. Die Terrassentür stand auf.

»Ich habe dich noch nie um etwas gebeten«, hörte er Renate sagen. »Es ist das erstemal, Richard.«

»Natürlich«, erwiderte dieser. »Aber du mußt verstehen, daß zweitausend Mark keine Kleinigkeit sind.«

»Für dich schon«, unterbrach Renate ihn.

»Ich möchte doch nur wissen, wofür du das Geld brauchst«, sagte Richard ruhig.

»Das kann ich dir nicht sagen«, erwiderte sie, und Herbert

hörte an ihrer Stimme genau, daß sie niemals sagen würde, wofür sie das Geld wollte. Gleichzeitig hörte er auch, daß sie am Rande ihrer Selbstbeherrschung war – wie so oft in den letzten Wochen.

Herbert lief schnell auf das Haus zu, schritt über die Terrasse zur offenen Tür des Salons.

Richard stand, den Rücken Renate zugewandt, an der Anrichte und mixte einen Drink.

»Du kannst das Geld jederzeit abheben, du hast ja Bankvollmacht«, sagte er gerade.

Herbert räusperte sich und trat ein.

Richard wandte sich langsam um. In seinen Augen war der ratlose Ausdruck, den Herbert schon ein paarmal bemerkt hatte.

»Ach, du bist es«, sagte Richard mit einem halben Lächeln.

»Ich bin noch ein bißchen spazierengegangen, hörte eure Stimmen, als ich zurückkam, und dachte, wenn ich euch nicht störe . . .«

»Du störst uns nie«, unterbrach Richard ihn, »das weißt du doch.«

Renate sah nicht auf.

»Es wird früh Herbst dieses Jahr«, sagte Herbert, nur um irgend etwas zu sagen.

Richard nickte, nippte an seinem Drink. Sein Blick wanderte zu Renate. »Paris im Herbst ist sehr schön, meinst du nicht, Herbert?« Aber er sah Renate dabei an. »Ich muß für ein paar Tage hin. Renate hält nicht viel davon, mitzufahren.« Er setzte fast betont lautlos sein Glas ab. »Leider.«

»Du weißt, ich fühle mich nicht wohl«, sagte sie mit spröder Stimme.

»Ja – aber warum suchst du dann Doktor Hernau nicht auf?«

Sie schüttelte den Kopf. »So schlimm ist es doch nicht.«

»Renate ist nur ein bißchen deprimiert«, warf Herbert schnell ein. »Das war sie schon oft als junges Mädchen – im Herbst. Aber das geht schnell vorbei, nicht wahr, Renate?« Er lächelte ihr aufmunternd zu, und im selben Augenblick wurde er sich bewußt, daß es ein Komplizenlächeln war, welches Richard ausschloß.

»Ja, natürlich, alles geht einmal vorbei – manchmal schneller, als man denkt«, ergänzte Richard. Seine Stimme klang müde, als er hinzufügte: »Entschuldigt mich schon, ich hatte einen anstrengenden Tag.« Er nickte Herbert zu, trat zu Renate, berührte kurz ihre Schulter mit seiner Hand, schritt hinaus. Sein Glas war nur halb geleert, im Aschenbecher verglimmte seine Zigarette. Draußen auf der Treppe verklangen seine Schritte.

»Warum fährst du nicht mit ihm nach Paris?« fuhr Herbert Renate an.

»Mußt du dich schon wieder einmischen?« In ihren Augen war mehr Angst als alles andere.

»Ihr habt euch gestritten. Du hast von Richard Geld verlangt, zweitausend Mark. Wofür?«

»Mein Gott, warum kannst du mich nicht in Ruhe lassen?« Ihre Hände krallten sich in die seidenbespannten Armlehnen des Sessels, in dem sie saß. Es gab ein scharf ratschendes Geräusch.

Herbert trat zur Terrassentür, schloß sie.

»Erpreßt er dich?« fragte er.

»Wer?«

»Der andere.«

»Du bist ja verrückt.« Renate sprang auf, ging rasch zur Anrichte. Sie schenkte sich einen Cognac ein und stürzte ihn in einem Zug herunter.

»Das hilft dir nichts«, sagte Herbert. »Du brauchst es gar nicht erst zu versuchen. Ich weiß es aus eigener Erfahrung.«

»Laß mich doch in Ruhe.«

»Renate.« Er trat neben sie, packte ihre Schultern und zwang sie, ihn anzusehen.

»Hast du nicht schon genug kaputtgemacht, willst du noch mehr zerstören? Warum fährst du nicht mit Richard nach Paris? Warum tust du nicht, was er will? Renate, es ist deine einzige Chance –«, er zögerte, wagte den Namen nicht auszusprechen, »von dem anderen loszukommen.«

»Ich kann nicht«, sagte sie einfach. »Ich möchte es ja tun, aber ich kann nicht.« Mehr durfte sie nicht sagen, denn selbst Herbert wußte ja noch nicht alles, nicht daß Steinweg der andere war, nicht daß sie ein Kind von ihm erwartete. Und so wiederholte sie nur: »Ich kann nicht.«

»So wirst du nie von ihm loskommen, niemals«, beschwor Herbert sie. »Wenn es ein anderer wäre, aber Steinweg –«

Jetzt hatte er den Namen ausgesprochen, und er sah, wie Renate zusammenzuckte. Ihr Gesicht überzog sich mit fast grünlicher Blässe, ihre Augen verdunkelten sich in panischer Angst.

»Du weißt auch das . . .«, stammelte sie.

»Ja. Ich bin dir heute abend nachgefahren.«

»Ach so.« Nichts weiter, nur ›ach so‹.

»Wir beide kennen Steinweg, wir beide wissen, welchen Einfluß er schon damals auf dich ausgeübt hat. Renate, mach dich von ihm los, ehe es zu spät ist. Ich halte Steinweg für zu allem fähig. Renate, ich habe Angst um dich, um dich und um uns alle.«

»Er hat mich in der Hand«, sagte sie.

»Warum? Renate, sprich doch endlich!«

Herbert sah, wie sie mit sich kämpfte. Die Muskeln in ihren Wangen verkrampften sich, ihre Lippen öffneten sich schon, aber dann flüsterte sie nur: »Ich kann es dir nicht sagen, dir nicht und niemandem. Ich muß es einfach für mich behalten.«

Renate wandte sich um und lief aus dem Raum.

Plötzlich spürte Herbert, wie erschöpft er war, wie sehr ihn diese Auseinandersetzung angestrengt hatte. Er schleppte sich zum nächsten Sessel.

Das Atmen bereitete ihm Mühe, und der Schmerz durchstach seine Brust so heftig, als peinigte ihn etwas mit glühenden Nadeln.

Aber dieser Schmerz hinderte ihn nicht daran, glasklar zu denken. Soweit bin ich also schon – ich verteidige Renate gegen Richard, die Betrügerin gegen den Betrogenen. Warum? Ich kann auf das Wohlleben nicht verzichten, vor allem aber nicht auf die Hoffnung, doch noch gesund zu werden, durch neue Medikamente, neue Ärzte, neue Sanatorien. Und dazu brauche ich Richard – Richards Geld.

Richard Jansen hatte sich auf der schmalen Couch in seinem Arbeitszimmer das Bett bereitet. Nur selten hatte er dies in den sieben Jahren seiner Ehe mit Renate getan, und immer nur dann, wenn er bis tief in die Nacht gearbeitet hatte und Renate nicht aufwecken wollte.

Zum erstenmal nun schlief er hier, weil sie sich gestritten hatten. Instinktiv zog er sich von Renate zurück, hoffte, sie würde dadurch zur Besinnung kommen.

Er lag da und rauchte und starrte vor sich hin. Die Ecken des Zimmers verschwammen in weichem, schattigem Dunkel. Nur die grünbeschirmte Leselampe auf dem Schreibtisch brannte.

Er mußte ganz von vorn beginnen, versuchen zu ergründen, seit wann Renate so verändert war.

Seit jener letzten Gesellschaft vor seiner Abreise nach New York – da hatte es angefangen. Aber sosehr Richard auch nachgrübelte, er fand an jenem Abend keinen Anlaß, der Renates Veränderung verursacht haben konnte.

Richard drehte sich auf die Seite. Er drückte die Zigarette im Aschenbecher aus und zündete sich eine frische an.

In diesem Augenblick klingelte das Telefon.

Richard stand auf, ging zum Schreibtisch und nahm den Hörer ab.

»Jansen . . .«

»Hallo?« kam es vom anderen Ende.

»Jansen«, wiederholte er, »mit wem spreche ich?«

»Entschuldigen Sie, ich bin falsch verbunden«, sagte eine Männerstimme, und gleich darauf wurde aufgelegt.

Richard legte den Hörer langsam auf die Gabel zurück. Die Stimme kam ihm bekannt vor, er hatte sie schon einmal gehört. Aber wo? Nachdenklich rieb er sich die Stirn. Eine dunkle, seltsam weiche Männerstimme . . .

Sie sagte: Guten Abend, ich freue mich sehr, und der Mann, dem sie gehörte, beugte sich lächelnd über Renates Hand.

Wie hieß er doch nur – ach ja, richtig, Steinweg, der Bildhauer.

Lächerlich, dachte Richard gleich darauf, warum sollte er hier anrufen, mitten in der Nacht und dann auch noch eine falsche Verbindung vortäuschen.

Es war wirklich lächerlich, auf welche Gedanken er schon kam, nur weil er sich seit einiger Zeit unsicher fühlte, weil er Renate nicht mehr verstand, den Menschen, der ihm am nächsten stand.

Richard wandte unwillkürlich den Kopf, als er ihre Schritte auf der Treppe hörte.

Renate ging vorbei, in ihr Zimmer.

Richard stand da, neben seinem Schreibtisch, und wartete darauf, daß sich die Verbindungstür öffnen würde.

Aber er wartete vergebens.

Da ging er zur Couch zurück, legte sich wieder hin.

Er wollte einschlafen, die Gedanken ausschalten, aber es gelang ihm lange nicht. Er nahm sich vor, gleich nach seiner Rückkehr aus Paris ernsthaft mit Renate zu sprechen. Sie mußte ihm sagen, was so plötzlich zwischen sie getreten war.

Als Richard am anderen Morgen zu Renate ging, schlief sie noch. Auf dem Nachttisch lag das Röhrchen mit den Schlaftabletten, und im leeren Wasserglas war ein dünner weißer Bodensatz. Richard beugte sich über Renate und strich ihr das Haar aus der Wange. Selbst im Schlaf war ihr Gesicht noch gespannt und verschlossen.

Er weckte sie nicht. Er kehrte in sein Zimmer zurück und traf seine Vorbereitungen für den kurzen Parisbesuch.

Beim Frühstück war er allein. Weder Herbert noch Gertrud Bach zeigten sich, bevor er zum Flughafen fuhr.

Als Richard das Haus verließ, war es ihm, als sei es nicht mehr sein Haus, als sei er ein Fremder, der sich dahin verirrt hatte, in einen Irrgarten von Geheimnissen.

Die Halle der Bank war von gedämpfter Geschäftigkeit erfüllt. Telefone klingelten, Stimmen antworteten in höflichem Gemurmel, Schreib- und Rechenmaschinen klapperten.

Nur langsam rückte die Schlange vor dem Kassenschalter vor, in der Renate Jansen als eine der letzten stand. Sie hielt den Scheck krampfhaft in der Hand. Er lautete auf zweitausend Mark. Es war das erstemal, daß sie von ihrer Bankvollmacht in dieser Höhe Gebrauch machte.

Endlich war sie an der Reihe.

Das Lächeln des Kassierers, der den Scheck entgegennahm, prüfte, abhakte und dann die Banknoten vor ihr auf den Messingteller blätterte, erschien ihr seltsam verschwörerisch.

Sie verließ das Bankgebäude, als sei sie auf der Flucht.

In einem kleinen Café, nur wenige Straßen weiter, hatte sie sich mit Steinweg verabredet. Sie wollte niemals mehr in das Haus in der Heide fahren.

Kurt Steinweg erwartete sie schon, als sie eintrat.

Er stand auf, half ihr aus dem Mantel. Seine Hände berührten ihren Nacken. Renate zuckte zusammen.

Sie setzte sich, bestellte einen Kaffee.

»Ich habe das Geld«, sagte sie mit gepreßter Stimme, als die Serviererin wieder gegangen war.

Renate zog den Umschlag aus der Manteltasche, schob ihn über den Tisch.

Steinweg rieb ihn zwischen Daumen und Zeigefinger.

»Du kannst ja nachzählen, ob es auch stimmt«, sagte sie bitter.

»Aber, Renate, ich weiß doch, daß ich mich auf dich verlassen kann.« Er lächelte. Dann schob er den Umschlag über den Tisch zurück. »Du kannst das Geld deinem Mann wiedergeben.«

Sie starrte ihn an.

»Wirklich, du brauchst das Geld nicht.«

»Was soll das heißen?«

»Nicht so laut.« Er hob die Hand. »Die Leute schauen schon her.«

Die alte Frau am Nebentisch blickte tatsächlich neugierig herüber. Renate spürte, wie ihr das Blut in die Wangen schoß.

»Wieso?« flüsterte sie.

»Es hat nicht geklappt«, sagte er.

»Du meinst . . .«

»Ich kann dir nicht helfen.«

»Du willst mich nur quälen!«

»Aber Renate!«

»Du hast mir versprochen, mir zu helfen.«

»Ich habe nur versprochen, es zu versuchen.«

»Das ist doch dasselbe.«

Er schüttelte wieder lächelnd den Kopf.

»Nicht ganz. Und leider ist es mißlungen – erspar mir die Einzelheiten. Sie sind zu unerfreulich.«

Sie haßte ihn, wie er so vor ihr saß, verabscheute ihn, ekelte sich vor ihm wie noch nie vor einem Menschen zuvor.

»Du bist so gemein«, stieß sie hervor, »du bist teuflisch gemein.«

Er lächelte.

»Ich hasse dich.«

»So sehr, daß du ein Kind von mir kriegst.« Und er krümmte sich voller Hohn. Dann fiel das Lächeln von seinem Gesicht, es wurde hart, kalt. Seine Augen verengten sich, starrten sie an in dem wilden Feuer, das sie so zu fürchten gelernt hatte.

»Du wirst das Kind bekommen«, sagte er leise und sehr sanft. »Du wirst mein Kind bekommen. Ich werde dafür sorgen, mit allen Mitteln.«

6

Das kleine Café füllte sich mit Schülerinnen der Oberrealschule, die jenseits der Straße lag. Fröhlich plapperten die jungen Stimmen durcheinander. Lärmend verlangten sie nach Eis, Kakao und Cola.

Aber weder Renate Jansen noch Kurt Steinweg bemerkten etwas davon.

Sie saßen sich an dem runden Plastiktisch gegenüber, starrten sich an, voller Haß – beide in dem Bewußtsein, daß sie nicht voneinander loskommen würden, wenn auch jeder aus einem anderen Grund.

»Du willst mich nur quälen«, sagte Renate. »Du willst mir angst machen. Aber was du auch tust, ich werde dein Kind nicht bekommen.«

Das zynische Lächeln verzog seine Mundwinkel.

Blind vor ohnmächtigem Zorn hob Renate die Hand.

Aber ehe sie noch zuschlagen konnte, hatte Kurt Steinweg schon ihre Hand abgefangen und sanft auf das Tischchen zurückgelegt.

»Nicht doch«, murmelte er, »du wirst mich doch nicht schlagen – nicht vor allen Leuten, Renate.«

Seine bernsteinfarbenen Augen glitzerten. Lautlos lachte er sie an.

»Ich werde das Kind nicht bekommen«, wiederholte sie, »darauf kannst du dich verlassen.«

»Dann muß ich dich leider dazu zwingen.«

»Das kannst du nicht.«

»Nein? Ich könnte doch zum Beispiel mit deinem Mann sprechen.«

»Das wirst du nicht wagen!«

»Warum nicht? *Ich* habe nichts zu verlieren.«

»Du würdest das Leben einer Familie zerstören?«

Steinweg hob abwehrend die Hand. »Was für hochtrabende Worte – aber das möchte ich noch nicht einmal.«

»Ja – du würdest uns kaputtmachen«, sagte sie, »du würdest es mit allen Mitteln.«

Seine Augen verengten sich wieder, seine Lippen preßten sich fest aufeinander. Er blickte Renate starr an. Sie sah sehr jung aus in ihrem schmalen, grauen Kostüm mit dem schwarzen Nerzkragen, die Blässe ihrer Haut unterstrich noch die Wirkung ihrer großen, grünen Augen. Sie war in diesem Augenblick sehr begehrenswert – und das vertiefte noch Steinwegs Haßliebe, seinen wilden Schmerz. Zu wissen, daß sie mit einem anderen Mann verheiratet war, riß die Wunden wieder auf, welche die Kränkung ihm zugefügt hatte, damals, als Renate sich für Richard – und gegen ihn – entschieden hatte.

»Du willst also deine Rache haben? Kennst du kein Mitleid?« flüsterte sie.

»Mitleid mit dir?« Er beugte sich über den Tisch. Seine Augen brannten sich in ihr Gesicht. »Ausgerechnet mit dir! Denk daran, was vor sieben Jahren geschah!« Plötzlich schlossen sich seine Hände zu Fäusten, daß das Weiß der Knöchel scharf hervortrat. »Du wirst mein Kind bekommen«, flüsterte er, »und du wirst deinen Mann nicht verlassen.«

Renate starrte ihn stumm an.

»Ja, schau mich nur an, das ändert nichts an meinem Entschluß: Du wirst tun, was ich verlange. Hüte dich davor, etwas gegen das Kind zu unternehmen. Denn im selben Augenblick würde dein geliebter Richard alles von mir erfahren, jede Einzelheit, hörst du. Solange du aber tust, was ich will, werde ich meinen Mund halten.«

Er schob sein Gesicht noch näher an das ihre heran. »Du wirst mein Kind großziehen, du wirst es Tag für Tag vor Augen haben. Gewöhn dich früh genug an diese Aussicht, und gewöhn deinen Mann daran. Er mag doch Kinder, er wird auch dieses mögen.«

Renate konnte nichts sagen. Sie konnte nichts tun. Sie war wie gelähmt. Selbst ihr Atem gehorchte ihr nicht mehr, quälte sich schmerzhaft aus ihren Lungen.

Steinweg lehnte sich in seinem Stuhl zurück.

»Und noch etwas«, sagte er, »sei niemals zu sicher, daß ich wirklich meinen Mund halte. Es könnte mir eines Tages gefallen, deinem Richard vielleicht ein paar Andeutungen zu machen, über die er nachdenken müßte.«

»Du hast mich in der Hand«, flüsterte sie, »mein Gott . . .«

»Laß den aus dem Spiel, der hat weder mit dir noch mit mir etwas zu tun.« Steinweg hob seine Rechte und krümmte sie zusammen, bis sie wie eine Kralle auf dem Tisch lag, wie eine Tatze, die zuschlagen wollte. »Aber im übrigen hast du ganz recht«, und er lächelte wieder dieses grausame Lächeln, »ich habe dich in der Hand.«

Während der nächsten Stunden verkroch Renate sich in der dunklen Anonymität eines Wochenschaukinos. Sie saß in der hintersten Reihe und starrte auf die Leinwand, ohne etwas von den Reklamesketches, Zeichentrickfilmen und Wochenschauen wahrzunehmen.

Sie dachte nichts und fühlte nichts – außer Angst.

Angst vor dem Nach-hause-müssen, vor den fragenden Augen ihres Bruders und ihrer Mutter, aber am meisten vor dem zärtlichen, unschuldigen, vertrauenden Gesicht ihres kleinen Sohnes. Angst vor Steinweg – und Angst vor der Rückkehr ihres Mannes, der niemals die Wahrheit erfahren durfte.

Der Leuchtzeiger der Uhr neben der Leinwand zeigte halb sechs.

Renate wußte, es war höchste Zeit, nach Hause zu fahren. Sie konnte es nicht länger hinausschieben.

Am Martinsplatz hatte sie ihren Wagen abgestellt. Ein grüner Zettel steckte zwischen den Scheibenwischern. Sie hatte unerlaubt lange geparkt.

Noch vor wenigen Wochen hatte sie sich darüber aufgeregt, einen Strafzettel zu bekommen – nun zwang dies sie nur zu einem solchen Auflachen, daß ein Paar, welches gerade vorüberging, sich verwundert nach ihr umblickte. Noch vor wenigen Wochen hätte jedes Aufsehen, welches sie erregte, ihr die Schamröte ins Gesicht getrieben – aber nun war sie jenseits jeder Empfindung.

Die Straße führte aus der Stadt heraus. Schmal wölbte sie sich zwischen dichten Baumzeilen. Naß glänzte der Asphalt.

Die Straße stieg zu der Kurve an, bevor es nach Festenau abging. Es war eine enge Kurve, und sie war glatt vom Nieselregen.

Das wußte Renate, und plötzlich war der unbezwingbare Wunsch da, zu sterben, sich selbst zu zerstören, schnell, jetzt, so daß es wie ein Unfall aussehen würde.

Renate trat das Gaspedal ganz durch. Der Motor heulte auf. Der Wagen schoß in die Kurve, schlingerte, rutschte.

Da steuerte Renate gegen, tat es ganz automatisch, gegen ihren Willen zog sie den Wagen in die Mitte der Fahrbahn zurück.

Tränen liefen ihr übers Gesicht. Sie merkte es erst, als sie am Dorfeingang hielt, um einen Traktor vorbeizulassen.

Drüben, neben der Schule, hob sich das Schindeldach der Kirche vom blaßgrauen Himmel ab. Die Glocke läutete die volle Stunde.

Renate fuhr wieder an.

Sie hielt diesmal in der Gasse neben der Kirche. Ihre Hände waren schneeweiß, als sie sie vom Lenkrad löste. Sie spürte dumpf und schwer den Schlag ihres Herzens.

Zögernd betrat sie die Kirche. Lautlos schwang die schwere Tür hinter ihr zu. Halbdunkel umgab sie, an das ihre Augen sich erst gewöhnen mußten, Kühle, die sie frieren ließ.

Renate tauchte die Fingerspitzen in den Weihwasserkessel und bekreuzigte sich.

Vorne, wo die Kerzen flackerten, knieten ein paar Frauen. Sonst waren die dunklen geschnitzten Bänke leer.

Die Glocke läutete immer noch. Dumpf hallte ihr Ton durch das Halbdüster.

Renate fürchtete sich plötzlich, und jäh und schmerzhaft war sie sich ihrer Schuld bewußt. Sie hatte kein Recht, hier zu sein, sie hatte das Anrecht auf Trost verspielt, verschenkt, vielleicht sogar verhöhnt.

Sie hatte die Hilfe der Menschen nicht gewollt – weder von ihrem Mann noch von Herbert oder von ihrer Mutter – und nun suchte sie die Hilfe Gottes.

In dem winzigen Halbrund vor dem Seitenaltar kniete Renate nieder. Vor ihr schwamm im Schein der Kerzen das Gesicht der Maria – ein ruhiges, gütiges Wachsgesicht, aber auch ein stummes Gesicht.

Ich wollte nicht schlecht sein, flüsterte Renate, ich wollte es wirklich nicht. Aber ich bin es, denn ich betrüge meinen Mann und mein Kind. Ich betrüge die Menschen, die ich liebe, obwohl ich es nicht will. Ich bin schuldig.

Schritte näherten sich auf den Steinfliesen des Seitengangs.

Renate blickte auf. Der Kaplan schritt zu dem Beichtstuhl hinüber. Demütig hielt er den Kopf gebeugt. Er trat in den Beichtstuhl.

Bald darauf kam ein kleines Mädchen über den Gang. Die Hände gefaltet, das Gesicht zwischen hellem Haar gesenkt, kniete es am Beichtstuhl nieder.

Renate spürte, daß wieder Tränen in ihre Augen schossen – wie lange war es her, daß auch sie so gewesen war? Ein Kind, vertrauend in das Gute, ängstlich darauf bedacht, auch ihre kleinsten Sünden zu gestehen, kindliche, unschuldige Sünden.

Und nun? – Das Maß ihrer Sünden war übervoll.

Sie durfte nicht mehr auf Vergebung hoffen, nicht von den Menschen, nicht von Gott.

Es war schon fast acht Uhr, als Renate nach Hause zurückkehrte.

Aber weder Herbert noch ihre Mutter fragten, wo sie gewesen war. Renate war dankbar dafür und bemühte sich, dies durch Ruhe und Sanftheit zu zeigen.

Lange hatte Renate nicht mehr mit ihrem Bruder Schach gespielt, aber heute abend tat sie es.

Ihre Mutter saß bei ihnen und strickte an einem Pullover. Hin und wieder, wenn Renate den Kopf hob und ihre Blicke sich begegneten, lächelte Gertrud Bach sie an.

»Schach«, Herbert schmunzelte.

Renate verlor nun auch die dritte Partie.

»Ich glaube, ich mache Schluß«, sagte sie.

»Keinen letzten Versuch mehr?« neckte Herbert.

Sie schüttelte den Kopf. »Keinen mehr.«

»Es ist schon spät geworden.« Ihre Mutter legte sorgfältig das Strickzeug zusammen. »Wir wollen alle schlafen gehen, nicht wahr?«

Herbert räumte die Schachfiguren in den kunstvoll geschnitzten Kasten aus Ebenholz.

»Renate, du hast noch die weiße Dame.«

Sie hatte die zierliche Elfenbeinfigur unbewußt festgehalten und gab sie Herbert nun.

Renate stand auf. »Ich bin sehr müde, ich werde bestimmt gut schlafen.«

»Möchtest du morgen früh geweckt werden?« fragte Gertrud Bach.

»Nein, ich werde von allein wach.«

»Wenn Richard noch aus Paris anruft, grüß ihn von uns«, sagte ihre Mutter.

»Ja, natürlich«, erwiderte Renate. »Gute Nacht.«

Richard anrufen – die Versuchung war groß.

Aber oben, in ihrem Schlafzimmer, rührte sie das Telefon nicht an.

Doch wenn er anriefe – Renate wartete eine Stunde lang, vergebens.

Sie hatte es gewußt, als sie die Kirche verließ, es gab keine Gnade mehr für sie.

Das Haus war nun nächtlich still.

Unwillkürlich streifte Renate die Schuhe von den Füßen, bevor sie hinaus auf den Flur trat. Vorsichtig, bemüht, keinen Laut zu machen, klinkte sie die Tür zu Peters Zimmer auf.

Sie trat ein, blieb stehen, bis ihre Augen sich an die Dunkelheit gewöhnt hatten. Auf Zehenspitzen näherte sie sich dem Bett.

Renate beugte sich über den schlafenden Jungen. Sein Atmen kam ganz ruhig und gleichmäßig. Sie hob die Daunendecke auf, die halb heruntergeglitten war, und deckte Peter wieder zu. Sie berührte seine Wange mit den Fingerspitzen. Die Haut fühlte sich warm und sehr zart an. Sie strich über sein Haar, weiches, feines Kinderhaar. Die Kehle wurde ihr eng, die Augen begannen zu brennen.

Lautlos sprach sie mit ihrem Sohn, bat ihn um Verzeihung für das, was sie ihm angetan hatte und noch antun mußte.

Sie würde niemals sehen, wie er heranwuchs, zu einem jungen Mann, der plötzlich von einem Tag zum anderen eine dunkle Stimme bekam, der sich rasieren mußte, den man vielleicht, so hatte sie es sich manchmal ausgemalt, dann für ihren Bruder, aber nicht für ihren Sohn halten würde. Niemals würde sie das erleben – jetzt nicht mehr.

Peter seufzte im Schlaf. Er hob eine Hand und legte sie auf seine Wange.

Dann, von einer Sekunde zur anderen, war er wach. Renate hatte keine Bewegung gemacht, kein Wort gesagt, um ihn zu wecken. Aber sie sah in dem Dunkel, an das sich ihre Augen schon gewöhnt hatten, wie er den Kopf wandte und sie anblickte.

»Bist du das, Mami?« murmelte er.

»Ja«, flüsterte sie.

»Du hast mir keinen Gutenachtkuß gegeben.«

»Deswegen bin ich ja hier.« Renate beugte sich hinunter und berührte seine Stirn mit ihren Lippen.

Peter schlang die Arme um ihren Hals. »Gute Nacht, meine liebe Mami.«

»Gute Nacht . . .« Ihre Stimme erstickte.

»Bis morgen früh«, murmelte er. Seine Arme sanken herab, er schlief schon wieder.

Renate wußte nicht, wie sie in ihr Zimmer zurückgekommen war, wie lange sie auf ihrem Bett gelegen hatte.

Erst nach einer ganzen Weile drangen die dumpfdröhnenden Schläge der Standuhr aus der Halle in ihr Bewußtsein. Zwei Uhr, fast schon Morgen. Und damit der Gedanke – ich darf nicht wieder feige werden.

Renate erhob sich und bewegte sich mit staksigen Schritten durch ihr Zimmer.

Vor dem Schreibtisch blieb sie stehen. Aufgeschlagen lag ihre Briefmappe da.

Renate zog den Stuhl zurück, setzte sich. Sie griff nach dem Kugelschreiber und legte ihn wieder aus der Hand.

Was sollte sie schreiben? Wie es erklären? Sie durfte gar nichts erklären. Es mußte so aussehen, als habe keine Absicht dahinter gestanden. Niemals sollte Richard die Wahrheit erfahren.

Renate stand wieder auf und ging zum Wäscheschrank. In der untersten Lade verwahrte sie ihre alten Handtaschen.

Renate kniete sich hin, nahm die aus weichem schwarzem Nappaleder mit dem Schildpattbügel heraus. Es war die erste Handtasche, die Richard ihr geschenkt hatte, damals zu ihrem zwanzigsten Geburtstag.

Ein Taschentuch steckte in der Tasche mit dem schwachen Duft eines Parfums, dessen Namen sie längst vergessen hatte. Darin befanden sich die Tabletten.

Renate nahm das Röhrchen heraus. Wie leicht es gewesen war, den Apotheker davon zu überzeugen, daß sie das Rezept vergessen hatte, wie leicht, ihn mit einem bloßen Lächeln dahin zu bringen, ihr die Tabletten zu verkaufen.

Die Sonne hatte geschienen, und es war beinahe sommerlich

warm gewesen an diesem Morgen. Sie trug das hellgrüne Kostüm, und die Männer sahen ihr nach.

Das war vorgestern gewesen. Vor zwei Tagen hatte sie die Tabletten gekauft.

Und dann hatte sie sich mit Richard zum Essen getroffen.

Durch die breiten Fenster des Restaurants sahen sie den Fluß in der Sonne glitzern, und am Nebentisch lachten ein paar Mädchen.

»Wie schön du bist«, sagte Richard. Er küßte die Innenfläche ihrer Hand, und Renate errötete, weil die Mädchen am Nebentisch kicherten, oder auch, weil sie glücklich war in diesem Augenblick – gegen jede Vernunft und jede Überlegung glücklich.

Nicht mehr daran denken, an gar nichts mehr denken.

Es tun, rasch tun.

Renate warf die Tasche in die Lade zurück, schob diese mit dem Fuß zu und lief ins Bad.

Sie schüttete die Tabletten in ihre linke Hand, glatte weiße Tabletten. Mit der Rechten drehte sie den Hahn auf, füllte ein Glas mit Wasser.

Sie schluckte die Tabletten, trank das Glas leer.

Sie stellte das Glas hin, ging zum Bett, legte sich nieder, deckte sich zu.

Sie lag ganz ruhig. Empfand gar nichts.

Es ist vorbei. Alles ist zu Ende.

Schließ die Augen, und es ist vorbei.

Steinweg. Richard. Peter.

Haß und Liebe. Alles vorbei.

Und ich bin erst sechsundzwanzig.

Die Dunkelheit sprang sie an. Die Verzweiflung. Vorbei ... Für immer? Nacht auf ewige Zeit.

Nein!

Nein!!

Plötzlich war das Entsetzen da, die Reue.

Ich will nicht sterben, ich bin noch zu jung!

Panik überfiel sie. Ich will nicht sterben! So helft mir doch. Hilfe. Richard.

»Richard!« Gellend hörte sie ihre eigene Stimme. Taumelnd raffte sie sich auf, torkelte zum Ausgang, spürte schon die Wirkung der Tabletten, rüttelte an der Klinke der Tür, die sie selbst verschlossen hatte.

Sie drehte den Schlüssel mit flatternden Händen, riß die Tür auf, war im Flur. »Richard!« schrie sie noch einmal.

Sie fiel auf die Knie, rutschte über den Boden, auf allen vieren, im Dunkeln des Flurs, in der Finsternis ihrer kreatürlichen Angst.

Licht blendete sie plötzlich. Sie erkannte eine offene Tür und im hellen Geviert ihren Bruder. Sie fand ihre Stimme in einem Stammeln wieder. »Herbert – ich habe – Tabletten – hilf mir – einen Arzt – schnell . . .«

Herbert zog sie hoch.

Die Beine knickten unter ihr weg.

Herbert schleppte sie in das Zimmer, zu seinem Bett.

»Schnell . . .«, stammelte sie, »rasch . . .« Sie umklammerte seinen Arm mit beiden Händen.

»Sei ruhig, ganz ruhig . . .«, sagte er.

»Was ist denn? Mein Gott, Renate – Herbert!« Ihre Mutter beugte sich über sie.

»Mutter, ruf Dr. Hernau«, sagte Herbert.

Renate fuhr hoch. »Nein – nicht Hernau – ruft Hauser. Dr. Hauser, Ludwigstraße – er weiß Bescheid . . .« Dann fiel sie zurück, konnte ihre Augen nicht mehr offenhalten, fiel tiefer und tiefer in das Dunkel hinein.

Es dauerte kaum zehn Minuten, dann kam der Arzt.

Dr. Hauser war ein schlanker Mann von vielleicht fünfundvierzig Jahren, mit einem Gesicht, das man sofort wieder vergaß. Seine Stimme klang gelassen, als er zu Herbert sagte: »Führen Sie mich zu der Patientin.«

Gertrud Bach war bei Renate geblieben. Sie hatte ihrer Tochter heiße Milch eingeflößt, bis sie sich erbrach. Sie hatte entschlossen und umsichtig gehandelt, obwohl ihr das Herz fast dabei stehenblieb. Sie saß jetzt auf dem Bettrand und streichelte die schmalen, weißen Hände, die nun endlich ruhig geworden waren. Denn Renate schlief.

Gertrud Bach erwiderte das ›Guten Abend‹ des Arztes nur mit einem Kopfnicken. Sie stand sofort auf, als dieser an das Bett trat, und wich in den Hintergrund des Zimmers zurück.

Dr. Hauser nahm die leere Tablettenhülse auf, welche Herbert aus dem Bad geholt und auf den Nachttisch gelegt hatte. Er las die Aufschrift, wandte sich dann an Herbert.

»Wissen Sie, ob das Röhrchen voll war?«

»Nein.«

Der Arzt nickte. »Lassen Sie mich jetzt bitte mit der Patientin allein.«

»Glauben Sie, daß meine Tochter ...«

»Bitte, später«, sagte Hauser.

Herbert umfaßte die Schultern seiner Mutter und führte sie nach draußen.

Im Flur warteten sie stumm, aneinandergelehnt, Mutter und Sohn, als müßten sie sich gegenseitig stützen.

»Mein Gott, warum hat sie das getan?« flüsterte Gertrud Bach. »Warum nur?«

Herbert antwortete nicht, konnte es nicht.

Er blickte den Flur entlang. Die Tür des Kinderzimmers war geschlossen. Von dort kam kein Laut. Es war ein Wunder, daß Peter nicht erwacht war.

»Warum, Herbert? Warum nur?«

»Ich weiß es nicht, Mutter«, sagte er endlich.

»Wenn sie nun – ich meine, wenn – Renate kann doch nicht sterben – ich meine ...«

»Sie wird nicht sterben, Mutter, bestimmt nicht.«

Herbert legte seinen Arm um die Schultern der alten Frau.

»Bitte, geh in dein Zimmer, Mutter. Ich komme zu dir, sobald ich mit dem Arzt gesprochen habe.« Er brachte sie in ihr Zimmer.

»Laß nur«, flüsterte sie, als er sie zum Bett führen wollte. »Geh nur wieder, vielleicht wartet der Arzt schon auf dich.«

Herbert kehrte in den Flur zurück. Er lehnte sich gegen das Treppengeländer, gegenüber von Renates Zimmer.

Einen fremden Arzt hatte sie verlangt – nicht Dr. Hernau, den Hausarzt. Sie hatte gestammelt, er weiß Bescheid, er weiß Bescheid ...

Was wußte dieser Hauser?

Renate mußte schon einmal bei ihm gewesen sein.

Wann?

Vor kurzem, sonst hätte sie sich nicht an seinen Namen erinnert.

Warum?

Er weiß Bescheid, hatte sie gestammelt.

Die Tür von Renates Zimmer öffnete sich, und Dr. Hauser trat heraus. In der Hand hielt er seine schwarze Bereitschaftstasche. Also war die Untersuchung zu Ende.

»Wie steht es?« Herberts Stimme klang rauh.

»Nicht schlecht. Kein Grund zur Besorgnis.«

»Aber . . .«

»Wirklich, Sie können beruhigt sein«, unterbrach ihn der Arzt. »Sie sollten das auch Ihrer Frau Mutter sagen.«

»Ja, natürlich. Ich bin sofort zurück.«

Als Herbert zurückkam, wartete Hauser schon unten in der Halle auf ihn.

»Wir unterhalten uns am besten im Salon«, sagte Herbert.

Der Arzt nickte und folgte ihm.

»Sie sind der Ehemann?« fragte Hauser. Er stellte seine Tasche neben seinem Sessel ab, setzte sich dann. Er zog mit Sorgfalt die Bügelfalten seiner grauen Hose hoch.

Und wie stets in Augenblicken höchster nervlicher Spannung nahm Herbert gerade die unwichtigen Kleinigkeiten wahr: Der Scheitel im glatten, braunen Haar des Arztes endete in einem Wirbel am Hinterkopf, auf dem Revers seines grauen Jacketts war ein winziger weißer Fleck, seine Hände hatten überraschend schmale Gelenke und dünne, fast mädchenhafte Finger.

Dr. Hauser räusperte sich.

»Sie sind der Ehemann?« fragte er noch einmal.

»Nein«, erwiderte Herbert, »der Bruder.« Er sah den winzigen Funken des Erstaunens in den farblosen Augen des Arztes, aber er maß dem keine Wichtigkeit bei.

»Leidet Ihre Schwester häufig unter Schlaflosigkeit?«

»In letzter Zeit ja«, erwiderte Herbert.

»Dann handelt es sich wohl um ein Versehen«, sagte Hauser. »Die Dosis war bei weitem nicht ausreichend, um den Tod herbeizuführen.«

»Es *kann* nur ein Versehen gewesen sein«, bekräftigte Herbert schnell, froh, daß der andere es ihm so leicht machte.

»Hm ja, das nehme ich auch an.« Der Arzt rieb seine Hände, als friere er, aber es schien nur eine unbewußte Angewohnheit von ihm zu sein. »Übrigens – Sie wissen, daß Ihre Schwester ein Kind erwartet? Vielleicht daher die Schlaflosigkeit? Wissen Sie zufällig, ob sie diese auch bei ihrem ersten Kind gehabt hat?«

»Nein«, erwiderte Herbert spröde.

»Nun ja, ich würde sagen«, fuhr der Arzt fort, »aus Schaden wird man klug. Ihre Schwester wird sicherlich nie mehr zu viele Schlaftabletten einnehmen, wenn sie wieder erwacht und sich bewußt wird, was geschehen ist. Außerdem werde ich ihr auch im Interesse des Kindes davon abraten, weiterhin zu Medikamenten zu greifen. Ein paar Armbäder am Abend vor dem Schlafengehen können nämlich das gleiche bewirken, nur meistens wissen die Patienten das nicht.«

»Sie werden meiner Schwester das alles morgen auseinandersetzen, nicht wahr?« sagte Herbert mühsam.

Der Arzt erhob sich. »Ja, ich schaue morgen mittag noch einmal nach ihr, und, wie gesagt, beunruhigen Sie sich nicht; das alles ist nicht so schlimm, wie es aussieht.«

Aber es war noch viel schlimmer. Es war furchtbar. Es war so, als dürfe man es noch nicht einmal denken, um es damit ungeschehen zu machen.

Renate erwartete ein Kind.

Von wem?

Von Richard?

Von Steinweg?

Von Steinweg!

Herbert ballte die Hände zu Fäusten. Haß brandete in ihm auf, ohnmächtiger, verzweifelter Haß, und Furcht, panische Angst.

Was nun? Was würde jetzt geschehen?

»Junge, warum stehst du denn da mitten in der Halle?« fragte seine Mutter von der Treppe her. Sie schritt langsam die Stufen herunter. »Ist der Arzt schon fort?«

Herbert hob den Kopf. »Mutter?«

»Aber Herbert, was ist denn mit dir?« Sie lief auf ihn zu. »Junge!« Sie faßte seinen Arm. »Was ist denn noch geschehen?«

»Nichts«, sagte er, »gar nichts.« Seine Stimme klang brüchig, und in seiner Kehle blähte sich der Husten auf.

»Komm . . .« Mit einer fahrigen, unsicheren Bewegung umfaßte er die Schultern seiner Mutter, und sie gingen zusammen in den Salon.

»Bitte«, flüsterte die alte Frau, »Herbert, was ist? Was hat der Arzt gesagt?«

»Nichts, Mutter, wirklich nichts.«

Sie schüttelte den Kopf. »Du verschweigst mir etwas, warum sagst nicht wenigstens du mir die Wahrheit?«

»Setz dich, Mutter«, sagte er. »Du hast ja recht. Du sollst die Wahrheit wissen.«

Aber er mußte ein paarmal ansetzen, ehe er seine Stimme wieder in der Gewalt hatte.

»Du hast dir ja in der letzten Zeit auch Sorgen um Renate gemacht.«

Sie nickte. »Ja, das habe ich.«

»Wir beide wissen, daß schon seit einigen Wochen etwas nicht in Ordnung ist.«

»Ja – und Richard weiß es auch schon.«

»Was meinst du damit?«

»Richard ist mißtrauisch«, sagte die alte Frau. »Und ich bin schuld daran.«

»Du, Mutter?«

»Ja. Ich habe ihm geschrieben und ihn gebeten, früher aus Amerika zurückzukehren. Denn ich dachte, er hat ein Recht darauf zu wissen, daß Renate krank ist. Und sie ist doch krank, wir haben ja jetzt den Beweis, nicht wahr?« Ihre Augen flehten ihn an, ihr zuzustimmen. »Renate ist sehr nervös, nicht wahr, und das ist ihre Krankheit.«

»Nein, Mutter«, sagte Herbert. »Das ist es nicht.«

»Aber – was ist es denn?« fragte sie kaum hörbar.

»Kurt Steinweg«, sagte er.

Und im selben Augenblick, als er sah, wie ihr Gesicht zerfiel, als es nichts weiter mehr war als eine Handvoll welker, faltiger Haut, hätte er sein Leben gegeben, um den Namen ungesagt machen zu können.

»Mutter, sieh mich an.« Er faßte nach ihren Händen. Sie waren kalt. Er preßte sie zwischen den seinen. »Mutter, bitte . . .«

»Ich rege mich nicht auf«, erwiderte sie leise. »Hab' keine Angst. Ich hab' es ja geahnt, aber ich habe nichts wahrhaben wollen. Ich hab' geahnt, daß da ein anderer Mann ist, doch daß es – Steinweg ist, das ist zu furchtbar.«

»Da ist noch etwas«, sagte Herbert. »Renate erwartet ein Kind.«

»Von wem?« flüsterte seine Mutter. »Du meinst doch nicht . . .«

»Doch, ich fürchte, ja . . .«

»Nein!«

»Ja, dann – ja, dann . . .« Die alte Frau stand auf. Sie schwankte. Herbert sprang hoch, stützte sie.

»Dann ist alles vorbei«, sagte Gertrud Bach. Ihre Augen waren erloschen, das Blau ihrer Iris fast weiß verblichen.

»Auch das habe ich geahnt«, sagte sie leise und völlig resigniert. »Wir waren so glücklich in den letzten Jahren, so zufrieden, daß es gar nicht andauern konnte. So viel Glück verschenkt das Schicksal nicht.«

»Noch ist nichts verloren, Mutter.«

»Nein? Was soll denn noch geschehen?«

Herbert flüsterte jetzt auch, eindringlich, wollte sich selbst davon überzeugen, daß es noch eine Hoffnung gab.

»Noch weiß Richard nichts, noch braucht er nichts zu erfahren. Vielleicht . . .«

»Was willst du damit sagen?«

»Wir müssen abwarten bis morgen, wir müssen mit Renate sprechen.«

Der schwarze Strudel der Bewußtlosigkeit hielt sie lange gefangen. Als erste Empfindung kam ein stechender Schmerz hinter der Stirn zurück. Renate wollte den Kopf bewegen, um den Schmerz herauszuschütteln.

»Bleiben Sie ruhig liegen, ganz ruhig«, sagte die Stimme eines Mannes, welche sie schon irgendwann einmal gehört hatte.

Sie warf den Kopf auf dem Kissen hin und her, aber der Schmerz schlüpfte immer wieder durch die Löcher der Bewußtlosigkeit.

»Helfen Sie mir, bitte . . .«

Da war plötzlich ein anderer scharfer Schmerz, irgendwo in ihrem Körper, aber sie wußte nicht, wo. Der Schmerz brannte und zuckte auf und ab wie Flammen.

Ich will es nicht! Ich will das Kind nicht!

Ihr eigenes Schreien riß sie aus der Bewußtlosigkeit, aus dem todesähnlichen Schlaf. Sie war mit einemmal, von einer Sekunde zur anderen, hellwach.

Renate schlug die Augen auf, sah das Gesicht eines Mannes über sich und wußte, es war der Arzt. Seine eine Hand strich über ihre Stirn, und sie war dankbar, daß er die Spinnweben des Schweißes dort fortwischte.

»Doktor?«

Er lächelte sie beruhigend an. »Es ist ja alles vorbei. Es ist alles wieder in Ordnung. Morgen werden Sie schon gar nicht mehr daran denken.«

»Morgen? Morgen?« flüsterte sie.

Der Arzt nickte, immer noch lächelnd. Dann verschwand sein Gesicht aus ihrem Blickfeld, und sie wandte den Kopf, um wieder sein Lächeln zu finden.

Der Arzt schnappte den Verschluß einer schwarzen Tasche zu und sah Renate dann wieder an.

»Es ist gut, daß Sie aufgewacht sind«, sagte er, »Sie dürfen gleich eine Kleinigkeit essen, und dann fühlen Sie sich bestimmt wieder ganz in Ordnung.«

»Ich will nichts essen, ich will –« Sie stockte, schüttelte heftig den Kopf und dachte, nein, nicht mehr sterben, aber –

»Doktor, ich will das Kind nicht, hören Sie! Ich will es nicht! Bitte, Doktor, helfen Sie mir doch.« Sie fuhr hoch und klammerte sich an seinen Arm.

Er drückte ihre Hand leicht und legte sie dann auf die Bettdecke zurück.

»Sie sind noch verwirrt«, sagte er, »Sie müssen sich beruhigen.«

»Ich bin nicht verwirrt, ich weiß, was ich sage. Helfen Sie mir, sonst werde ich es wieder tun, und ich werde sterben . . .« Ihre Stimme verlor sich, sie sank von plötzlichem Schwindel befallen in die Kissen zurück.

»Ich werde Ihnen nicht helfen, wie Sie es nennen«, hörte sie den Arzt sagen, »und das andere werde ich zu verhindern wissen.«

»Warum, Doktor? Warum? Haben Sie denn kein Mitleid?«

Darauf erhielt sie keine Antwort. Sie wartete umsonst. Der Arzt betrachtete sie nur aufmerksam.

Mit einemmal merkte sie, daß sie weinte. Sie hörte sich selbst schluchzen und lauschte darauf, wie man auf das ferne Weinen eines Kindes horchen würde, beunruhigt, aber unfähig, irgend etwas dagegen zu tun, weil man nicht wußte, wo das Kind weinte – und darüber schlief Renate noch einmal ein.

Sie träumte von einem weinenden Kind. Es war Peter, und er schluchzte. Du kannst doch nicht weggehen, meine liebe, liebe Mami. Er stand jenseits einer breiten Straße. Zwischen ihnen brauste ein Wagen hinter dem anderen vorbei, und sie konnte nicht zu ihm laufen. Endlich, als keine Autos mehr kamen, sah sie drüben den zusammengekrümmten Körper des Kindes liegen. Aus dem schwarzen Spiegel des Asphalts blickte sie ihr Gesicht an, weiß vor Entsetzen, den Mund zum stummen Schrei verzerrt. Peter weinte nicht mehr und rief nicht mehr nach ihr. Dann stand Richard neben ihr und sagte: Du hast ihn getötet, du hast ihn getötet. Sein Gesicht zerfiel, zersprang in eine dämonische Fratze, und jetzt war es Steinweg, der höhnte: Du hast ihn getötet. Du hast seinen Sohn getötet, aber mein Kind lebt. Es lebt! Und er grinste sie an. Flammenschein zuckte über seine Wangen und Stirn. Dann schlug er sie ins Gesicht, rechts und links und rechts und links. Es hallte wie eine Glocke in ihrem Kopf. Ihr Kopf zersprang, dann war es hell, und Renate war zum zweitenmal erwacht.

Diesmal schwebte das Gesicht ihrer Mutter über ihr. Sonne ließ die grauen Strähnen in ihrem Haar wie Silber glänzen, und ihre Augen waren erfüllt von Liebe und Fürsorge.

Gertrud Bach hob die Hand, diese alte, arbeitszerfurchte Hand, und strich Renate über die Stirn, sehr kühl und sehr beruhigend.

»Mutter?«

»Ja, mein Kind?«

»Ich – es tut mir so leid. Ich wollte nicht . . .«

»Sei nur ruhig, sei ganz ruhig. Es ist ja alles vorbei.«

»Vorbei? Nichts ist vorbei.«

»Sei ganz ruhig, Renate.«

»Nein, ich muß es dir sagen, Mutter. Die Wahrheit will ich dir sagen.«

»Nicht – ich weiß schon alles.«

Renate wollte sich aufrichten, aber die Hände ihrer Mutter drückten sie zurück.

»Lieg still, du brauchst Ruhe, hat der Arzt gesagt.«

»Muter, ich muß dir alles sagen, du kannst nicht alles wissen.«

Die Lider über den blaßblauen Augen flatterten, sonst regte sich nichts im Gesicht der alten Frau.

»Sprich, wenn du willst, wenn es dich erleichtert.«

»Ich habe Richard betrogen, mit Steinweg. Ich bekomme ein Kind von ihm. Ich wollte sterben. Es sollte wie ein Unfall aussehen, weil dann wenigstens ihr nicht unter den Folgen leiden müßtet, weil ich nicht will, daß für euch auch alles zu Ende ist . . .«

Es war, als höre die Mutter ihr gar nicht zu. Sie blickte über Renate hinweg, und ihr Gesicht war ohne jeden Ausdruck. Nur ihre Lider zuckten unaufhörlich.

»Herbert hat nur noch wenige Monate zu leben«, sagte sie dann. »Nach dem, was gestern nacht geschah, hat er wieder einen Blutsturz gehabt. Aber die letzten Monate sollte er es noch gut haben, vielleicht sind es sogar nur noch Wochen. Tu in dieser Zeit nichts mehr, was ihn näher zum Tod bringt. Er liebt dieses Haus, er liebt deinen Mann und deinen Sohn, und er liebt auch dich. Zerstör ihm das nicht, Renate, bis . . .« Die Stimme versagte ihr, brach in einem kurzen, trockenen Schluchzen.

»Mutter, liebe Mutter . . .«

»Es ist schon wieder vorbei«, sagte Gertrud Bach, und ihre Stimme klang wie immer. Sie fuhr sich über die Augen, tupfte über ihre trockenen Lippen, steckte das Taschentuch wieder in den Ärmel ihres Kleides.

»Das ist das einzige, worum ich dich bitte«, fügte sie hinzu. »Denk an deinen Bruder in den nächsten Wochen. Versprich es mir. Danach kannst du tun, was du willst. Ich habe mein Leben lang gearbeitet, und es macht mir nichts aus, dahin zurückzukehren, wo ich wieder arbeiten muß. Das Wohlleben hier habe ich mir immer nur geborgt, und eines Tages muß ich eben dafür bezahlen.«

»Geh nicht, Mutter«, sagte Renate, »bleib noch bei mir.«

Aber Gertrud Bach stand auf, ging zur Tür. »Ich will mit Peter spazierengehen. Er soll doch nichts von allem merken.«

In der Bibliothek saßen sich Dr. Hauser und Herbert Bach gegenüber.

Der Arzt zündete sich eine Zigarette an. Er inhalierte den Rauch tief, stieß ihn durch die Nase wieder aus. »Also, wie gesagt, in wenigen Tagen wird Frau Jansen körperlich schon wieder ganz in Ordnung sein. Aber seelisch –« Er schüttelte den Kopf. »Ihre Schwester befindet sich in einem hochgradigen Erregungszustand.«

»Das ist doch nur verständlich, nach diesem . . .« Der Rest dessen, was Herbert sagen wollte, erstickte in einem Hustenanfall.

Er wandte sich halb ab, während er das Taschentuch vor seine Lippen preßte.

Hauser beugte sich vor und betrachtete Herbert mit besorgter Aufmerksamkeit. »Haben Sie das schon lange?«

Herbert räusperte sich. »Nicht der Rede wert.«

»Sie sollten in ein Sanatorium fahren.«

»War ich schon. Aber darüber wollen wir uns ja nicht unterhalten, Doktor.«

Herbert erhob sich und trat an die Bar, welche zwischen die Bücherregale eingelassen war. »Sie trinken doch einen Cognac? Oder lieber einen Whisky?«

»Whisky Soda bitte«, sagte Dr. Hauser.

Herbert schenkte Whisky in die Gläser, füllte mit Wasser auf. Er trug die Gläser zum Tisch vor dem Kamin.

Der Arzt verneigte sich förmlich, murmelte: »Zum Wohl« und nahm einen kräftigen Schluck.

»Es war kein Versehen, daß Frau Jansen zu der Überdosis Tabletten gegriffen hat«, sagte er dann.

»Aber das ist doch lächerlich.« Herbert blickte rasch auf. »Sie selbst haben gestern abend nur von einem Versehen gesprochen, wie es bei Leuten, die unter Schlaflosigkeit leiden . . .«

»Ich habe mich geirrt«, unterbrach Hauser ihn. »Ich habe mich gründlich geirrt, glauben Sie mir. Und ersparen Sie mir die Einzelheiten dessen, was ich von Frau Jansen erfahren mußte.«

»Meine Schwester hat schon als Kind zu Phantastereien geneigt.«

»Ihre Schwester hat nicht phantasiert, als sie mich heute morgen um eine Schwangerschaftsunterbrechung bat.« Alle Verbindlichkeit war nun aus der Stimme des Arztes verschwunden.

Herbert lachte kurz auf. »Das ist ungeheuerlich, Doktor, und ich nehme es Ihnen nicht ab. Meine Schwester soll so etwas von Ihnen verlangt haben? Niemals!«

»Ich muß doch sehr bitten, Herr Bach.«

Herbert beugte sich vor. »Doktor, ich will Sie nicht beleidigen, aber Ihre Menschenkenntnis läßt offenbar zu wünschen übrig. Sehen Sie sich nur einmal um: Ist eine Frau, die in einer solchen Umgebung lebt, unglücklich? Verlangt eine Frau, die schon ein Kind besitzt, nach etwas so Absurdem, wie Sie es vermuten? Nein, niemals. Meine Schwester war durch die hohe Dosis des Schlafmittels verwirrt, sie hat vielleicht Angstträume gehabt, irgendwelche Zwangsvorstellungen, aber sie kann nicht mit klarem Bewußtsein eine Schwangerschaftsunterbrechung von Ihnen gefordert haben.«

»Frau Jansen war bei klarem Bewußtsein!« Die Stimme des Arztes klang jetzt scharf. Auch er beugte sich vor. »Frau Jansen erschien vor einigen Wochen in meiner Praxis. Ich habe damals die Schwangerschaft festgestellt. Schon an jenem Morgen war Frau Jansen sehr aufgeregt und verstört. Sie nannte mir übrigens ihren Mädchennamen. Haben Sie dafür eine Erklärung, Herr Bach?«

»Das geht zu weit!« Herbert stand auf. »Ich habe nicht die Absicht, mir Ihre merkwürdigen Verdächtigungen weiter anzuhören.«

»Verdächtigungen?« Der Arzt erhob sich langsam. Er nahm seine Instrumententasche auf.

Herbert hatte die Tür zur Halle geöffnet.

Hauser blieb vor ihm stehen. »Sie wollen mir also keine plausible Erklärung für das sonderbare Verhalten Ihrer Schwester geben?«

»Nein.«

»Nun gut. Sie sind ein kranker Mensch, und ich will mit Ihnen nicht streiten. Ich werde dann eben mit Herrn Jansen sprechen müssen.«

7

Dr. Hauser nickte Herbert kühl zu und machte Anstalten, die Bibliothek zu verlassen.

Er würde Richard informieren. Er würde ihm mitteilen, daß Renate einen Selbstmordversuch unternommen hatte, ein Kind erwartete – das durfte nicht geschehen.

»Einen Augenblick noch«, sagte Herbert und vertrat dem Arzt den Weg.

Hauser zog die Augenbrauen hoch. »Ich wüßte nicht, was es noch zu besprechen gäbe.«

Herbert hob die Hand. »Doch – Sie müssen mich anhören! Bitte, unterrichten Sie meinen Schwager nicht von dem, was vorgefallen ist. Bitte, ich verspreche Ihnen, daß ich dies selbst tun werde. Sehen Sie –« Die Worte kamen jetzt schnell, fast sprudelnd aus seinem Mund, seine Stimme hatte einen beschwörenden Tonfall angenommen. »Die Ehe meiner Schwester befindet sich in einer Krise. Daher auch ihr Verzweiflungsausbruch. Im ersten Moment hat sie das Kind von ihrem Mann einfach nicht gewollt. Sie hat es mir gesagt. Ihr Mann – sehen Sie, er hat sie in letzter Zeit vernachlässigt. Er hat – eine Freundin.« Er wunderte sich selbst, wie glatt ihm die Lüge über die Lippen kam.

Dr. Hauser ließ seinen Blick durch die Bibliothek mit den langen Reihen wertvoller Bücher schweifen, prachtvoll in Leder gebunden, er ließ seinen Blick über die Einrichtung gleiten, über die teuren Möbel, die ausgesuchten Porzellane.

»Das, was Ihre Schwester getan hat, ist kein Ausweg aus dem Unglück«, sagte er. »Es tut mir leid, manch einer wäre froh –« Er brach ab und machte nur eine vage Geste, die das ganze Haus zu umfassen schien. »Und Ihre Schwester ist eine so hübsche junge Frau. Ich kann Ihren Schwager nicht begreifen.« Er seufzte. »Aber na ja, dafür kann ich die Patientin um so besser verstehen . . .«

Herbert spürte ein plötzliches Gefühl des Triumphes, daß ihm fast schwindelig wurde.

»Ich bin überzeugt davon, daß alles gut ausgeht«, sagte er schnell. »Lassen Sie mir Zeit. Ich werde meinem Schwager langsam alles beibringen; daß Renate ein Kind bekommt, ihre Verzweiflung, und ich werde ihn auch ins Gebet nehmen wegen seiner Eskapaden, die zu diesem Unglück geführt haben. Aber mein Schwager ist ein, hm, harter Mann. Man muß seine Worte genau münzen, Sie verstehen . . .«

Der Arzt erwiderte nichts. In seinen hellen, fast farblosen Augen war deutlich Widerwillen und so etwas wie Überdruß zu lesen.

»Ich gehe jetzt«, sagte er dann. »Wenn es erforderlich ist, werde ich noch einmal vorbeischauen. Ansonsten kann Ihre Schwester ja jederzeit in meine Praxis kommen, wenn sie meine Hilfe braucht.« Er machte eine kleine Pause. »Und sorgen Sie dafür, daß sie ihren Kopf oben behält. Eine Ehekrise ist noch lange kein Grund dafür, so zu reagieren, wie Ihre Schwester es getan hat.« Er sah Herbert scharf an. »In der vergangenen Woche habe ich eine Frau entbunden. Das Kind ist verstümmelt auf die Welt gekommen. Ohne Arme. Als Folge eines mißlungenen verbotenen Eingriffs.«

Herbert schluckte. »Es wird nichts dergleichen geschehen.«

Dr. Hauser nickte. »Sie wissen, daß ich zur Anzeige verpflichtet wäre, wenn . . .«

»Ich weiß. Ich versichere Ihnen . . .«

»Nun gut.«

Ohne ein weiteres Wort, auch ohne Gruß, verließ der Arzt das Haus.

Draußen regnete es. Dünn prasselte der Regen in der plötzlichen Stille nach dem Weggang Dr. Hausers gegen die Scheiben der Bibliothek. Es klang, als weine ein Kind.

Auf dem Flughafen Orly stand die Morgenmaschine Paris–Wahn am Start. Über den Lautsprecher wurden die Passagiere zum Ausgang Vier gebeten.

Richard Jansen trat als erster aus der überheizten Wartehalle in den kühlen, dunstigen Herbstmorgen.

Vor ihm schritt die Stewardeß. Der Wind preßte den blauen Rock gegen ihre langen, schlanken Beine.

An der Gangway trat sie zur Seite. Mit schwarzäugigem Lächeln begrüßte sie die Passagiere.

Im Erster-Klasse-Abteil wählte Richard einen Fensterplatz. Seine Aktentasche legte er neben sich auf den Sitz. Er blickte zum Fenster hinaus, wo er im Dunst des Morgens die verschwommene Silhouette der Seine-Metropole sehen konnte. Einen Augenblick lang erfüllte ihn so etwas wie Bedauern. Er hätte den Vorschlag von Barçot, seinem Pariser Geschäftspartner, annehmen und noch einen Tag – und eine Nacht – in Paris bleiben sollen. Warum flog er schon nach Hause? Was erwartete ihn dort?

Er lehnte sich in seinem Sitz zurück. Über dem Durchgang zur Pantry leuchteten die Schilder auf – ›Fasten your seat-belts – no smoking‹.

Renate erwartet mich. Das ist die Antwort. Renate und das Versteckspiel mit ihr.

Komisch, wie ich mich sonst immer auf das Heimkommen gefreut habe. Und diesmal ist es mir egal. Ganz verdammt egal.

Und vor allem habe ich keine Lust mehr, mir den Kopf darüber zu zerbrechen, was zu Hause los ist. Ich kann es ja doch nicht ändern. Vielleicht ist es sogar ganz natürlich, vielleicht kommt in allen Ehen einmal der Tag, an dem man feststellt, daß der andere sich geändert hat.

Nur, bei mir ist es ein bißchen plötzlich gekommen. So von heute auf morgen. Naja, ist ja Wurscht.

Er verschränkte die Hände ineinander. Hauptsache, das Geschäft hat geklappt.

Aber als ob das die Hauptsache wäre. Das ist mir im Grunde jetzt auch egal. Sobald wir in der Luft sind, bestelle ich mir einen Whisky. Früh hin, früh her, heute ist mir danach.

Gleichgültig beobachtete er, wie sich das Abteil füllte.

Auffallend war nur eine einzige Erscheinung. Der Jaguarmantel erschien in der Tür, als stecke das Raubtier selbst noch drunter. Schwarzes Haar, eine scheinbar achtlos zurückgeworfene Mähne, in Wirklichkeit besonders raffiniert frisiert, ein braunes, schmales Gesicht mit schwarzen Augen, brennenden Augen, und der rote Mund sagte: »Ist dieser Platz noch frei?«

Richard wollte sich erheben, aufspringen, aber er hatte sich schon angeschnallt.

Ihre Augen weiteten sich.

»Es ist nicht möglich!« sagte sie leise, als dürfe es niemand hören.

»Ich werd' verrückt!« entfuhr es ihm. »Barbara!«

»Richard!«

»Madame, Sie müssen Platz nehmen und sich anschnallen. Wir starten jeden Augenblick«, sagte die Stewardeß.

»Natürlich.« Barbara schlüpfte auf den Sitz neben Richard und schnallte sich an.

»Das ist ja zu fantastisch, um wahr zu sein«, sagte sie.

»Wo kommst du her – wo willst du hin? Stewardeß – einen Whisky bitte – was trinkst du?«

Barbara lachte. »Halt, halt! Nicht so schnell!«

»Beantworte meine Fragen, sieh mich an! Verteufelt siehst du aus, verteufelt!«

»Verteufelt – was?«

»Hübsch, schön, begehrenswert!«

Ihre Augen leuchteten. »Richard Jansen! Weißt du, daß wir uns acht Jahre nicht gesehen haben?«

»Achteinhalb Jahre. Stewardeß!«

Sie rasten über die Rollbahn, hoben ab. Die Stewardeß kam und brachte den Whisky, für Barbara Champagner.

»Die Sonne geht auf«, sagte Richard.

»Ich sehe nichts!«

»Schau scharf in dein Glas! Siehst du die Sonne? Die Sonne von Capri? Du und ich – und Christian und Marquard und Helen und Susanne?«

»Ich sehe alles – wenn es auch zehn Jahre her ist.«

»Siehst du es wirklich?«

»Ja!« Ihre Augen forschten in seinem Gesicht.

»Du bist – verheiratet!«

»Mit dir war ich fast verlobt.«

»Fast.«

Sie tranken.

»Also los, erzähl!« befahl er. »Wo aus aller Welt kommst du her?«

»Aus Rio, natürlich.«

»Du fährst auf Urlaub nach Hause?«

»Nein«, sie schüttelte den Kopf. »Für immer. Ich bin krank vor Heimweh und muß das jetzt auskurieren. Aber sag mir eins, kommst du direkt aus Paris? Und wo hast du dort gewohnt?«

»Im George.«

»Du, ich auch!« Sie lachte hell auf.

»Wenn ich das gewußt hätte, säßen wir jetzt nicht in dieser Maschine!«

»Du hättest mich also wieder Nacht für Nacht durch sämtliche Bars geschleift? Wir fielen um vor Müdigkeit, aber du konntest einfach nicht genug kriegen vom Montmartre.«

Das Flugzeug ging in eine Kurve. Das Land fiel zurück, und sie flogen direkt in das silberne Blau des Herbsthimmels hinein.

Barbara holte tief Luft. »Das wäre wieder einmal geschafft.« Etwas wie Verlegenheit huschte über ihr Gesicht. »Ich habe mir inzwischen eine panische Angst vor dem Fliegen zugelegt.«

»Ausgerechnet du?«

»Man wird älter.« Sie lächelte.

Richard begann laut zu lachen. Die Stewardeß sah zu ihnen herüber, lächelte ihr angemaltes Lächeln.

»Ich bin zweiunddreißig, mein Lieber!«

»Na und?« Dann plötzlich: »Du hast doch nicht . . .«

»Nein. Ich habe keinen gefunden.«

Er räusperte sich. »Du hast deine Ansprüche wohl ein bißchen hoch geschraubt?«

»Wenn man einmal *fast* verlobt war . . .« Sie ließ den Satz in der Luft hängen, sah ihm direkt in die Augen.

»Barbara.« Er griff nach ihrer Hand. »Du weißt gar nicht, *wie* sehr ich mich freue, dich zu sehen.«

Sie nickte. Dann fragte sie ohne Übergang: »Wer ist eigentlich deine Frau? Kenne ich sie?«

»Nein. Ich habe Renate erst getroffen, als du schon in Rio warst.«

»Und unsere alte Clique? Wer ist noch davon übrig?«

»Christian. Er wohnt ganz in unserer Nähe.«

»Wo sind Helen und Susanne? Was ist aus Marquard geworden?«

»Helen ist in Chicago verheiratet, Susanne lebt in München, und Marquard schwirrt überall dort herum, wo etwas los ist. Er bringt sein Geld unter die Leute und wechselt seine Freundinnen wie andere Männer ihre Anzüge.«

»Davon scheinst du nicht viel zu halten?«

»Ich bin verheiratet.«

»Aha, der treue Ehemann!«

Sie lächelten sich an.

»Hast du Kinder?« fragte sie.

»Einen Sohn, Peter. Er ist fünf Jahre alt.«

»Wie schön für dich.« Impulsiv legte sie ihre Hand auf seinen Arm. »Ach, ich möchte so viele Fragen stellen, nach allen möglichen Leuten, die ich gekannt habe. Nach so vielem, daß ich gar nicht weiß, wo ich anfangen soll.«

»Frage nur«, sagte er, »wir haben ja viel Zeit.«

Die Stewardeß servierte einen Imbiß, und kaum hatten sie diesen beendet, als sie schon Wahn anflogen.

Die Maschine verlor schnell an Höhe, sackte ein paarmal in Luftlöcher ab. Halb amüsiert, halb gerührt bemerkte Richard, daß Barbara jedesmal die Augen erschreckt aufriß. Sie erhob sich mit einem erleichterten Seufzer, als das Flugzeug endlich aufsetzte und ausrollte.

Sie war sehr schlank. Das tabakbraune Kostüm, welches sie unter dem Jaguarmantel trug, umspannte eng ihre schmale Taille, unter dem engen Rock zeichneten sich vage ihre Hüften und die langen gutgeformten Beine ab.

»Gefällt dir, was du siehst?« fragte sie.

»Dir entgeht aber auch nichts.« Er schüttelte in gespielter Zerknirschung den Kopf. »Ich wollte nur herausfinden, ob du dich verändert hast.«

»Seit acht Jahren?« Wieder schnellten ihre Augenbrauen hoch. »Ich wette, noch gestern hättest du dich überhaupt nicht an mich erinnert.«

»Aber jetzt erinnere ich mich!«

»Welch eine Ehre!«

Lächelnd nahm er ihren Arm, als sie die Gangway hinunterschritten.

»Wirst du abgeholt?« fragte er.

»Nein . . .«

»Erwarten dich deine Eltern?«

»Nicht gerade heute . . .«, erwiderte sie zögernd.

»Das ist genau das, was ich hören wollte.«

»Wieso?« Sie blickte ihn verblüfft an.

»Weil ich dich so schnell nicht wieder laufenlasse. Du bist jetzt ein braves Mädchen und ißt mit mir zu Mittag, abgemacht?«

»Aber, Richard, das geht doch nicht.«

»Warum nicht?«

Sie biß sich auf ihre volle, rote Unterlippe. »Wirst du denn nicht zu Hause erwartet?«

»Nicht unbedingt.«

»Aber deine Frau . . .?«

»Ich habe Zeit, genügend Zeit für dich und für mich.«

Sie sah ihn einen Augenblick lang schweigend an. »Also – gut«, sagte sie dann. Aber in ihrer Stimme war ein unbestimmtes Zögern.

Vor der Zollabfertigung mußten sie eine Weile warten, bis das Gepäck da war. Aber dann ging alles sehr schnell. Der Beamte gab sich mit einer flüchtigen Prüfung von Barbaras Kosmetikkoffer zufrieden.

Sie verließen den Flughafen und nahmen ein Taxi.

Barbara kurbelte ihr Fenster herunter und sog die Luft tief ein. »Das ist auch etwas, worauf ich mich so gefreut habe«, sagte sie leise. »Herbst in Deutschland. Du glaubst gar nicht, wie man das vermissen kann. Die bunten Blätter und diese noch weiche und schon kühle Luft.«

»Du bist freiwillig fortgegangen«, sagte er.

»Natürlich«, erwiderte sie schnell. »Ich war neugierig, wollte fremde Länder sehen, fremde Menschen – aber jetzt ist es genug, jetzt bin ich wieder hier.«

»Das ist nicht zu übersehen«, sagte er.

»Ach, du machst dich ja nur lustig über mich.« Sie lachten beide.

»Wohin fahren wir?«

»Laß dich überraschen.«

Das Taxi überquerte die Brücke und bog in die Uferstraße ein.

»Hier ist ja alles ganz neu, ganz anders! Diese Hochhäuser, fast wie in Amerika! Das ist ja fantastisch!« Barbara blickte sich überrascht um. »Ich hab' natürlich darüber gelesen und Fotos gesehen, aber so habe ich mir es nicht vorgestellt.«

»Warte nur«, sagte er lächelnd, »du wirst gleich noch mehr staunen.«

»Wann?« Sie starrte aus dem Fenster.

»Schau mal drüben rechts, hinter der Baustelle.«

»Nein«, rief Barbara. »Die Klause! Die gibt's noch!«

Richard nickte lächelnd. »Ja – und auch noch den Aal in grüner Tunke.«

Sie sah ihn an, schaute schnell wieder weg. »Ich dachte, nur Frauen erinnern sich an solche Einzelheiten?«

»Du siehst, daß dies ein Fehlschluß ist.«

Barbara wurde plötzlich ernst. Sie legte Richard die Hand auf den Arm. »Glaubst du auch, daß es richtig ist – ich meine, daß ich mit dir zum Essen fahre, all das . . .« Ihre Stimme verlor sich.

»Es ist bestimmt das richtige«, sagte er fest und drückte ihre Hand.

Richard entlohnte den Taxifahrer und führte Barbara zu dem alten Fachwerkhaus hinüber, das von den breiten Fassaden moderner Betonkästen beinahe erdrückt wurde.

Aber Barbara war enttäuscht, als sie die ›Klause‹ betraten. Richard sah es sofort, obwohl sie sich bemühte, es nicht merken zu lassen.

»Es ist jetzt hier immer so voll.«

»Das scheint in der ganzen Welt so zu sein«, sagte sie und lächelte zu ihm hoch.

Richard schob sie vor sich her, zwischen den dichtbesetzten Tischen hindurch. Laut flossen Gespräche ineinander, hastig klirrten Bestecke, eilig liefen die rotbefrackten Kellner hin und her. Aber in dem Hinterzimmer war es ruhiger, und dort bekamen sie auch einen Tisch in einer Nische.

Barbara nahm auf der Bank Platz. Sie ließ den Mantel von ihren Schultern gleiten und schüttelte ihr Haar zurecht. Sie zog eine kleine goldene Puderdose aus der Handtasche und warf einen schnellen, aber sehr prüfenden Blick hinein.

»Du bist hübsch«, sagte Richard, »hübscher dürftest du gar nicht sein.«

»Und warum nicht?«

»Es wäre nicht zu ertragen.« Es kam so leicht über seine Lippen, er sagte es gern, und plötzlich wurde ihm bewußt, wie lange er so nicht mehr mit einer fremden Frau gesprochen hatte – nicht seit er Renate kannte.

»Grübelst du schon darüber nach, wie du mich wieder loswerden kannst?« fragte Barbara.

»Aber nein.«

»Dann mach nicht so ein furchtbar ernstes Gesicht.«

»Tu ich das?«

»Jetzt schon nicht mehr.« Sie berührte flüchtig seine Hand mit ihren Fingerspitzen und wandte sich dann der Speisekarte zu.

Sie studierte diese lange und genau, um dann doch den Aal in grüner Tunke zu wählen.

Es machte Richard Vergnügen, ihr beim Essen zuzusehen. Ihre Hände bewegten sich graziös, und jedesmal, wenn sie den Kopf beugte, um die Gabel zum Mund zu führen, fiel das glatte, schwarze Haar über ihre sonnengebräunte Wange und verbarg für den Bruchteil einer Sekunde ihr Profil. Als sie ihr Glas hob und trank, sah er, wie sich die glatten Muskeln an ihrem Hals bewegten.

»Erzähl mir ein bißchen von dir«, sagte sie beim Kaffee. »Was tust du? Wie sieht dein Leben jetzt aus?«

»Ich bin zufrieden.« Er reichte ihr die Zigaretten und gab ihr Feuer. Ihre Lippen waren voll, mit sanft geschwungenen Winkeln.

»Das kann ich von mir nicht behaupten«, sagte sie.

»Was?«

»Daß ich zufrieden bin.« Es huschte wie ein Schatten über ihr Gesicht. »Ich bin es nie gewesen.« Aber dann lächelte sie wieder.

»Die große weite Welt da draußen bringt also einem kleinen Mädchen allein nicht die Erfüllung?«

»Bestimmt nicht.«

Hart hatte sie arbeiten müssen, schwer war es, sich durchzusetzen, das hatte sie geschafft, man sah es. Aber was hatte sie davon? »Heimweh habe ich bekommen, nichts anderes.«

»Und das da?« Er wies auf den Schmuck, auf ihren teuren Pelzmantel.

»Ich habe gut verdient. Vielleicht würde das einem Mann genügen, aber einer Frau nicht.«

»Warum hast du nicht geheiratet?«

»Ich sagte es dir schon, ich habe niemanden gefunden.« Sie sah ihn so an, daß er die Augen abwenden mußte.

Draußen, im Waschraum, blickte er in den Spiegel, sah sein noch immer glattes Gesicht, dachte gar nichts. Dachte nur, daß er sich freute, Barbara getroffen zu haben, und daß die Zeit viel zu schnell verging. Er verließ den Waschraum und betrat die Telefonzelle. Er wählte seine Privatnummer.

Es dauerte eine Weile, bis abgenommen wurde.

»Richard, bist du schon zurück?« fragte Gertrud Bach überrascht.

»Ist Renate zu Hause?«

»Sie ist leider nicht da . . .« Richard war nicht sicher, ob sie ge-zögert hatte, bevor sie dies sagte. Aber das war mit einemmal gleichgültig.

»Ich weiß noch nicht genau, wann ich nach Hause komme«, sagte er, »ihr braucht mit dem Abendessen nicht auf mich zu warten.«

»Wie du willst, Richard . . .« Die Angst war deutlich in ihrer Stimme zu hören.

»Soll ich etwas ausrichten?« fragte sie in sein Schweigen hin-ein.

»Nein, danke.«

Er hängte ein. Er hatte es fast gewußt. Renate war nicht zu Hause. Wann war sie überhaupt zu Hause?

Er ging ins Lokal zurück, verlangte die Rechnung.

»Was hältst du von einem kleinen Stadtbummel?« fragte er Barbara. »Ich mache den Bärenführer und zeige dir die neuesten Errungenschaften der bundesrepublikanischen Zivilisation!«

»Immer noch Zeit?« fragte sie.

Er nickte.

»Ich will dich nichts fragen, Richard – aber ich möchte nur wis-sen, ob es richtig ist.«

»Du hast es schon mal gefragt«, sagte er. »Und meine Antwort kennst du.«

Draußen hüllte sie sich fest in ihren Mantel und schlug den Kragen hoch. Ihr Gesicht mit der glatten breiten Stirn und den schmalen Wangen wirkte in der Umrahmung des gelben Fells wie das Antlitz einer Katze. Richard nahm nun schon ganz selbstverständlich ihren Arm, und sie paßte sich rasch seinem Schritt an.

Auf dem Vorplatz des Doms blieben sie stehen. Barbara legte den Kopf in den Nacken und blickte zu den wuchtigen Türmen hoch, deren Spitzen sich im Blau des Herbstnachmittags verlo-ren.

Richard wußte nicht, ob er es sich nur einbildete oder ob Bar-baras Augen wirklich feucht wurden.

»Es ist das erstemal seit acht Jahren«, sagte sie.

Ein paar Kinder fütterten Tauben, die dick und schwerfällig über das Pflaster watschelten. Ein alter Mann saß auf den Stufen des Doms und verkaufte Postkarten.

Richard winkte ein Taxi heran.

»Wohin jetzt?« fragte Barbara mit den Augen eines neugierigen Kindes.

»Laß dich wieder überraschen.«

Aber als Richard dem Taxifahrer die Richtung angab, sagte Barbara: »Warte, laß mich raten ... fahren wir zu Bertil?«

Richard nickte lachend.

»Den gibt's noch?« fragte sie verwundert, »und auch seine tollen holländischen Kapellen?«

»Das weiß ich nicht, denn ich bin lange nicht mehr dort gewesen.«

Bertils Café befand sich draußen vor der Stadt in einer umgebauten Scheune.

Er empfing wie stets seine Gäste selbst. Vor zehn Jahren hatte Bertil noch Bürstenhaarschnitt getragen, nun trug er den Cäsarenschnitt. Sein Haar war mehr grau als blond. Das Tweedjackett hatte ein dunkelblauer Einreiher ersetzt, aber immer noch verzichtete er auf eine Brille, obwohl seine Augen mehr denn je kurzsichtig blinzelten.

»Es ist mir ein Vergnügen, die Herrschaften bei mir zu sehen ...« Bertil verneigte sich und führte sie zu einem Tisch, der durch eine spanische Wand aus Reispapier etwas abgesondert stand.

Die Band setzte ein und erfüllte den Raum mit einem lärmenden Twist. Von den vollbesetzten Tischen drängelten sich die jungen Leute zur Tanzfläche.

Die Gäste waren ausnahmslos sehr jung, Mädchen mit kindlichen und doch schon erwachsenen Gesichtern, junge Männer, die sich durch unbeteiligte Mienen die notwendige Selbstsicherheit zu geben suchten. Es war das typische Samstagsnachmittagpublikum, und Richard bereute es schon, Barbara hierher geführt zu haben. Aber als er sie ansah, lächelte sie und tupfte mit den Fingerspitzen den Takt auf das Tischtuch.

»Möchtest du tanzen?«

»Nur keinen Twist, dafür bin ich zu alt.« Aber gerade ihre typische Bewegung, mit der sie den Kopf schüttelte, daß die langen Haare flogen, strafte ihre Worte Lügen. Sie war zweiunddreißig, aber sie wirkte viel jünger, beinahe mädchenhaft.

Schließlich ging die Band zu ruhigeren Rhythmen über.

»Wollen wir jetzt tanzen?« fragte er.

»Ja, gern.« Sie erhob sich, ging vor ihm her zur Tanzfläche. Sie war fast so groß wie er, und doch wirkte sie sehr zierlich und schmal.

Barbara tanzte leicht und graziös. Er spürte sie kaum in seinem Arm. Manchmal streifte ihr Haar seine Wange, und er roch den Duft ihres Parfüms nach bitteren Orangen.

Und plötzlich spürte er, daß sie eine Frau war. Sie war nicht mehr der Kamerad von damals, nicht mehr der Flirt freier Junggesellenstunden, nicht mehr Barbara, die nie eine Spielverderberin war, sondern eine Frau. Eine Frau, eine fremde Frau in seinen Armen. Der Duft ihres Körpers strömte zu ihm herüber. Er spürte den Druck ihrer Schenkel, spürte ihre Hand, so leicht und so kühl in seiner Hand, sah ihr Gesicht, still, schön, begehrenswert.

Befangen tanzte er, war nicht mehr gelöst und heiter, nicht mehr ruhig überlegen, der Mann, der sich entspannt, nun ja, weil seine Frau nicht zu Hause ist, weil er es satt hat, alles satt hat, sondern mit einemmal war da etwas anderes.

»Du trittst mir auf die Füße«, sagte Barbara und lachte. »Wo bist du mit deinen Gedanken?«

»Bei dir.«

Sie schüttelte den Kopf.

Sie gingen zu ihrem Tisch zurück.

»Es war ein sehr schöner Nachmittag«, sagte sie, »aber ich glaube, wir sollten jetzt gehen.« Sie sah ihn nicht an. Ihre Hände spielten mit dem Weinglas. »Gib mir noch einen Schluck Wein, und dann wollen wir aufbrechen.«

»Möchtest du nicht mehr tanzen?«

Sie schüttelte den Kopf.

Verlegenheit war plötzlich zwischen ihnen. Sie wußten nicht mehr, was sie miteinander reden sollten.

»Ich bringe dich nach Hause«, sagte Richard, als sie draußen im sinkenden Abend standen.

»Setz mich lieber in der Stadt ab. Ich will noch zum Flughafen, mein Gepäck abholen.« Barbara schritt neben ihm zum Taxi.

»Bitte, grüß deine Eltern herzlich von mir«, sagte er nach einer Weile.

»Natürlich. Sie werden sich freuen.«

»Vielleicht . . .«

Aber ehe er noch fortfahren konnte, wandte Barbara ihm ihr

Gesicht zu und sah ihn mit plötzlich sehr dunklen, sehr ernsten Augen an.

»Wir wollen es bei heute nachmittag belassen. Es war sehr schön, dich wiederzusehen. Sehr schön . . .«

Richard nickte stumm. Er ließ das Taxi auf dem Domplatz halten, und Barbara stieg schnell aus.

Sie hob noch einmal grüßend die Hand. Im Schein einer Straßenlaterne leuchtete ihr Haar metallisch auf. Dann wandte sie sich ab und ging rasch über den Platz davon.

An der Brücke stauten sich die Wagen in Viererreihen. Der Taxichauffeur murmelte ärgerlich vor sich hin.

Richard saß zurückgelehnt und blickte zum Fenster hinaus. Die Bitternis des Morgens war zurückgekehrt, im selben Augenblick als Barbara ihn verließ.

Es war nichts Greifbares. Es war nur das unbestimmte Gefühl, daß alles gleichgültig und nutzlos war, was er tat. Ob er von einer erfolgreichen Geschäftsreise kam oder nicht, ob er nach Hause fuhr oder nicht. Alles hatte an Bedeutung verloren. Er freute sich nicht einmal auf Peter, dachte sogar sekundenlang, daß es ihm lästig sein würde, Peters ständige wache, kindlich bohrende Fragen heute abend noch beantworten zu müssen. Und im selben Augenblick fiel ihm ein, daß er zum erstenmal vergessen hatte, Geschenke für Renate und den Jungen zu besorgen. Aber auch das war ihm jetzt gleichgültig. Er selbst war in den letzten Wochen nur Nachlässigkeit begegnet. Wenn er nur an seinen Geburtstag dachte. Renate hatte nicht den geringsten Einwand erhoben, als er ihr aus Paris mitteilte, daß die geplante Party abgesagt werden müsse, weil sich seine Geschäfte länger hinzogen. Und sie hatte ihn noch nicht einmal an seinem Geburtstag angerufen.

»Ich habe es versucht«, hatte sie am anderen Tag gesagt, »aber ich habe keine Verbindung bekommen.« Es war eine Lüge, es mußte eine Lüge sein, denn er war den ganzen Abend über in seinem Hotel geblieben.

»Frag doch Mutter«, hatte Renate gesagt, »sie weiß, daß ich versucht habe, dich zu erreichen.« Und er war wütend gewesen in diesem Augenblick, weil sie es auch noch notwendig fand, sich so zu verteidigen. Er hatte den Hörer einfach aufgelegt. Wenn er wenigstens wüßte, warum sie sich so verändert hatte.

Während er dies noch dachte und hinaussah auf die Kreuzung, wo sich die Wagen Stoßstange an Stoßstange, Zentimeter um Zentimeter weiterschoben, fuhr aus der Seitenstraße ein rotes Kabriolett heran.

Und im Licht der Scheinwerfer erkannte er ganz klar und deutlich das Gesicht von Renate hinter dem Steuer.

Sie blickte starr geradeaus. Aber unwillkürlich lehnte Richard sich weiter in den Schatten des Fonds zurück.

Das Kabriolett ordnete sich rechts ein.

»Fahren Sie hinter dem Wagen her«, sagte Richard schnell.

»Hinter welchem?«

»Dem roten Kabriolett.«

Die Ampel sprang auf Grün. Das Taxi fuhr an. Sie holten Renate ein, ehe sie von der Hauptstraße wieder in eine Seitengasse abbog.

»Folgen Sie unauffällig«, sagte Richard.

»Versuchen wollen wir's«, erwiderte der Fahrer.

Es waren enge Gassen, durch die sie in Richtung Norden fuhren. Altmodische Gasleuchten erhellten schmalbrüstige Fassaden, Kramläden – zu denen das Wirtschaftswunder noch nicht vorgedrungen war.

Dann gelangten sie wieder auf eine breite Straße, mit Baustellen und aufgerissenem Pflaster, wo Straßenbahnschienen neu verlegt wurden.

Hier verlangsamte Renate die Fahrt.

Richard beugte sich vor.

Renate fuhr auf einen Bürgersteig vor einer Parkuhr auf.

»Halten Sie auch«, sagte Richard.

»Verboten«, erwiderte der Fahrer und fuhr langsam weiter.

»Dann irgendwo in der Nähe.« Ungeduldig wandte Richard sich um und sah gerade noch, daß Renate in einem Haus verschwand.

Das Taxi parkte in einer Seitenstraße.

»Warten Sie hier.« Richard schritt rasch zur Hauptstraße zurück. Er überquerte die Fahrbahn. Dort drüben in eines der Häuser war Renate gegangen. Da waren ein Ledergeschäft, dann ein Schuhladen und eine Kneipe. Richard blickte ins Innere der Läden. Er entdeckte Renate nicht. An dem Hauseingang neben der Wirtschaft waren einige Firmenschilder angebracht. Da waren ein Notar namens Schuld, ein Orthopäde, die private Handelsschule Müller & Co. und ein Arzt mit Namen Hauser – Emaille-schilder vom Wetter angenagt, Metallschilder blind vom Ruß des Viertels, grau und unscheinbar wie die Häuser.

Richard blieb unschlüssig stehen. Er war beinahe sicher, daß Renate in dieses Haus gegangen war. Aber er konnte sich nicht im geringsten vorstellen, was sie in diesem Viertel und in diesem Haus, bei einer privaten Handelsschule, einem Arzt oder einem Notar, erst recht nicht bei einem Orthopäden, wollte.

Sein Blick schweifte wieder in das Innere der Kneipe.

Hinter der Theke stand ein Mann und polierte Gläser.

Sonst war der neonhelle Raum leer.

Genauso wie er selbst in das Lokal blicken konnte, mußte der Mann nach draußen sehen können, vielleicht jetzt nicht, wo es schon dunkel war, aber tagsüber – Renate war mit bestimmten Schritten auf dieses Haus zugegangen. Das konnte bedeuten, daß sie nicht zum erstenmal hierherkam.

Richard betrat die Kneipe.

»Guten Abend.«

Der Mann legte das Poliertuch zur Seite und sah Richard an. »Was darf's sein?«

»Geben Sie mir bitte ein Bier«, sagte Richard und trat an die Theke.

Der Wirt legte den Zapfhahn um. Das Bier schoß in das Glas.

Der Wirt schlug die Schaumkuppe mit einem Holzspatel ab, legte sorgfältig eine Manschette um den Fuß des Glases und schob es Richard zu.

»Heute haben wir ja noch mal 'nen schönen Tag gehabt, nicht?« Er lehnte sich mit beiden Ellbogen auf die Theke. »Es war fast wie Sommer, nicht?«

»Ja«, sagte Richard und trank von seinem Bier. Er stand halb dem Mann und halb dem Fenster zugewandt an der Theke.

Direkt vor dem Lokal befand sich eine Laterne, und er konnte genau sehen, wer vorüberging.

»Trinken Sie einen mit?« fragte er.

»Bin so frei, einen Klaren, wenn Sie erlauben.«

»Wissen Sie, ich suche eigentlich jemanden«, sagte Richard wie beiläufig. »Eine junge Dame. Ich glaubte schon, sie sei hier in Ihrem Lokal.«

Der Wirt schenkte sich ein. Er blickte Richard aufmerksam an, aber mit deutlicher Zurückhaltung an.

»Sie ist eine gute Bekannte von mir«, sagte Richard, »und ich hätte sie gern gesprochen.«

»Hier war keine Dame«, sagte der Wirt. »Den ganzen Tag über nicht.«

»Aber vielleicht haben Sie sie zufällig gesehen?«

»Wie sah sie denn aus?« Der Wirt hob das Schnapsglas und kippte es in einem Zug.

»Sie ist noch jung«, sagte Richard, »in den Zwanzigern. Hat sehr helles Haar, silberblond.«

»Hm, das ist ja jetzt modern.«

»Sie ist zierlich, sehr schlank, einen guten Kopf kleiner als ich«, sagte Richard.

»Ja?«

»Sie ist immer sehr elegant gekleidet.«

»Das kann ich mir denken, wenn sie eine Freundin von Ihnen ist.«

Einen Augenblick lang ließ die Scham, daß er seine Frau solchen Bemerkungen preisgab, auch wenn sie es nicht hörte, Richard unsicher werden. Aber dann kehrte das Mißtrauen zurück.

»Sie haben sie nie gesehen?« Richard schob einen Zehnmarkschein über die Theke. »Geben Sie mir noch einen Cognac.«

Der Wirt schenkte ein, wechselte das Geld.

Richard schob es wieder zurück.

Der Mann lächelte schmal, aber nur den Bruchteil einer Sekunde lang.

»Also, wenn ich es mir recht überlege, hab' ich die Dame doch schon mal gesehen.«

»Wann?«

Der Wirt zuckte die Schultern. »Vor ein paar Wochen.«

»Wo?«

»Naja, sie kam hier rein und verlangte einen Kaffee und einen Weinbrand. Sie war ziemlich nervös, ziemlich aufgeregt, so, wie jemand, der eine schlechte Nachricht erhalten hat . . .«

»Wo sie herkam, wissen Sie nicht?«

»Naja, hier aus dem Haus. Aber von wem, das weiß ich nicht. Ich interessiere mich nicht dafür, was fremde Menschen tun.«

In diesem Augenblick sah Richard Renate draußen auf der Straße. Ihr Haar glänzte im Licht der Straßenbeleuchtung auf, dann war sie vorbei.

Richard lief nach draußen.

Renate war schon bei ihrem Wagen angelangt. Sie blickte sich nicht um, stieg ein. Die Scheinwerfer flammten auf, dann schoß der Wagen aus der Parklücke und davon.

Richard ging langsam zu seinem Taxi zurück. Er lehnte sich in die Polster, zündete sich eine Zigarette an. Ludwigstraße vierundzwanzig. Ein Notar wohnte dort, ein Orthopäde, ein Arzt, eine Handelsschule – bei wem war Renate gewesen? Weder für den einen noch für den anderen wollte es ein Motiv geben.

Vor dem Postamt Festenau hieß Richard den Fahrer noch einmal halten.

Sollte er den Notar anrufen, den Arzt, die Handelsschule? Vielleicht wohnten auch noch Privatleute in dem Haus? Wer weiß, bei wem Renate gewesen war.

Ein junges Mädchen verließ die Telefonzelle, stakste auf hohen Absätzen davon.

Richard trat ein. Das billige Parfüm des Mädchens hing noch in dem kleinen Raum. Er ließ die Tür einen Spaltbreit offenstehen. Richard schlug das Branchentelefonbuch nach.

Wahnsinn, was ich tue, dachte er, ich mache mich ja lächerlich. Ich, Richard Jansen, Besitzer der Batix-Werke, suche eine Detektei.

Argus.

Diskret.

Fixa.

Fettgedruckte Namen – das war nicht das richtige.

Darunter ein halbes Dutzend anderer, unauffälliger Namen.

Er entschied sich für Fred Bertram, Investigationen, Coburger Straße – das war ein ausgesprochen seriöses Wohnviertel.

Er wählte die Telefonnummer.

Die Stimme eines jungen Mannes antwortete.

Eine diskrete Nachforschung? Selbstverständlich, ja, er könne sofort kommen. Man stand seinen Kunden zu jeder Zeit zur Verfügung. In einer halben Stunde? Man würde ihn erwarten. Aber ja, natürlich, vollkommen diskret ...

Ich bin verrückt, dachte Richard, so etwas kann man nicht tun. Man kann nicht seine eigene Frau bespitzeln lassen.

Aber ich will Gewißheit haben. Mein Mißtrauen befriedigen. Eines ist so gut wie das andere. Ist es meine Schuld, daß ich kein Vertrauen mehr zu Renate habe?

Mit bitterer Erkenntnis sah er, wie weit ein unklärliches Schicksal sie beide gebracht hatte. Ihr Leben war klar und durchsichtig gewesen, wie ein Glashaus, wie ein helles Glashaus, aber jetzt hatte dieses Wort ›Glashaus‹ eine ganz andere Bedeutung angenommen. Jetzt war er dabei, den Stein aufzuheben, um ihn in dieses Haus zu schleudern.

Nicht mein Stein, dachte er bitter. Ich will verdammt sein, wenn es meine Schuld ist.

Also – tust du es, oder tust du es nicht?

Er zögerte nicht mehr. »Zur Coburger Straße«, befahl er dem Fahrer.

8

Das Haus Nr. 14 in der Coburger Straße war ein roter Klinkerbau. Die Fensterrahmen waren weiß gestrichen. Hinter zugezogenen Vorhängen im Parterre schimmerte Licht.

Eine gelbe Leuchte brannte über dem Eingang. Drei Stufen führten zur Tür hinauf. Über der Messingklingel war ein unauffälliges Schild angebracht: Fred Bertram, Investigation.

Richard Jansen zögerte, wechselte die Aktentasche von einer Hand in die andere, zog sein Taschentuch heraus, fuhr sich über die Stirn. Aber dann klingelte er doch.

Eine junge Frau in dunkelgrünem Flanellkostüm öffnete ihm.

»Bitte?« Sie sah ihn mit kühlen Augen hinter ihrer Schildpattbrille an.

»Herr Bertram erwartet mich.«

Sie trat mit einer flüchtigen Neigung des Kopfes zurück und ließ Richard eintreten. Sie führte ihn durch die Diele in ein mit Stahlmöbeln eingerichtetes Vorzimmer.

»Einen Augenblick bitte«, sagte sie und verließ den Raum durch eine gepolsterte Tür.

Richard trat zum Fenster und blickte hinaus.

Drüben, auf der anderen Straßenseite, parkte das Taxi mit abgeblendeten Scheinwerfern.

Hinter dem Steuer konnte er undeutlich den runden Kopf des Fahrers erkennen. Sein Gesicht leuchtete jedesmal auf, wenn er einen Zug aus der Zigarette tat – wie bei einer Martinsfackel, die sie als Kinder aus ausgehöhlten Rüben angefertigt hatten.

Richard schüttelte den Kopf. Wie banal, was man dachte, gerade dann, wenn man eine wichtige Entscheidung getroffen hatte.

»Herr Bertram erwartet Sie«, sagte die junge Frau hinter ihm. Ihr helles Gesicht zeigte noch immer die kühle, aufgesetzte Freundlichkeit.

Richard trat durch die Polstertür, die hinter ihm beinahe lautlos geschlossen wurde.

Der Mann hinter dem Schreibtisch erhob sich langsam. Er war klein, sehr schlank, und nach dem Ausdruck seines Gesichtes hätte man ihm größte Lebhaftigkeit in seinen Gebärden zugetraut. Aber er bewegte sich gemessen auf Richard zu.

»Bertram. Ich freue mich über Ihren Besuch. Bitte«, eine Handbewegung, die fast schwerfällig langsam war, »nehmen Sie Platz.«

Die Sitzecke war hell von einer Stehlampe beleuchtet, als dürfe Bertram auch nicht die kleinste Regung im Gesicht seines Besuchers entgehen.

Bertram kehrte hinter den Schreibtisch zurück, wo er im Schatten saß.

»Ich darf Sie bitten, mir Ihre Wünsche vorzutragen«, sagte er mit leiser Stimme, welche nun nicht mehr die alerte Jugendlichkeit wie am Telefon besaß.

Richard fühlte sich sonderbar intensiv beobachtet, obwohl er gar nicht sicher war, daß ihn der andere ansah, dessen Hände ein paar lose weiße Blätter sorgfältig aufeinanderschichteten und einen Bleistift quer darüberlegten.

»Selbstverständlich behandeln wir alles, was in diesen vier Wänden gesprochen wird, streng vertraulich«, fügte Bertram leise hinzu.

»Das hoffe ich«, sagte Richard.

»Sie können sich darauf verlassen.« Bertram hatte seine Hände flach auf das weiße Papier gelegt. Ihre Haut war runzelig und von einem graugelben Ton.

»Ich möchte jemanden beobachten lassen«, sagte Richard.

»Eine Dame oder einen Herrn?«

»Eine Dame.«

»Alter, Aussehen, Lebensumstände, vielleicht haben Sie ein Foto von ihr?«

»Es handelt sich um – die Dame ist sechsundzwanzig Jahre alt, silberblond . . .«

»Von Natur aus?«

»Ja«, sagte Richard.

»Es ist also ihre ständige Haarfarbe.«

»Ja.«

»Bitte, weiter . . .« Bertrams Hände bewegten sich nun. Er notierte mit.

»Die Dame ist ein Meter fünfundsechzig groß, schlank.«

»Besondere Merkmale?«

»Nein.«

»Sie haben kein Bild von ihr?« Bertram blickte auf.

»Doch«, sagte Richard zögernd.

»Ich möchte es sehr gerne sehen und wenn möglich Abzüge machen lassen. Es würde unsere Arbeit erleichtern.«

»Ich werde Ihnen morgen früh ein Foto zustellen lassen«, versprach Richard – das Foto, das er bei sich trug, zeigte Renate mit Peter und ihm selbst.

»Namen und Adresse der Dame, bitte«, sagte Bertram.

»Ist das notwendig?«

Der andere lächelte flüchtig. »Wir müssen wenigstens ein paar kleine Anhaltspunkte haben.«

»Renate Jansen, Festenau, Mauritiusstraße 12.«

Bertram blickte ihn schnell an und dann wieder auf seine Notizen.

»Es handelt sich um Ihre Frau?«

»Ja«, sagte Richard spröde.

Wieder lächelte Bertram. »Ich kenne Sie und Ihre Gattin aus den Gesellschaftsnotizen. Deren Lektüre gehört zu unserem Beruf, wie Sie sich denken können.« Er räusperte sich. »Was sind nun die Gründe für den Wunsch, Ihre Frau beobachten zu lassen? Haben Sie irgendwelche Anhaltspunkte, wo Ihre Frau sich aufhalten könnte, wenn sie nicht zu Hause ist?«

»Gerade das möchte ich ja von Ihnen wissen.«

»Sammeln Sie Material für eine Scheidung? Das müßten wir wissen wegen der eventuellen Beweisführung, Fotos usw., Sie verstehen?«

»Ja, ich verstehe«, sagte Richard. »Aber ich wünsche nur, daß Sie meine Frau beobachten, daß ich erfahre, wo sie hingeht, was sie tut in den Zeiten, wo ich nicht zu Hause bin.«

»Wie wollen Sie die Informationen übermittelt bekommen?«

»Senden Sie sie mir in mein Büro, in neutralem Umschlag.«

»Das versteht sich von selbst«, lächelte Bertram. »Wie lange wünschen Sie eine Überwachung Ihrer Frau?«

»Vorläufig für acht Tage.«

»Gut, dann wäre dies alles. Wir erhalten morgen früh ein Foto neuesten Datums von Ihrer Frau. Wir schicken Ihnen nach Ablauf einer Woche den ersten Bericht. Die Honorarzahlung erledigen Sie bitte bei meiner Sekretärin.«

Herbert schloß die Tür von Renates Zimmer hinter sich und lehnte sich dagegen.

Renate saß vor dem Toilettentisch und erneuerte ihr Make-up. »Was willst du?« fragte sie, ohne sich umzudrehen.

»Richard hat angerufen«, sagte er, »Mutter hat mit ihm gesprochen.«

»Ich weiß.«

»Er ist schon aus Paris zurück, kommt aber nicht zum Essen.«

»Ich weiß«, wiederholte sie.

»Du weißt alles«, sagte Herbert bitter, »hoffentlich auch, was du tust?«

Sie wandte ihm ihr Gesicht zu. Das Make-up verbarg nur ungenügend die Blässe der schmalen Wangen. Schatten lagen unter ihren Augen, die seltsam fiebrig glänzten.

»Wo warst du heute nachmittag?« Seine Stimme klang beinahe weich; es war das Mitleid mit ihrem bleichen Gesicht.

»Bei Dr. Hauser«, sagte sie.

»Und?«

Sie zuckte mit den Schultern. »Ich habe ihn bezahlt. Das ist alles.«

»Er hält den Mund?«

»Ja, er hält den Mund.«

Wenigstens etwas. Herbert war erleichtert, aber gleichzeitig quoll wieder bittere Angst in ihm auf. »Und was wirst du jetzt tun?«

Renate legte die Perlenkette um ihren Hals, als wolle sie sich selbst strangulieren.

»Das, was ich tun muß«, sagte sie mit dieser tonlosen Stimme. In ihrem Gesicht regte sich nichts. Sie blickte ihren Bruder starr an.

»Und das wäre?« fragte er heiser.

»Das Kind bekommen und bei Richard bleiben.«

Er preßte seine Hände gegen das kühle Holz der Tür. Er preßte seinen Rücken dagegen, weil ihm war, als könne er sonst nicht mehr stehen.

»Das ist meine Sühne«, sagte sie, »schweigen bis zum Ende. Es ist schwer – schwerer als alles zu bekennen, glaube es mir . . .« Ihre Stimme verlor sich, ihre Lippen bewegten sich noch, aber es kam kein Wort mehr über diese Lippen.

Plötzlich wandte sie sich mit einer heftigen Bewegung von

ihm ab und schlug beide Hände vors Gesicht. Ihre Schultern begannen zu zucken. Ihr Rücken in dem hautengen Kleid zitterte unter lautlosem Schluchzen.

Sie würde es niemals durchhalten, sie konnte sich ja schon jetzt nicht zusammennehmen. Herbert spürte, wie ihm die Kehle eng wurde, wie Schweiß ihm auf die Stirn trat. Aber er wollte jetzt kein Mitleid haben, er durfte es nicht.

»Renate, nimm dich zusammen!«

Ihr Kopf fuhr hoch.

»Das kannst du nicht tun!« sagte er.

»Was?«

»Das mit dem Kind und mit Richard!«

»Aber was soll ich denn sonst tun?«

»Ich weiß es nicht.« Seine Stimme hob sich, ohne daß er es wollte, ohne daß er etwas dagegen tun konnte. »Mein Gott, ich bin ja nicht schuld an alldem. Wie soll ich wissen, wo ein Ausweg ist? Was habe ich im Grunde genommen damit zu tun?«

»Reg dich nicht auf«, sagte sie tonlos, »es hat doch keinen Sinn. Ich hab' ja gar keine andere Wahl.«

»Was soll das heißen?«

»Er zwingt mich dazu.«

»Steinweg?« Er bekam den Namen kaum über seine Lippen.

Sie nickte kaum merklich.

»Du wirst es nicht durchhalten, niemals.«

»Ich muß.« Ihr Gesicht war eine Maske hoffnungsloser Verzweiflung.

»Du mußt?« wiederholte er. »Du mußt?«

»Ja.«

»Dieser Schuft«, flüsterte er, »dieser verfluchte, verdammte Kerl.« Seine Hände ballten sich zu Fäusten. Er stieß sich von der Tür ab und war mit zwei Schritten bei Renate. Er beugte sich vor. Jetzt waren es seine Augen, die fiebrig glänzten, in einem Zorn, in einem Haß, der ihm jede Besinnung raubte.

»Ich werde ihn umbringen«, flüsterte er, »ich werde ihn umbringen, ehe er uns zerstören kann.«

»Du weißt nicht, was du sagst, Herbert, komm zur Vernunft!«

Er schüttelte langsam den Kopf. »Hör auf meine Worte«, flüsterte er, »ich bringe ihn um!«

»Es tut mir ja alles so leid«, stammelte sie, »du weißt nicht, wie ich es bereue. Aber misch dich nicht ein, Herbert. Ich bitte dich. Es ist alles meine Schuld, und ich muß es allein durchstehen. Ich hab' auch gar keine Hilfe mehr verdient. Ich werde schon irgendwie damit fertig werden. Ich werde es schon irgendwie schaffen.«

Richard Jansen saß an einem der weißgescheuerten Tische der Bürgerbräustuben. Vor ihm auf dem Tisch stand ein zur Hälfte geleertes Glas Cognac. Der Filzdeckel unter dem Glas war mit einem Halbkreis schwarzer Bleistiftstriche bedeckt.

Er war mit der Absicht hierhergekommen, zu Abend zu essen. Aber jeder Gedanke an Essen war ihm jetzt zuwider. Trinken, das war das einzige, was sich lohnte, wenn man in einer solchen Stimmung war wie er.

Er trank sein Glas leer und winkte den Kellner heran.

»Noch einen Doppelten, der Herr?«

»Ja, bitte.«

Vor Richard auf dem Tisch lag aufgeschlagen ein dünner Aktenordner. In der Hand hielt er einen Kugelschreiber. Aber er machte keine Notizen, benutzte diese Dinge nur als Requisiten zur Tarnung dessen, was er wirklich wollte.

Er wollte sich betrinken.

Das war wenigstens etwas, was er voll und ganz beabsichtigte. Alles andere schien ihm schemenhaft verschwommen, Ausgeburt seiner Fantasie.

Er, Richard Jansen, der große Geschäftsmann, die liebenswürdig weltmännische Persönlichkeit, als die ihn die Gesellschaft und seine Freunde kannten, war in diesen Stunden, die seinem Besuch bei der Detektei folgten, alles andere als selbstsicher oder kühl überlegen.

Genau das Gegenteil war der Fall. Er war unsicher, mit sich selbst unzufrieden – und er schämte sich.

Er setzte seine eigene Frau der Bespitzelung durch eine Detektei aus. Er mißtraute ihr so sehr, daß er dies nicht mehr für sich behalten, sondern einem Mann preisgegeben hatte, der daraus Kapital schlagen konnte – völlig legal natürlich, indem er Renate in der nächsten Woche auf Schritt und Tritt beobachten würde.

So weit war er also schon, daß er sich seiner eigenen Handlungen schämen mußte? Wo waren seine Sicherheit geblieben, das Vertrauen in sich selbst, das Bewußtsein, glücklich zu sein, es jeden Tag als ein Geschenk zu empfinden, Renate zu besitzen, eine schöne, junge Frau, die ihn liebte.

Er wünschte, er könnte alles rückgängig machen, den Besuch der Detektei und vor allem die letzten Wochen und Monate.

Laß mich nicht allein, hatte sie ihn angefleht, bevor er nach Amerika geflogen war. Aber er hatte sie allein gelassen und ihre Bitte fast als eine verwöhnte Laune abgetan. Jetzt mußte er dafür bezahlen. Bitter bezahlen mit dem Verlust seiner Selbstachtung. Und mit dem Wissen, daß es niemanden gab, mit dem er darüber sprechen konnte.

Christian war sein Freund, der einzige, den er besaß. Aber selbst ihm konnte Richard sich nicht anvertrauen. Es gab ja nichts Greifbares, keine Tatsachen, mit denen er das Sonderbare des Verhältnisses zwischen sich und Renate erklären konnte.

Christian würde das ganze womöglich mit einem nachsichtigen Lächeln abtun – Launen einer verwöhnten, jungen Frau.

Kümmere dich mehr um sie, fahr mit ihr weg, mach ihr Geschenke, zeig ihr deine Verliebtheit – das alles hatte er versucht, und es hatte nichts genützt.

Laß sie links liegen, kümmere dich eine Zeitlang überhaupt nicht um sie – das konnte er nicht, denn er liebte sie.

Ich könnte ihr vieles verzeihen.

Alles? Einen anderen Mann?

Eifersucht sprang ihn plötzlich an. Er preßte die Lippen zusammen, aber er dachte es bewußt zu Ende. Renate und ein anderer Mann?

»Ich liebe dich«, hatte sie geflüstert, in jener längst vergangenen ersten Nacht, in seinem Jagdhaus in der Eifel. Der Feuerschein der Buchenscheite flackerte über ihr Gesicht, und es war von einer solchen Hingabe, daß es ihm den Atem nahm.

»Ich liebe dich so sehr, daß ich sterben möchte . . .«

Sie lag in seinen Armen, und er ließ sie nicht los, während der langen, langen Nacht.

Am anderen Morgen, als er sie in die Stadt zurückbrachte, fragte er: »Da war ein anderer vor mir?«

Sie senkte den Kopf, das silberne Haar fiel über ihre Wange, und sie flüsterte: »Ja. Ich hätte es dir schon früher sagen müssen, nicht wahr? Verzeih mir . . .«

»Es macht nichts«, erwiderte er, »verzeih mir, daß ich überhaupt gefragt habe.«

Sie sprachen nie wieder davon. Und er dachte nie wieder daran.

Aber heute, jetzt mußte er daran denken. Jetzt war er eifersüchtig auf den, der damals vor ihm da war, und den, welchen es nun vielleicht gab. Renate und ein anderer Mann.

Er ballte die Hände zu Fäusten, löste sie schnell wieder, als ihm seine Unbeherrschtheit bewußt wurde. Er blickte sich um. Das Lokal war voll besetzt, aber niemand sah zu ihm her.

Er war schon betrunken, aber auch das merkte ihm niemand an, als er sehr aufrecht die Bräustuben verließ.

Er winkte ein Taxi heran mit der Absicht, nach Hause zu fahren. Vor dem ersten Neonzeichen einer Bar ließ er es wieder halten.

In dem Lokal war es so düster, daß man kaum die Getränkekarte lesen konnte. Aber Richard wollte dies auch gar nicht.

»Einen doppelten Cognac bitte«, sagte er zu dem vollbusigen Mädchen mit dem roten, filzig toupierten Haar.

Eine andere kam, eine Blonde. Sie glitt neben ihn auf die Plüschbank. Ihr Lächeln war viel zu alt für das junge Gesicht.

»So allein?«

»Ich möchte allein sein.« Richard sah sie so an, daß sie nicht mehr lächelte. Mit verlegenem Schmollmund erhob sie sich und stöckelte davon.

Die italienische Band erhitzte sich an einem Twist. Auf der Tanzfläche wanden sich die Paare, als müßten sie sich aus Schlinggewächsen befreien.

Richard wollte sich aus den Schlingen seines Mißtrauens befreien, aus der plötzlich erwachten Eifersucht – er trank. Er schmeckte den Alkohol schon nicht mehr. Seine Mundhöhle war taub von dem Cognac, den er im Laufe des Abends getrunken hatte.

Eine Frau lachte hinter ihm, weich und kehlig.

Er wandte sich um, aber natürlich war es nicht Renate.

Die Frau war dunkelhaarig und trug eine Brille. Die Hand des Mannes, der bei ihr war, lag um ihre Taille.

Welche Hand liegt um deine Taille, dachte er, wo bist du jetzt?

Die Rothaarige wies ihm den Weg zur Telefonzelle. Er wählte zum zweiten Mal an diesem Abend seine Privatnummer. Das Freizeichen klingelte dreimal, dann wurde abgenommen.

»Jansen«, sagte Renate, und er hörte, daß sie noch nicht geschlafen hatte.

Er legte auf, ohne ein einziges Wort.

Die Rothaarige hing sich in seinen Arm, als er die Telefonzelle verließ.

»Machen Sie mir bitte die Rechnung fertig«, sagte er und schob sie von sich.

Draußen wehte ihn kühle Nachtluft an. Es regnete in dünnen Fäden.

»Ein Taxi? Sehr wohl der Herr.« Der Portier winkte den Wagen heran, riß ihm den Schlag auf.

Richard stieg ein. »Nach Festenau, Mauritiusstraße.«

Er saß sehr aufrecht da, sah gerade vor sich hin. Niemand hätte ihm angemerkt, daß er betrunken war.

Nicht einmal das Trinkgeld bemaß er zu hoch, als er den Chauffeur entlohnte. Aufrecht und sehr exakt schritt er zur Haustür.

Renate öffnete ihm, noch ehe er aufschließen oder klingeln konnte.

»Guten Abend«, sagte er.

Sie blickte ihn an, erwiderte nichts. Sie trat einen Schritt zurück. Sie nahm ihm Mantel, Hut und Aktentasche ab, brachte alles in die Garderobe.

Er schritt in den Salon, schenkte sich an der Bar noch einen Cognac ein. Er wandte sich nicht um, als er ihre Schritte hinter sich hörte.

»Betrügst du mich?« fragte er.

Einen Augenblick lang war es still, gnadenlos still. Dann sagte sie mit der Stimme eines kleinen Mädchens: »Aber Richard – wie kommst du darauf?«

»Ich will eine klare Antwort, ja oder nein.«

»Nein«, sagte sie kaum hörbar.

Er wandte sich um und sah sie an. Weder in ihren Augen noch in ihrem glatten jungen Gesicht las er Schuld.

Richard trank sein Glas leer und stellte es auf den Tisch.

Renate folgte ihm, als er den Salon verließ. Auf der Treppe stolperte er. Sie griff nach seinem Arm.

Ganz ruhig löste er ihre Hand von seinem Arm. »Ich bin zwar betrunken, aber ich kann noch allein gehen.«

»Richard, bitte . . .«

Er erwiderte nichts, trat in sein Zimmer. Er legte sich, angezogen, wie er war, auf die Couch.

Nach einer Weile wurde er von einem Geräusch wach. Als er die Augen aufschlug, sah er, daß die Schreibtischlampe brannte. Renate kniete vor ihm auf dem Boden. Sie zog ihm die Schuhe aus.

»Laß das«, murmelte er.

Sie half ihm, sich aufzurichten, zog ihm das Jackett aus.

»Laß mich in Frieden.«

Sie knüpfte die Krawatte auf, öffnete den obersten Knopf seines Hemdes.

»Du sollst mich in Ruhe lassen.«

Ihre Hände sanken herab.

»So weit hast du es gebracht«, sagte er, »daß ich mich betrinke.« Und dann: »Geh, geh doch endlich.«

Sie wich zurück.

»Ich will allein sein.«

Da ging sie hinaus.

Er zögerte, bevor er morgens den Wintergarten betrat.

Es war genauso, wie er erwartet hatte. Renate saß allein am Frühstückstisch. Sie blickte von der Zeitung auf, in der sie geblättert hatte. Ihr Haar hatte einen warmen, goldenen Schimmer in der Sonne, und ihr Gesicht war zart und unschuldig wie das eines Kindes.

»Verzeih mir.« Er räusperte sich, trat langsam näher.

Sie lächelte flüchtig, nur mit dem Mund, und machte sich an seinem Gedeck zu schaffen, goß ihm Kaffee ein.

»Ich habe mich unmöglich benommen. Ich war betrunken.«

»Aber das macht doch nichts, Richard.«

Der Ton, in dem sie es sagte, dieses stille Sich-in-etwas-Fügen, machte ihn plötzlich ärgerlich und wütend.

Er knüllte seine Serviette zusammen, beugte sich über den Tisch vor. »Was macht dir überhaupt etwas aus? Ich habe mich deinetwegen betrunken, ist dir das auch egal?«

»Richard, bitte . . .«

»Ja, was denn?«

»Ich habe dir doch gar keine Vorhaltungen gemacht, ich habe gar nicht mehr an gestern abend gedacht.«

»Und warum nicht? Warum machst du mir keine Vorhaltungen? Bist du so verständnisvoll, oder ist es dir einfach gleichgültig, was ich tue?«

»Es ist mir nicht gleichgültig – ich meine, bitte – wollen wir es nicht einfach vergessen?«

»Was?«

»Nun ja, den gestrigen Abend.«

»Mehr nicht?«

»Was denn sonst?« fragte sie kaum hörbar. Sie blickte ihn schon eine Weile lang nicht mehr an. Sie hielt den Kopf gesenkt. Ihre Hände lagen flach auf dem Tischtuch. Er sah, wie ihre Finger zuckten.

»Zum Beispiel, daß ich während meiner Reisen so oft vergeblich versucht habe, dich anzurufen. Zum Beispiel, daß du stundenlang von zu Hause weg bist, ohne daß jemand weiß, wo du dich . . . wo du bist. Zum Beispiel, daß du so gereizt bist, daß ich dir auf die Nerven gehe.«

»Das ist nicht wahr.«

»Mein Gott, dann sag mir doch endlich, was wahr ist! Was ist mit dir los?«

»Bitte, Richard – man kann dich im ganzen Haus hören!«

»Na und? Ist es nicht mehr mein Haus? Darf ich noch nicht mal mehr in meinem eigenen Haus etwas lauter werden?«

Renate erhob sich mit seltsam steifen, hölzernen Bewegungen.

Er faßte nach ihrem Arm und hielt sie fest.

»Gib mir endlich Antwort auf meine Fragen«, sagte er.

Sie stand vor ihm mit gesenktem Kopf, mit schmalen Schultern wie ein verschüchtertes Kind.

»Renate, sieh mich an! Du sollst mich ansehen!«

Sie hob den Kopf. Tränen rannen über ihre weißen Wangen.

Richard ließ seine Hand sinken.

Bisher hatten ihn Renates Tränen immer zu Mitleid gerührt. Aber heute spürte er nichts, gar nichts. Nur so etwas wie ein Sichwundern, wie oft sich diese Szene noch wiederholen würde, wie oft sie ihm noch mit Tränen antworten würde, wenn er sie nach dem Grund ihres seltsamen Benehmens fragte, wie oft sie sich noch in das Weinen eines Kindes flüchten würde, wenn er in sie drang, ihm die Wahrheit zu sagen.

»Also gut«, sagte er, und seine Stimme klang ganz klar, ganz sachlich, »lassen wir es, wie es ist.«

Er wandte sich um. »Ich muß ins Werk. Bis später.«

Einen Augenblick lang glaubte er ein Flackern in ihren Augen zu sehen, ein Beben ihres Mundes, als wollte sie sprechen, als wollte sie ihm alles sagen, aber er mußte sich wohl getäuscht haben, denn sie blieb stumm.

Mit festen Schritten ging er nach draußen.

Als Renate den Kosmetiksalon verließ, bemerkte sie den Mann im dunkelgrauen Regenmantel zum erstenmal bewußt. Nicht weit von ihrem Wagen entfernt ging er auf und ab.

Sie beobachtete ihn, während sie die Straße überquerte. Er wirkte ganz und gar unauffällig, aber sie war sicher, ihn schon gesehen zu haben. Dunkelgrauer Mantel, dunkelgrauer Hut, ein Dutzendgesicht, aber an seine Schuhe erinnerte sie sich plötzlich. Diese glänzendbraunen Schuhe mit den runden Kappen waren ihr im Kaufhaus aufgefallen, als sie in der Spielwarenabteilung eine Lokomotive für Peters elektrische Eisenbahn aussuchte. Die Verkäuferin hatte die Lokomotive auf den Schienen, die dort auf dem Fußboden aufgebaut waren, probefahren lassen, und während Renate noch zuschaute, waren plötzlich diese glänzenden braunen Schuhe in ihr Blickfeld geraten. Und dann, im Aufzug, als sie hinunterfuhr, war dieser Mann mit ihr hinuntergefahren.

Sie schloß ihren Wagen auf, stieg ein.

Im Rückspiegel beobachtete sie, daß der Mann in einen grauen Volkswagen stieg.

Sie ließ den Motor an, scherte langsam aus der Parklücke. Der graue Volkswagen tat dies ebenfalls.

Sie gab Zeichen, bog in die Ringstraße ein. Der Volkswagen folgte.

Kurz vor der Kreuzung schob sich ein Mercedes zwischen ihr Kabriolett und den grauen Wagen. Aber auf der Uferstraße holte der Verfolger wieder auf.

Renate wollte Gewißheit haben, bog in das Hafenviertel ab, durchfuhr die engen Gassen kreuz und quer.

Der Volkswagen blieb hinter ihr, stets im gleichen Abstand.

Sie zog den Wagen rechts heran, hielt plötzlich. Der Volkswagen schoß vorüber, bog um die nächste Straßenecke.

Renate zitterte vor Aufregung. Sie zündete sich eine Zigarette an, sog den Rauch tief ein. Sie wartete, fünf, zehn Minuten, blickte vor sich auf die Straße, hinter sich durch den Rückspiegel. Dann sah sie weit hinten den Mann auftauchen. Er ging wie jemand, der viel Zeit hat, den Kopf halb gesenkt, die Hände in den Taschen seines Mantels.

Sie saß regungslos, rauchte, beobachtete den Mann, als er vorbeiging, aus den Augenwinkeln. Er sah nicht zu ihr herüber. Er trat etwa zehn Meter weiter in ein Haus.

Sie wurde verfolgt.

Kälte, Angst, Schrecken griffen mit eisigen Händen nach ihrem Herzen.

Richard!

Richard ließ sie beobachten. Daran war kein Zweifel mehr.

Was nun?

Panik schnürte ihr die Kehle zu.

Die Stunde der Entscheidung war gekommen. Sie konnte ihr nicht mehr ausweichen. Sie mußte bekennen. Sie mußte gestehen. Jetzt gab es keinen Ausweg mehr. Es gab nur die Wahl zwischen zwei Möglichkeiten: Richard alles sagen – und damit alles verlieren, ihn, Peter, ihren Sohn, ihre Familie ...

Oder ihn betrügen, ihm vorschwindeln, daß das Kind, das sie trug, von ihm war, von ihm ...

Sie wollte schreien, aber kein Schrei kam aus ihrer Kehle. Und mit einemmal war sie ganz ruhig.

Sie mußte Richard belügen, wenn sie sein Leben nicht zerstören wollte, wenn sie durch die grausige Wahrheit nicht alles vernichten wollte. Sie mußte genau das tun, was Steinweg von ihr verlangte – sie mußte ihrem eigenen Mann das Kind des gehaßten Geliebten unterschieben.

Es war der Morgen, auf den Richard gewartet hatte.

Fräulein Brachmeier, seine Sekretärin, brachte ihm um elf Uhr die zweite Post.

Es waren zumeist Geschäftsbriefe, ein paar Verträge, die er gleich an die Rechtsabteilung weitergab – und ein brauner Umschlag ohne Absender.

Richard legte das Kuvert ungeöffnet vor sich auf den Schreibtisch. Er drückte die Taste des Sprechgerätes herunter. Es summte auf.

»Ich möchte in der nächsten halben Stunde nicht gestört werden«, sagte er.

»Aber Sie hatten doch den Termin mit Dr. Straaten für halb zwölf angesetzt?«

»Das hat bis morgen Zeit!« Richard hörte selbst, wie gereizt seine Stimme klang.

»Wie Sie wollen«, klang es beleidigt aus dem Sprechgerät zurück.

Er klickte mit einer unbeherrschten Handbewegung den Apparat aus. Dann wandte er sich wieder dem braunen Umschlag zu.

Er wollte ihn öffnen – und gleichzeitig hatte er Angst davor. Die Detektei hatte seinen Auftrag ausgeführt. Das Ergebnis lag nun in dem Umschlag vor ihm.

Er brauchte nur die Hand auszustrecken, brauchte nur diesen Umschlag zu öffnen, um die Wahrheit zu erfahren.

Die Wahrheit konnte gut und auch schlecht sein. Wie immer sie ausfiel, sie würde etwas zwischen ihm und Renate zerstören.

So, wie es einmal zwischen ihnen gewesen war, würde es nie wieder sein. Das Gefäß ihres Zusammenlebens war irgendwann in den letzten Monaten angeschlagen worden, hatte einen Sprung bekommen. Wenn die Wahrheit gut war, konnte der Sprung gekittet werden, wenn sie schlecht war, würde er weiterreißen. Aber der Sprung würde auf jeden Fall bleiben.

Richard nahm den braunen Umschlag zur Hand. Er schnitt ihn langsam und sorgfältig mit der Papierschere auf.

Renate mußte ein paarmal ansetzen, ehe es ihr gelang, Richards Nummer zu wählen. Ihre Hände zitterten wie ihr ganzer Körper.

»Fräulein Brachmeier? Ach bitte, verbinden Sie mich mit meinem Mann.«

»Es tut mir sehr leid, gnädige Frau, aber Ihr Mann hat Anweisung gegeben, ihn nicht zu stören, auf keinen Fall«, sagte die Sekretärin mit ihrer stets zu liebenswürdigen Stimme.

»Bitte«, sagte Renate, »es ist sehr wichtig, Sie müssen mich mit meinem Mann verbinden.«

Fräulein Brachmeier zögerte betont. »Einen Augenblick«, sagte sie dann.

»Renate? Was ist los?«

Sie schluckte, räusperte sich. »Richard . . .«

»Ja, was ist denn?«

»Ich muß dich unbedingt sprechen«, sagte sie.

»Das geht jetzt nicht.«

»Es ist wichtig.«

»Renate – ich habe eine dringende Besprechung.«

»Richard, es ist, es geht um uns. Du willst doch die Wahrheit wissen, Richard . . .«

»Wo bist du?« Sie hörte, wie er den Atem scharf einsog.

»In der Stadt.«

»Ja – aber wo?«

Sie blickte durch das Mattglas der Telefonzelle nach draußen. Im Augenblick wußte sie wirklich nicht, wo sie sich befand.

»Wo bist du?« fragte er noch einmal.

»In der Nähe der Bürgerbräustuben.«

»Gut. Warte dort auf mich.«

Er legte auf, ehe sie noch etwas sagen konnte.

Noch hatte Richard den Bericht der Detektei nicht gelesen. Noch hatte er erst den Umschlag aufgeschlitzt.

Er hielt das Kuvert in der Hand. Was sollte er jetzt damit tun? Lesen? Nein. Nicht jetzt.

Ich muß dich unbedingt sprechen, es geht um uns, hatte Renate am Telefon geflüstert.

Er wollte die Wahrheit erfahren, er würde sie erfahren durch Renate, nicht durch diesen Brief.

Ungelesen steckte er ihn in die Brieftasche und verließ sein Büro.

Richard sah Renate sofort, als er die Bürgerbräustuben betrat. Sie saß hinten in der Nische neben dem großen grünen Kachelofen.

Sie saß sehr gerade, ohne sich anzulehnen. Sie blickte starr vor sich hin.

»Renate!«

Da erst hob sie den Kopf.

»Was ist geschehen?« fragte er und hörte selbst, wie spröde seine Stimme klang.

Sie sah ihn unverwandt an. »Ich bekomme ein Kind.«

»Nein!«

Er sah, wie sie schluckte, wie ihre Mundwinkel zitterten, wie ihr endlich das Lächeln gelang. Seine Hand fuhr vor, legte sich auf ihre Hände. Einen Moment lang konnte er nichts sagen, er hätte schreien mögen, singen, lachen. Aber aus seiner Kehle kam kein Ton. Er räusperte sich.

»Das ist es also?« fragte er. »Das ist es, was du mir verschwiegen hast?«

Sie nickte stumm.

»Mein Gott, warum denn? Warum hast du es uns so schwer gemacht? In all den Wochen, warum, Renate?«

»Ich weiß es nicht«, flüsterte sie, »Richard, ich weiß es wirklich nicht. Ich muß verrückt gewesen sein, ich habe mir eingebildet . . . ich habe gedacht, vielleicht willst du gar kein Kind mehr, vielleicht, ach, ich weiß gar nicht, was ich gedacht habe, ich war so – ich fühlte mich so schlecht, ich war so unruhig, so nervös, ganz ohne Grund, das weiß ich ja selbst, aber . . .«

»Liebste«, sagte er, »meine Liebste.« Er streichelte ihre Hände. »Ich bin ja so froh, ich freue mich ja so sehr. Mein Gott, ich bin glücklich, hörst du?«

Sie nickte stumm.

»Du siehst so blaß aus. Fühlst du dich nicht wohl? Wollen wir nach Hause fahren? Ich bringe dich nach Hause, ja? Ich gehe heute nicht mehr ins Werk. Ich bleibe bei dir. Wir werden es ein bißchen feiern, ja? Nur du und ich. Nur ein kleines Glas Champagner, denn du mußt dich jetzt schonen . . .«

Er glaubte ihr, er war glücklich, keinen Augenblick lang zweifelte er.

»Ich liebe dich«, sagte er und küßte ihre Hände. »Ich liebe dich und das Kind. Es wird eine Tochter, es muß eine Tochter werden, ja?«

Sie nickte und spürte, wie ihr Tränen in die Augen schossen. Aber Richard bemerkte es nicht.

»Wir wollen gehen«, sagte er. Vorsorglich half er ihr in den Mantel, nahm behutsam ihren Arm, führte sie so, als sei sie zerbrechlich.

Er riß die Schwingtür vor ihr auf. Sie trat hinaus auf die Straße.

Und im selben Augenblick sah sie Steinweg.

Er stand drüben auf der anderen Straßenseite und starrte sie mit seinem zynischen Lächeln an.

9

»Richard . . .« Renate schwankte, krampfte ihre Hand um seinen
Arm. Wie gebannt starrte sie über die Straße, in das Gesicht von
Steinweg, in die dämonische Fratze ihrer Angst.

Panische Angst erfüllte sie.

Warum steht er dort drüben? Ist er mir gefolgt? Was will er?
Wenn er jetzt herüberkommt, ist alles vorbei, dann kann ich
mich nicht mehr zusammennehmen, dann muß ich die Wahrheit
sagen, muß sie hinausschreien – ich schiebe meinem Mann ein
fremdes Kind unter.

»Richard, mir ist gar nicht gut«, flüsterte Renate und hielt sich
instinktiv so, daß er sie ansehen mußte, daß er keine Gelegenheit
hatte, Steinweg zu bemerken.

»Komm, mein Liebes!« Richard legte den Arm um ihre Schulter und führte sie behutsam zum Wagen. Er schob sie in den Sitz,
legte ihr die Decke über die Knie.

»Mir ist schlecht, mir ist plötzlich so übel«, murmelte sie.
Steinweg war aus ihrem Blickfeld verschwunden, aber immer
noch war ihr, als grinsten seine gelben Augen sie an, als ver-
senge er sie mit seinem teuflischen Blick.

Sei nicht zu sicher, daß ich nicht doch alles verraten werde . . .
hallte es in ihren Ohren. Renate schloß die Augen, ihr Kopf fiel
gegen die Lehne des Sitzes zurück.

»Wir fahren jetzt gleich zu Doktor Hernau«, sagte Richard neben ihr, »sei ganz beruhigt.«

Er behielt Renates Hand in seiner, während er fuhr. Er sprach
mit ihr, wie man mit einem verwirrten, schutzbedürftigen Kind
reden würde.

»Jetzt ist ja alles gut, jetzt ist alles in Ordnung. Ich bin ja so
froh, daß du es mir gesagt hast, daß du mir endlich wieder ver-
traust. Du weißt doch, was du mir bedeutest, nicht wahr?«

»Ja«, flüsterte sie, »ich weiß es.«

Er hatte Steinweg nicht gesehen. Sie war noch einmal davon-
gekommen. Sie schloß die Augen. Vielleicht war es das letzte-

mal, flüsterte eine Stimme in ihr, vielleicht gibt er sich jetzt zufrieden, vielleicht stellt er dir nun nicht mehr nach. Vielleicht . . .

»Wir sind gleich da«, sagte Richard neben ihr.

Sie nickte nur.

Richard lächelte. Wie seltsam doch Frauen sind, dachte er, wie rätselhaft. Aber es ist schön, alles ist schön, sie bekommt ein Baby, ein Kind von mir, sie war so dumm, dumm wie ein kleines Mädchen. Aber ich bin stolz auf dieses kleine Mädchen, sehr stolz. Ich bin froh, daß diese elenden Tage des Mißtrauens vorbei sind. Ich sollte mich schämen. Ich werde es wiedergutmachen, ganz bestimmt.

Das dachte er, und er schwor sich, daß er niemals mehr an Renate zweifeln würde, was auch kommen sollte.

Steinweg hatte den schwarzen Wagen gleich erkannt. Es gab nur einen Mann in dieser Stadt, der solch einen Wagen fuhr: Richard Jansen.

Er hatte auch Renates Kabriolett gesehen, als er zufällig, aus seiner Ausstellung kommend, an den ›Bürgerbräustuben‹ vorbeischlenderte.

Brennende Neugier hatte ihn bewogen, stehenzubleiben und zu warten, bis die Jansens das Lokal verließen.

Er hatte nicht lange zu warten brauchen. Mit plötzlicher glasklarer Sicherheit hatte er sofort gewußt, was geschehen war, als sie herauskamen: Renate hatte die Entscheidung getroffen. Sie hatte Jansen gesagt, daß sie ein Kind erwartete.

Steinweg lachte lautlos vor sich hin. Sein Kind. Sie hatte es ihrem Mann untergeschoben.

Nicht einmal ihre eigene Entscheidung war es gewesen, sondern seine, Steinwegs. Sie hatte seinem Willen gehorcht. Sie hatte sich von ihm einschüchtern lassen wie stets. Er hatte seine Macht über sie nicht verloren.

Ihr schmales, unglückliches Gesicht, das sich in Angst verzerrte, als sie ihn erblickte, und daneben Jansen, der, mit Blindheit geschlagen, weder die Angst noch die Verzweiflung Renates erkannte, beides erfüllte Steinweg mit wilder Freude, mit der Befriedigung eines gelungenen Racheaktes, den er schon seit Jahren geplant hatte. Die Schmach, die Renate ihm angetan hatte, als sie Jansen heiratete, war jetzt gesühnt.

Steinweg lachte lautlos vor sich hin.

Dieser aufgeblasene reiche Kerl war so blöd, daß er noch nicht einmal seine eigene Frau kannte, daß er deren Benehmen womöglich als selbstverständlich hinnahm, einfach als die unerklärlichen Depressionen einer jungen, verwöhnten Frau.

So mußte es sein, so und nicht anders.

Steinweg blickte dem lackglänzenden Wagen nach, der mit einem dumpfen Brummen des Motors ansprang und davonfuhr.

Fahrt nur, dachte er, fahr nur, meine geliebte Renate, glückliche Reise wünsche ich dir . . .

Ich habe bisher alles erreicht, was ich wollte. Nach sieben Jahren habe ich dich in die Knie gezwungen, habe meine Rache an dir genommen. Ich wollte, daß du mir erliegst, ich wollte, daß du ein Kind von mir bekommst, und ich wollte, daß du es deinem Mann unterschiebst. Du hast es getan, du hast alles getan, was ich wollte.

Hochmütig, kalt bis in die Fingerspitzen kamst du zu mir. Du wolltest deine Ruhe vor mir haben, du wolltest fortsetzen, was du damals vor sieben Jahren begonnen hast – mich zu demütigen. Aber das ist dir nicht gelungen.

Du hast mich nicht mehr treffen können. Denn ich liebe dich nicht mehr. Ich hasse dich, du weißt es – und es ist noch nicht zu Ende. Mein Haß ist noch hungrig, und du weißt auch dies. Ich kann dich ganz zerstören, dachte er berauscht von seinem Triumph, aber ich werde es nicht so tun, wie du glaubst.

Du sollst an deiner Angst ersticken, du sollst in deiner Verzweiflung vermodern, du sollst ertrinken in dem Sumpf deiner Selbstanklagen.

Seine Hände öffneten und schlossen sich unkontrolliert. Sein Gesicht war die Maske seines unersättlichen Hasses.

Triumph und Haß, Liebe und die Lust zu zerstören, blinde Rachsucht und wilde Wehmut über das, was er verloren hatte, ehe er es je richtig besaß, erfüllten ihn.

Aber in dieser Stunde überwog der Triumph. Der Sieg war errungen. Renate war da angelangt, wo er sie haben wollte. Sie hatte Jansen nicht nur als Mann betrogen, sie betrog ihn jetzt auch als Vater des Kindes, das gar nicht sein Kind war.

Ich liebe dich nicht mehr . . . hatte sie ihm vor sieben Jahren gesagt. Ihm, den alle Frauen liebten, ihm, Kurt Steinweg. Nun, er hatte es ihr heimgezahlt.

Der Triumph mußte gefeiert werden. Er würde ihn auf seine Art feiern – in den Armen einer anderen.

Er lachte laut auf, daß die Passanten ihm verwunderte Blicke zuwarfen. Er drehte sich schnell um und ging entschlossen davon. Eine halbe Stunde später hielt sein Wagen vor Katrins Modesalon.

Katrin, in langen schwarzen Hosen und einem farbfleckverzierten Kittel, hockte im Hinterzimmer ihres Ateliers auf dem Boden über einer großen Modezeichnung.

»Katrin?«

Sie blickte auf, sprang sofort hoch. Ihr Gesicht überzog sich mit freudiger Röte.

»Kurt – das ist aber eine Überraschung!«

»Nicht die einzige.« Er lächelte.

»Wieso?« In ihren Augen blitzte es erwartungsvoll auf.

»Zieh dich rasch um und komm mit!«

»Warum?«

»Wir haben etwas zu feiern!«

»Wir?«

»Frag nicht lange. Es ist mein Geheimnis – aber ich will es mit dir feiern!«

»Was ist es?«

Er schüttelte lächelnd den Kopf. »Ich kann es dir nicht sagen, und ich werde es dir nicht sagen . . . Aber es ist ein guter Grund zum Feiern, glaub es mir.«

»Was auch immer es ist, ich wünsche, daß es dir Freude macht«, sagte Katrin.

Steinwegs Augen funkelten. »Das tut es. Und du weißt gar nicht, wie sehr!«

Sie brauchten nur wenige Minuten in dem gediegen ausgestatteten Besuchszimmer zu warten. Dann kam Dr. Hernau, wie stets gut gelaunt, wie stets gesund und rosig aussehend.

»Meine liebe gnädige Frau.« Er beugte sich über Renates Hand. »Richard, wie geht es Ihnen?« Er klopfte ihm auf die Schulter. »Na, bleiben Sie jetzt ein bißchen länger bei uns im Lande? Hoffe, Sie bald mal wieder zu einem guten Glas Wein bei mir zu sehen.«

»Gerhard, Renate erwartet ein Baby . . .«

»Das ist aber eine freudige Überraschung! Da gratuliere ich

von Herzen!« Hernaus blaue Augen blitzten vergnügt. »Na, soll es wieder ein strammer Junge werden?«

Renate schüttelte den Kopf. Ihre Mundwinkel zitterten. »Richard wünscht sich eine Tochter«, sagte sie mit verkrampftem Lächeln.

Und dann zerriß etwas in ihr, dann konnte sie es nicht mehr zurückhalten. Sie brach in Weinen aus. Das Schluchzen schüttelte sie. Sie schlug die Hände vors Gesicht.

»Aber, aber, das ist doch kein Grund zum Weinen. Kommen Sie, meine Liebe, legen Sie sich hin, ruhen Sie sich aus . . .« Der Arzt führte sie zu der Lederliege. Er lächelte Jansen ermutigend zu, der ratlos dreinschaute. »Kein Grund zur Aufregung. Das sind die Nerven. Kein seltenes Schwangerschaftssymptom in unserer hektischen Zeit.«

Dann wandte er sich wieder Renate zu. »Sie brauchen keine Angst zu haben«, er klopfte beruhigend ihre Hand, »jaja, ich weiß, eine so sensible Frau wie Sie, so zart, jaja, aber nur keine Angst. Sie haben sich doch auch bei Peters Geburt nicht gefürchtet, und noch ist es ja gar nicht soweit. Noch haben Sie ja ein paar Monate, in denen Sie sich daran gewöhnen können.«

»Bitte, ich möchte einen Augenblick allein sein«, schluchzte Renate.

Dr. Hernau gab Jansen einen Wink mit den Augen.

Richard verließ auf Zehenspitzen das Zimmer. Während er draußen nach den Zigaretten in seiner Rocktasche tastete, berührten seine Finger den braunen Umschlag, den Bericht der Detektei.

Was jetzt damit tun?

Er zögerte nicht. In diesem Augenblick, im Überschwang seines Glücks, das durch nichts getrübt werden konnte, weil er ja nun die Wahrheit wußte, gab es nur eins: Er mußte den Umschlag schnell loswerden.

Den Brief zu lesen, kam ihm überhaupt nicht mehr in den Sinn. Es war ihm, als brenne das Papier in seinen Händen. Er zerriß es in allerkleinste Fetzen und warf es draußen im Waschraum in die Toilette.

In der Diele wartete schon Dr. Hernau auf ihn.

»Richard, kommen Sie doch wieder herein. Ihre Frau hat sich beruhigt.« Der Azt nickte ihm zu.

»Wir haben auch schon einen Plan gefaßt, nicht wahr, meine

Liebe?« Er trat mit Richard zu der Ledercouch, auf der Renate lag. Sie nickte schwach. Sie weinte nicht mehr. Ihre Augen waren sehr dunkel und sehr groß. Ihr Blick war auf Richard gerichtet, aber es war ein seltsam ferner Blick, der durch ihn hindurchzugehen schien.

»Von Medikamenten während der Schwangerschaft halte ich gar nicht viel«, sagte Hernau, »auch wenn es die harmlosesten Beruhigungstabletten wären. Aber wie wär's, wenn Sie mit Ihrer Frau eine kleine Reise unternähmen, irgendwohin, wo sie Ruhe und Abwechslung zugleich hat? In ein hübsches Bad im Schwarzwald beispielsweise . . .«

»Was hältst du davon?« fragte Richard und beugte sich über Renate. Er nahm ihre beiden Hände und merkte erschrocken, wie kalt sie waren.

»Es wäre sehr schön . . .«, flüsterte sie.

»Nur du und ich«, Richard lächelte.

Ihr Mund öffnete sich, als wollte sie etwas sagen, aber dann schwieg sie doch. Nur die Spitze ihrer Zunge erschien und befeuchtete ihre trockenen, spröden Lippen.

»Ich würde sagen, Sie sollten bald mal ausspannen – Sie beide«, sagte Dr. Hernau. »Sie können auch einen Urlaub gebrauchen, Richard. Man sieht es Ihnen an.«

»Wir fahren bald, ja?« flüsterte Renate. »Ich will . . . ich muß weg . . . von hier . . . Richard . . .«

»Wir fahren fort«, sagte er und strich Renate das silberglänzende Haar aus der Stirn, »so bald du willst, und wohin du willst.«

»Heute noch?«

»Nicht gerade heute. Wir müssen ja noch ein paar Vorbereitungen treffen.«

»Aber gleich morgen früh, ja?«

»Morgen früh«, versprach er.

»Danke«, flüsterte sie, »danke, Richard«, und die Erleichterung glättete ihr Gesicht zu dem Antlitz eines unschuldigen Kindes.

Als Katrin die Augen aufschlug, wußte sie zuerst nicht, wo sie war. Rote Vorhänge filterten fahlgraues Licht. Es konnte Morgen oder auch Abend sein, Tag oder auch Nacht.

Jedes Gefühl für Zeit und Ort war versunken in dem kurzen

tiefen Schlaf, welcher der Liebe gefolgt war. Liebe, dachte sie, meine Liebe . . . und wußte wieder, wo sie war.

Sie spürte seinen Atem auf ihrer Schulter und wandte langsam den Kopf. Er schlief. Sie wußte, er mochte es nicht, wenn sie ihn im Schlaf beobachtete. Dies war der Anlaß ihres ersten Streits gewesen, aber sie mußte ihn jetzt ansehen.

Sein Gesicht war voller Rätsel, mit einem breiten, harten und doch empfindsamen Mund, mit zwei tief eingekerbten Falten, die zu dünnen, nervösen Nasenflügeln hochstiegen, mit den mageren Wangen, die flach zu den tiefliegenden Augen ausliefen. Sein Haar war braun und wuchs ihm spitz in die Stirn.

Jetzt, im Schlaf, waren seine Augen von den Lidern bedeckt, aber sie brauchte nur an ihren gelben Glanz zu denken, und die Erregung stieg heiß in ihre Wangen.

Er war von ihr fortgerückt. Seine Arme lagen so, als umarme er sich selbst. Er war bei ihr und doch gleichzeitig weit weg von ihr. Das war etwas, woran sie sich hatte gewöhnen müssen – seine kühle Distanz, auch in den Stunden der Liebe.

Sie dachte dies ganz klar und nüchtern, wie etwas, das man nicht ändern kann. Es war kein Bedauern dabei, denn sie liebte ihn, so wie er war. Leicht strich sie über seine nackte Schulter. Seine Lider zuckten.

Sie zog schnell ihre Hand zurück. Sie wollte nicht, daß er aufwachte, weil er dann zornig wurde.

Du sollst nicht zornig werden, dachte sie, ich will dir keinen Anlaß geben, jetzt nicht und niemals, denn du sollst mich lieben, so wie ich dich liebe.

Sie sah von ihm fort. Ihr Blick blieb an der Plastik hängen, die er von sich selbst angefertigt hatte.

Es war sein Gesicht in schwarzem, poliertem Stein, und sie hielt stumme Zwiesprache mit diesem Gesicht.

Ich bin zweiunddreißig Jahre alt, und ich habe Männer vor dir gekannt, aber ich habe keinen geliebt wie dich. Du weißt es, und manchmal lächelst du darüber. Ich kann dieses Lächeln nicht deuten, aber ich wünschte, es wäre nicht in deinen Augen.

Und sie sagte zu seinem Bildnis: Ich kann nicht mehr ohne dich leben, bitte, verlaß mich nie.

Sie war jetzt hellwach, und da sie fürchtete, auch ihn zu wecken, erhob sie sich vorsichtig von dem Bett. Lautlos, auf nackten Füßen, verließ sie das Zimmer.

Im Bad erneuerte sie ihr Make-up und kämmte ihr lackschwarzes Haar, das in einer Pagenfrisur geschnitten war.

Neben der Tür war ein schmaler Wandschrank. Sie nahm den weißen Bademantel heraus, den sie hier eines Nachts gefunden hatte. Er paßte ihr genau – aber sie wußte nicht, ob er ihn für sie gekauft hatte.

Auf Zehenspitzen tappte sie über die kalten roten Fliesen der Wohnhalle. Das Feuer im Kamin glimmte nur noch düster, und es roch harzig nach dem Rauch des verbrannten Holzes.

Sie räumte die Sektkelche fort und leerte die Aschenbecher aus. In der Kochnische nahm sie ein Glas aus dem Schrank, goß sich von dem Orangensaft aus dem Eisschrank ein und kehrte in die Wohnhalle zurück.

Sie setzte sich auf die Couch, zog die Beine hoch. Aber sie hatte die Zigaretten vergessen, und so stand sie noch einmal auf.

Ihre Handtasche lag drüben im anderen Zimmer. Der Ebenholzkasten auf der Bar war leer. Aber über dem einen Sessel hing Steinwegs Jackett.

Sie fand in der rechten Tasche ein frisches Päckchen Zigaretten. Als sie es herauszog, rutschte die Jacke herunter.

Katrin hob sie wieder auf, und dabei fiel die Brieftasche heraus und klappte auf.

In dem rechten Fach lächelte ihr unter dünner Plastikfolie ihr eigenes Gesicht entgegen. Sie hob die Brieftasche auf, betrachtete ihr Foto beinahe gerührt, weil er es wirklich bei sich trug.

Und dann entdeckte sie darunter schmal die Kante eines zweiten Fotos. Sie gab sich keine Rechenschaft darüber, was sie dazu bewog, an dieser winzigen Kante zu ziehen. Sie hätte auch später nie sagen können, ob es nur Neugier oder jäh erwachtes Mißtrauen war.

Ein Foto kam unter ihrem eigenen Bild zum Vorschein. Katrin starrte es fassungslos an, hielt es nah vor die Augen, als sei sie plötzlich kurzsichtig geworden.

Es konnte nicht wahr sein. Es mußte am Licht liegen oder an ihren Augen.

Das Foto zeigte Renate Jansen. Ihre Freundin Renate, den Kopf lachend zurückgeworfen, im eleganten Kostüm, durch dessen Stoff ihre schlanken Glieder sich deutlich abzeichneten.

Mit flatternden Händen durchwühlte Katrin die Brieftasche

und fand ein zweites Foto, das ebenfalls Renate zeigte, eine sehr junge Renate mit mädchenhaft rundem Gesicht, aber auch schon damals schön, von dieser empfindsamen, zarten, silberblonden Schönheit.

Zwei Fotos in ihren zitternden Händen. Das eine Jahre alt, das andere neu, ganz neu – und beide zeigten Renate.

In diesem Augenblick erkannte Katrin alles, sah sie mit hellsichtiger Gewißheit, was dies zu bedeuten hatte.

Steinwegs stummes, zynisches Lächeln, wenn sie hin und wieder Renate erwähnte; der Freundin schroffes Verhalten, als sie ihr damals vor Wochen gestand, daß sie, Katrin, Steinweg liebe; seltsame Andeutungen von Kurt, wenn er zuviel getrunken hatte. Und noch etwas fiel ihr ein, jene Reise von Renate in die Eifel, für die sie, Katrin, das Alibi hatte liefern sollen – und Kurt war zur gleichen Zeit fortgefahren.

Sie hörte sich selbst atmen, sie hörte das Keuchen, mit dem die Luft sich aus ihren Lungen rang, der Herzschlag dröhnte ihr in den Ohren.

»Was machst du da?«

Sie fuhr herum.

Er stand in der Tür, nur in schmalen Khakihosen, auf bloßen Füßen, mit nacktem, braunem Oberkörper.

»Was machst du da?« fragte er noch einmal.

Sie hob die Hände und hielt ihm die Fotos hin.

Er kam langsam auf sie zu. Er warf einen Blick auf die Bilder, dann sah er sie an. In seinem Gesicht regte sich nichts.

»Du spionierst mir also nach«, sagte er leise. Er nahm ihr die Fotos aus der Hand. »Was soll denn das, Katrin?«

»Wie kommst du zu den Fotos?« fragte sie.

Er antwortete nicht.

»Du hast mich betrogen«, sagte sie. »Du hast mich gemein und hinterhältig betrogen. Ihr habt mich hintergangen, ihr, die beiden einzigen Menschen, die ich liebe, du und meine beste Freundin. Es ist wie in einem kitschigen Film!« Sie lachte kurz und hart auf, mit einer Stimme, die ihr selbst fremd war. »Oder hast du vielleicht eine Erklärung für diesen Dreck da?« Sie wollte ihm die Fotos entreißen, sie zerfetzen, damit er sie nie wieder ansehen sollte, als könne sie damit alles auslöschen.

Aber mit einer geschickten Drehung seiner Hand hatte er die Aufnahmen in die Hosentasche gesteckt.

»Und du hast gesagt, du liebtest mich, eben hast du es noch gesagt, vor einer Stunde – ich begehre dich, ich liebe dich, du bist das einzige, was zählt. Jedes Wort war gelogen, jede einzelne Silbe. Du brauchst nichts zu sagen, bleib nur stumm. Ich weiß ja doch alles – deine Fahrt mit ihr in die Eifel und deine Andeutungen, und nicht zu vergessen: deine Plastiken! Mein Gott, war ich blind! Ich hätte es schon am ersten Tag erkennen müssen, am ersten Tag, als ich die Plastiken sah. Sie zeigen doch Renate, nichts als Renate, sieben Plastiken, mit ihrem verfluchten Gesicht. So also sieht deine Liebe zu mir aus? Darauf bin ich hereingefallen, auf so etwas wie dich und sie. Ich hab' mich lächerlich gemacht, bei dir und bei ihr. Dir hab' ich vorgeschwärmt, was für eine großartige Freundin sie ist, und ihr, wie sehr ich dich . . .« ihre Stimme gehorchte ihr nicht mehr. Sie griff hinter sich nach der Lehne des Sessels, hielt sich daran fest, weil ihre Beine zitterten. »Du bist ein Schuft, Kurt Steinweg«, flüsterte sie, »du bist ein ganz gemeiner Schuft.«

Er schwieg. Er sagte immer noch nichts. Er sah sie nur an, vorgebeugt, lauernd wie ein Tier. Seine Augen glitzerten hellgelb, und in seinen Mundwinkeln saß das Lächeln.

Sie erkannte, wie grausam er war, an diesem Lächeln und an seinen Augen. Sie sah, daß es ihm Vergnügen bereitete, sie zu quälen, daß es ihm ein Triumph war, sie so zu sehen, schwach, zerschlagen von seinem Betrug und gleichzeitig – sie erkannte es genau – um Gnade winselnd, daß alles nur eine Ausgeburt ihrer Fantasie sei, daß er doch noch eine Erklärung finden möge.

»Sag doch etwas«, flüsterte sie, »mach endlich deinen Mund auf. Verteidige dich oder gib zu, daß ich recht habe, daß du gemein und grausam mit mir gespielt hast. Aber wahrscheinlich ist sie noch nicht einmal die einzige. Da sind doch bestimmt noch ein paar andere, mit denen du es treibst!«

Er schlug ihr mit der flachen Hand rechts und links ins Gesicht.

»Hör auf mit dieser hysterischen Tirade!« sagte er.

Sie begann zu schluchzen. Sie wollte es nicht, aber sie weinte.

»Hör auf«, fuhr er sie an, »du bist kein junges Balg mehr. Du bist zweiunddreißig. Alt genug, um vernünftig zu sein.«

»Vernünftig«, schluchzte sie, »vernünftig! Wenn du mich betrügst und schlägst und noch nicht einmal versuchst, mir zu erklären . . .«

»Wenn du dich nicht zusammennehmen kannst, pack deine Sachen und verschwinde.«

»Du schickst mich weg? Du willst wirklich, daß ich gehe? Ich soll gehen?«

Er zuckte die Achseln und trat zur Bar. Er mischte sich einen Whisky mit Wasser.

Sie sah ihm stumpf zu, wie betäubt. So wenig bedeutete sie ihm also, so sehr hatte er sie belogen. Sie konnte es nicht glauben, wenn sie noch einen Rest ihrer Selbstachtung retten wollte.

»Sag, daß es nicht wahr ist«, flehte sie.

Er sah sie über die Schulter hinweg an. »Was willst du denn jetzt hören?«

»Die Wahrheit«, flüsterte sie.

»Die Wahrheit.« Er lachte lautlos. »Welche?«

»Die ganze – von dir und von ihr. Warum du mit mir . . .«

»Es gibt nichts zu erklären«, sagte er.

»Du willst nicht.«

»Es gibt nichts.«

»Woher hast du die Fotos?«

»Gefunden.«

Er log, natürlich log er und gab sich nicht einmal große Mühe dabei.

»Du lügst«, sagte sie.

Wieder zuckte er mit den Schultern. Er hob das Glas und trank. Er sah sie an, und ohne daß sie es wollte, setzte sie einen Fuß vor den anderen, schritt auf ihn zu.

Sie nahm ihm das Glas aus der Hand, stellte es auf die Bar. Sie blieb nah vor ihm stehen.

»Sag mir die Wahrheit, bitte.«

Er lächelte sie stumm an. Seine Hände glitten in die weiten Ärmel ihres Bademantels.

»Faß mich nicht an«, flüsterte sie.

Seine Hände strichen ihre Arme hoch und umfaßten ihre Schultern.

»Du bist ein Vieh«, stammelte sie, »ein rohes, gemeines Vieh.«

»Ich liebe dich«, murmelte er, »wirklich. Warum glaubst du mir nicht?«

»Ich möchte es ja, aber ich kann nicht.«

Er lachte leise. »Soll ich es dir beweisen?«

»Ja, ja, beweise es mir.«

Seine eine Hand ließ ihren Arm los, tastete hinter sich, knipste das Licht aus.

»Nicht so, bitte, nicht so.«

»Was willst du mehr?«

»Zerreiß die Bilder. Sag mir, daß alles ein Mißverständnis ist. Sag mir, daß du sie nicht kennst, daß du . . .«

Sie brach ab, denn mit einemmal war es ihr, als stehe sie neben sich selbst, sähe sich selbst mit den Augen einer Fremden, sähe, wie sie einem Mann erneut zu erliegen drohte, der sie betrogen hatte, wissentlich und willentlich, mit voller Absicht betrogen hatte.

Sie riß sich los. Sie schaltete das Licht wieder ein.

Er blinzelte den Bruchteil einer Sekunde lang. Dann wandte er sein Gesicht ab, zündete sich eine Zigarette an.

»Ich gehe jetzt«, sagte sie ganz ruhig, war jetzt frei von ihm, wenigstens in diesem Augenblick. »Aber verlaß dich auf eins: Das, was du mit mir gemacht hast, wird dir noch leid tun. Du hattest ganz recht, mich an mein Alter zu erinnern. Ja, ich bin zweiunddreißig, und ich werde vernünftig sein, und genau das wird dir noch leid tun.«

Er sah sie nicht an. Zum erstenmal, seit sie ihn kannte, schien er ihr unsicher, und sie spürte fast so etwas wie Triumph.

»Renate ist eine verheiratete Frau, verheiratet mit einem prominenten Mann. Es wird seine Kreise ziehen, was sie getan hat, und auch du wirst nicht ungeschoren davonkommen, verlaß dich darauf.« Sie wandte sich um und ging so aufrecht, wie es ihr möglich war, in das Schlafzimmer hinüber.

Den Ausdruck seiner Augen, mit dem er ihr nachblickte, sah sie nicht, und so wußte sie nicht, daß ihr Triumph nur ein vermeintlicher war, daß er verblaßte vor dem, was Steinweg empfand. Es würde nun alles viel schneller abrollen, als er es beabsichtigt hatte, aber es konnte gar nicht besser kommen. Er kannte Katrin gut genug, um zu wissen, was sie unternehmen würde, wenn er sie jetzt gehen ließ. Sie würde nichts Eiligeres zu tun haben, als Jansen zu benachrichtigen.

Gut, die Fäden des Schicksals von Renate waren seiner eigenen Hand entglitten, aber er konnte sich keine bessere Rächerin vorstellen als eine bis ins Tiefste getroffene Frau wie Katrin, eifersüchtig, verletzt bis zur Hysterie.

Genießerisch trank er sein Glas leer, mixte sich ein neues.

»Ich gehe jetzt«, sagte Katrin. Sie blieb in der Tür stehen, sehr schmal in ihrem enggegürteten olivgrünen Trenchcoat. Er sah, wie ihre eine Hand nach dem Türrahmen tastete, als müsse sie dort Halt suchen.

»Tu, was du nicht lassen kannst«, sagte er mit betontem Gleichmut.

Ihr Gesicht war schneeweiß, das Rot ihres geschminkten Mundes hob sich dagegen grell ab. Ihre Augen waren dunkel umrandet, und dies nicht nur von dem verwischten Maskara.

»Ich gehe jetzt«, wiederholte sie, »und du wirst es noch bitter bereuen!«

Er zuckte mit den Schultern.

Sie lief an ihm vorbei hinaus. Die Tür klappte zu. Er hörte noch das helle Klacken ihrer Absätze auf den Steinfliesen des Weges, dann nichts mehr.

Er langte nach der Flasche Whisky, nahm sein Glas und ging hinüber ins Schlafzimmer.

Katrin lief den Weg entlang, stolperte, knickte um, fing sich wieder.

Sie rannte weiter, durch das Dorf. Hier und da blinkte Licht zwischen geschlossenen Läden, ein Hund kläffte neben der Wirtschaft.

Nur weg, weiter, laufen, bis sie nicht mehr konnte.

Es begann stärker zu regnen. Der Wind jaulte in den Bäumen. Weit voraus waren die Lichter der Stadt, schwammen im nächtlichen Dunst.

Ich kann nicht mehr, mein Gott, ich kann nicht mehr. Sie stolperte einen grasbewachsenen Hang hoch, kroch plötzlich auf allen vieren, spürte nasses, glitschiges Gras unter ihren Händen, riß sich den Mantel an Dorngerank auf.

Und fiel endlich. Sie preßte ihr Gesicht in die Hände, schluchzte, weinte ihre ganze Enttäuschung, ihr ganzes Entsetzen über das, was ihr geschehen war, aus sich heraus.

Sie hatte sich Hoffnungen gemacht, sie hatte geglaubt, daß Steinweg sie liebte, sie hatte gewünscht, daß er sie niemals verlassen würde. Aber nun hatte sie ihn verlassen müssen, weil er sie betrogen hatte.

Nicht nur er, auch Renate.

Sie hatte nicht nur ihn, sondern auch Renate verloren.

Zwei Menschen, die sie liebte, sie, die sonst allein war, niemanden besaß, niemanden, der für sie da war.

Aus. Vorbei. Niemals Steinweg und niemals mehr ein anderer Mann. Nur fürchten würde sie sich, sie wußte es genau, fürchten, daß ihr etwas Ähnliches noch einmal geschehen könnte. Nie mehr Vertrauen, nur noch Angst, enttäuscht zu werden.

Benimm dich vernünftig, sagte sie zu sich selbst, steh auf und geh zur Straße zurück. Wink einem Wagen, der vorbeikommt, damit er dich mitnimmt in die Stadt. Laß dich nicht unterkriegen, denk nicht daran, vergiß es.

Katrin stand auf, klopfte ihren Mantel ab, rieb sich das Gesicht mit dem Taschentuch, richtete ihr Kopftuch neu. Sie stieg den Hang hinunter und ging langsam die Straße entlang.

Ein Wagen kam vorbei, blendete die Scheinwerfer auf. Katrin hob die Hand, winkte.

Ein zweiter rauschte vorbei. Wasser aus einer Pfütze spritzte gegen ihre Beine.

Niemand hielt. Dann kam kein Wagen mehr, aber Katrin verfügte plötzlich über ungeahnte Kräfte. Sie ging weiter und weiter und erreichte schließlich die Randbezirke der Stadt. Sie suchte und fand ein Postamt, rief von dort ein Taxi herbei.

Sie ließ sich nach Hause fahren.

Sie vermied es, in den Spiegel zu sehen, während sie sich auszog, duschte und dann zu Bett ging. Sie nahm zwei Schlaftabletten und schlief wirklich ein.

Die ganze Zeit über war es ihr gelungen, weder an Steinweg noch an Renate zu denken.

»Herbert, schläfst du schon?« fragte seine Mutter von der Tür her.

Er richtete sich auf den Ellbogen auf und knipste die Nachttischlampe an.

»Komm nur herein«, sagte er.

»Ich will dich nicht lange stören.« Sie schloß die Tür und kam schnell zum Bett herüber.

»Was hältst du davon, daß Richard und Renate morgen fortfahren?« fragte sie leise, als habe sie Angst, daß jemand sie belauschen könnte.

»Ich freue mich darüber«, sagte er.

»Du – weißt, was Renate ihm gesagt hat?«

»Ja.«

»Und du hältst es für richtig?«

»Es gibt keinen anderen Ausweg, Mutter.«

Sie sah von ihm fort.

»Manchmal wünschte ich, wir wären nie in dieses Haus gekommen. Wir haben nie hierher gepaßt. Es wird kein gutes Ende nehmen . . .«

»Mutter«, er legte die Hand auf ihren Arm, »sprich nicht weiter, ich bitte dich. Geh jetzt auch schlafen, es ist schon spät.«

»Ich kann schon lange nicht mehr schlafen.« Aber sie stand auf und ging zur Tür. »Ich muß immer daran denken, weißt du, ich kann einfach nicht anders.«

Sie ging hinaus und schloß leise die Tür hinter sich.

Herbert knipste das Licht wieder aus und legte sich zurück.

Schlafen, einmal wieder richtig schlafen, ruhig und tief, nicht mehr denken, nicht mehr von Träumen gequält werden. Aber auch er konnte es nicht.

Ich wünschte, es wäre schon morgen um diese Zeit, dachte er, ich wünschte, Renate und Richard wären schon fort. Er wußte nicht, weshalb er das wünschte, aber eine dumpfe, quälende Ahnung kommenden Unheils erfüllte ihn.

Katrin erwachte, weil das Telefon klingelte. Noch schlaftrunken hob sie den Hörer ab.

»Ich hoffe, du hast gut geschlafen«, sagte Steinweg.

Es verschlug ihr den Atem. Zorn quoll in ihr auf. Das ganze Elend des gestrigen Abends kam zurück.

»Ich spreche nicht mehr mit dir«, sagte sie so beherrscht, wie sie konnte.

Sie hörte ihn noch lachen, dann warf sie den Hörer auf. Das Bild von ihm, welches auf dem Nachttisch stand, sah sie mit diesen hellen Augen an. Sie nahm den Silberrahmen zur Hand, zog das Bild heraus, riß es in winzige Fetzen.

Ich werde mich rächen, dachte sie, ich werde mich so rächen, daß sie beide es niemals vergessen, er nicht und Renate nicht.

Sie blickte auf die Uhr. Gerade acht vorbei. Um diese Zeit war Jansen bestimmt noch zu Hause.

Sie schlug die Bettdecke zurück und stand auf. Sie nahm ihren

Morgenmantel um und ging in die Küche. Im Kühlschrank lag der Sekt, den sie immer dafür bereit hielt, daß Steinweg sie überraschend aufsuchen würde. Es war die Marke, die er am liebsten trank. Nie mehr, dachte sie, nie mehr. Einen Augenblick lang war sie versucht, die Flasche zu öffnen. Aber sie wollte einen klaren Kopf behalten. Sie nahm nur die Milch aus dem Kühlschrank. Sie goß sich eine Tasse Kaffee auf, kehrte dann in ihr Schlafzimmer zurück.

Sie öffnete das Fenster weit. Die rosa Tüllvorhänge blähten sich im kühlen Wind. Sie sog die Luft ein paarmal tief ein.

Sie hockte sich auf ihr Bett, trank von ihrem Kaffee, zündete sich eine Zigarette an.

Sie wählte die Nummer der Jansens. Herbert Bach kam an den Apparat.

»Ich möchte Herrn Jansen sprechen«, sagte Katrin.

»Es tut mir leid, aber meine Schwester schläft noch, sie hat sich gestern nicht sehr wohl gefühlt . . .«

»Das kann ich mir denken«, unterbrach Katrin ihn. »Aber ich will auch nicht sie, sondern Richard sprechen.«

Sie hörte genau, wie Herbert zögerte. »Das wird kaum möglich sein, er ist unterwegs.«

Bildete sie es sich nur ein, oder klang seine Stimme mit einemmal abweisend?

»Kann ich ihn im Büro erreichen? Es ist sehr wichtig.«

»Hören Sie, Katrin, ich glaube nicht, daß er heute morgen Zeit hat . . .«

Sie legte einfach den Hörer auf und wählte die Nummer der Batix-Werke. Sie ließ sich mit Richards Büro verbinden.

Ja, Herr Jansen war schon hier. Ja, aber er durfte leider nicht gestört werden. Der Herr Direktor bereitete eine wichtige private Reise vor . . .

»Ich bestehe darauf, Herrn Jansen zu sprechen«, unterbrach Katrin die wichtigtuerische Erklärung der Sekretärin. »Verbinden Sie mich endlich.«

»Wenn Sie so darauf bestehen.« Es klickte in der Leitung, dann kam Richards Stimme. »Katrin?«

»Guten Morgen, Richard«, sagte sie, »ich muß dich dringend sprechen.«

»Katrin, ich bereite gerade eine Reise mit Renate vor. Ich bin sehr in Eile. Hat es nicht Zeit, bis wir wieder zurück sind?«

»Ich weiß nicht, ob du diese Reise überhaupt noch unternehmen wirst, wenn du erst weißt, was ich dir mitzuteilen habe«, sagte Katrin ganz ruhig.

Einen Augenblick lang war es am anderen Ende still.

»Gut, wo treffen wir uns?« sagte Richard zu ihrer Überraschung.

»Im Café Dahm, neben meinem Atelier?«

»Ich werde in einer halben Stunde dort sein«, sagte er.

»Ja, in einer halben Stunde«, wiederholte sie und legte, immer noch zornig, ganz ruhig den Hörer auf.

10

Das Café Dahm gehörte zu den ältesten Kaffeehäusern der Stadt. Wenn man es betrat, fühlte man sich um Jahrzehnte zurückversetzt. Stühle und Tische waren aus zierlich geschwungenem Chippendale, die schmalen Sofas an den holzvertäfelten Wänden mit rotem Plüsch bezogen, und tiefgrüne Samtportieren, von dikker Seidenkordel gerafft, teilten die einzelnen Räume voneinander ab.

Alte Damen versammelten sich hier nachmittags zu ihrem Plauderstündchen. Morgens sah man meistens nur Vertreter bei einem eiligen Frühstück. Sie wirkten in ihren modischen Anzügen hier irgendwie fehl am Platz.

Katrin wählte einen Tisch, der im hinteren Teil des Cafés lag, von dem sie aber den Eingang sehen konnte.

Sie zog ihre Handschuhe aus. Ihre Hände waren ohne jedes Gefühl, kalt und pelzig bis in die Fingerspitzen. Die Kälte saß in ihrem ganzen Körper, als habe sie nächtelang nicht geschlafen oder tagelang gehungert und gefroren.

Im Spiegel ihrer Puderdose prüfte sie ihr Gesicht. Es war glatt und weiß. Nur um die Augen lagen dunkle Schatten. Sie tupfte ein wenig Puder darüber und erneuerte ihr Lippenrot.

Dann blickte sie wieder zum Eingang hinüber und wartete. Jetzt, da sie ihre Entscheidung gefällt hatte, war sie ganz unruhig. Sie hatte beschlossen, Richard Jansen über die Untreue seiner Frau aufzuklären. Renate hatte ihren Mann betrogen, das stand für sie über jeden Zweifel fest. Renate und Steinweg. Es war unfaßbar, immer noch, auch im grellen Licht des Tages, aber es war die Wahrheit.

Richard betrat das Café, blickte sich um, nickte Katrin zu, als er sie erkannte, und kam zu ihr herüber.

Er trug einen seiner tadellos geschneiderten dunkelgrauen Anzüge, ein blütenweißes Hemd, eine dezente Krawatte. Das graue Haar war sorgfältig gebürstet. Er wirkte wie stets selbstsicher und gelassen.

»Guten Morgen, Katrin«, sagte er und setzte sich ihr gegenüber.

»Guten Morgen«, erwiderte sie spröde, ohne ihm die Hand zu geben. Mit einemmal tat er ihr leid, mit einemmal empfand sie Bedauern darüber, daß sie ihn verletzen mußte. Sie wußte, daß ihn am meisten treffen würde, was sie ihm zu erzählen hatte. Es würde seine Selbstsicherheit und seine Gelassenheit für immer zerstören, vielleicht sogar seine Persönlichkeit. Aber das Mitleid währte nur einen Herzschlag lang, denn wer hatte sie geschont – weder Steinweg noch Renate.

Richard zog sein Zigarettenetui aus der Tasche, bot ihr eine Zigarette an, gab ihr und sich selbst Feuer.

»Willst du nichts trinken?« fragte sie, um Zeit zu gewinnen.

»Ich habe leider nicht viel Zeit, wie du weißt.«

Sie nickte stumm.

»Was wolltest du mir sagen?« fragte er.

»Renate betrügt dich.«

Jetzt war es heraus, sie konnte es nicht mehr zurücknehmen, niemals mehr. Aber sie forschte vergeblich in seinem Gesicht nach einer Reaktion.

Sein Gesicht veränderte sich nicht, kein Muskel zuckte. Es blieb kühl, höflich und reserviert. Nur seine Augenlider flatterten einen Herzschlag lang, aber vielleicht bildete Katrin sich das auch nur ein. Sie sah von ihm fort.

»Woher willst du das wissen?« fragte Richard. Auch seine Stimme klang kühl, ohne jede Empfindung.

»Ich habe es gestern erfahren – von dem Mann – mit dem sie in der Eifel war.« Und dann sprudelte es aus ihr heraus, sie tat sich keinen Zwang mehr an, war mit einemmal jenseits jeder Beherrschung.

»Sie haben dich betrogen und auch mich – derselbe Mann, verstehst du – es muß sehr lange gehen, vielleicht schon seit Jahren. Ich hätte es nie von Renate erwartet. Niemals! Sie war meine beste Freundin, sie war mir wie eine Schwester, und dann das! Ich verstehe nicht, daß sie uns so betrügen konnte, ich kann es einfach nicht fassen. Sie hat immer so getan . . .«

»Du sagst, sie war mit ihm in der Eifel?«

»Ja, natürlich – ich sollte doch nur als Alibi dienen. Angeblich hielt sie es zu Hause nicht mehr aus, als du in Amerika warst. Aber in Wirklichkeit . . .«

171

»Wer ist es?« fragte er.

»Dieser Schuft, dieser gemeine Schuft. Ich hasse sie beide, ihn und Renate. Und du tust mir so leid – es ist ja alles so furchtbar. Warum mußten sie uns das antun? Ich bitte dich, Richard, womit hast du das verdient, womit ich? Was haben wir ihnen getan?«

Richards Augen hafteten auf ihr, aber Katrin sah mit einemmal, daß er sie gar nicht anschaute, daß sein Blick durch sie hindurchging, daß er gar nicht mehr zuhörte.

»Ich werde es nie verstehen«, murmelte sie.

»Meine Zeit ist um«, sagte Richard, »ich muß gehen.« Er erhob sich.

Katrin fühlte sich plötzlich eingeschüchtert, nickte nur stumm. Sie stand ebenfalls auf.

Er half ihr in den Mantel, hielt die gläserne Schwingtür für sie auf.

»Richard, ich mußte es dir doch sagen, nicht wahr?« Diesmal streckte Katrin die Hand aus, aber er nahm sie nicht.

»Adieu, Katrin«, sagte er, verbeugte sich knapp und ließ sie einfach stehen.

Sie blickte ihm nach, wie er mit festen, bestimmten Schritten zu seinem Wagen ging.

Entweder hatte er schon alles geahnt, gewußt, oder er war eiskalt.

Ich wünschte, ich wäre wie er, dachte sie, eiskalt, ohne jede Empfindung. Sie schluchzte trocken auf. Dann drehte sie sich um und lief in ihr Atelier.

Richard Jansen saß hinter dem Steuer seines Wagens. Er starrte durch die Windschutzscheibe, die trüb war vom Morgendunst. Er tastete mit der Hand über die Knöpfe des Armaturenbretts, griff an seine Brieftasche, nach den Wagenschlüsseln, als müsse er sich vergewissern, daß wenigstens etwas noch seine gewohnte Ordnung hatte. Dann zog er die Packung Zigaretten heraus, zündete sich eine an.

Er saß da und rauchte und blickte vor sich hin. Er spürte die eisige Leere in seinem Magen und das dumpfe Schlagen seines Herzens.

Also doch, also doch. Das war es, was er dachte, und sonst nichts.

Um ihn herum hasteten Menschen vorbei, Frauen mit Einkaufstaschen, Männer auf verspätetem Weg ins Büro. Ein paar Schulkinder mit Ranzen auf dem Rücken sprangen über die Fahrbahn, beäugten neugierig seinen schweren amerikanischen Wagen.

Und er saß darin wie in einer gläsernen Zelle. Da waren die Geräusche von draußen, das Hupen der Autos, das Heulen der Schiffssirenen vom Fluß, Stimmen von Menschen. Aber all das drang nur dumpf und ohne Bedeutung in sein Bewußtsein.

Wie in einer gläsernen Zelle saß er, wie in einem Glashaus. Noch waren die Wände intakt, aber da knisterten die ersten Risse, tiefe breite Spalten, durch die ätzend der Wind der Erkenntnis strich: Deine Frau hat dich betrogen. Die Frau, die du liebst, die ein Kind von dir bekommt, hat dich betrogen. Ein Kind von mir? Wieso mein Kind? Die Zigarette verbrannte ihm die Fingerspitzen . . .

Es muß schon lange gehen, vielleicht schon Jahre . . . sie war mit ihm in der Eifel . . . Er hörte wieder die hohe, unbeherrschte Stimme von Katrin.

Seit Jahren, wiederholte es dumpf in ihm, seit Jahren.

Er startete den Wagen, fuhr los. Er kam an den Bürgerbräustuben vorbei. Es gab ihm einen Stich. Das war erst gestern gewesen, als Renate ihn dort erwartete, als er glücklich war, glücklich wie früher, weil sie endlich wieder Vertrauen zu ihm gefaßt hatte. Er fuhr weiter, kam in eines der neuen Wohnviertel, bunte, zweistöckige Häuser, Bogenlampen, welche die noch lehmige Straße überspannten. Frauen, die in den Fenstern Bettzeug auslegten, Kinder, die über kümmerliche Rasenflächen tollten.

Gegenüber der Eckkneipe mit dem blauen Löwenzeichen hielt er an und stieg aus. Schal schlug ihm der Geruch nach kaltem Rauch und Bier entgegen, als er den Schankraum betrat. Hinter der Theke stand ein junges Mädchen. Sie lächelte ihn mit müden Kinderaugen an.

»Was darf's sein?«

»Einen doppelten Cognac«, sagte er, »aber zuerst möchte ich einmal telefonieren.«

»Bitte sehr.« Sie wies ihm den Weg durch einen düsteren Flur. »Es ist gestern spät geworden, es ist noch nicht aufgeräumt.« Mit einer vagen, entschuldigenden Handbewegung umfaßte sie das kleine Büro.

»Es macht nichts, es dauert nur einen Augenblick«, sagte er.

Das Mädchen ging, ließ ihn allein zurück, und er wählte die Nummer.

Herbert kam an den Apparat.

»Richard, Renate wartet schon auf dich!«

»Sag ihr, daß es später wird.«

»Aber ihr wolltet doch . . .«

»Ich habe noch eine wichtige Besprechung«, sagte Richard kalt. »Sie muß sich eben gedulden.«

»Willst du nicht wenigstens selbst mit ihr sprechen? Sie wird sehr enttäuscht sein . . .«

»Richte ihr aus, daß es später wird. Das ist alles. Guten Morgen.« Damit legte Richard auf.

Er ging zurück in den Schankraum. Das Mädchen hatte den Cognac schon ausgeschenkt.

»Zum Wohl«, sagte sie.

Er nickte und trank, schob ihr das Glas wieder zu. Sie goß nach, sah ihn mit ihren unausgeschlafenen Kinderaugen an, ein wenig neugierig, ein wenig schwärmerisch. Sie hatte hübsche Augen, grün mit winzigen, braunen Punkten in der Iris.

»Noch einen?« fragte sie.

Er nickte. »Ja, bitte.«

Dann zahlte er und ging. Er hatte schon die Tür erreicht, als das Mädchen sagte: »Da drüben ist ein Automat, da können Sie Pfefferminz ziehen.« Ihre Stimme klang schüchtern und gleichzeitig ein wenig besorgt.

»Ich kann eine ganze Menge vertragen«, sagte er, und sie lächelte und nickte.

Er spürte nichts von dem Cognac, gar nichts. Es war, als hätte er Wasser getrunken. Er wäre am liebsten in die Kneipe zurückgegangen, aber er nahm sich zusammen. Er stieg wieder in den Wagen und fuhr weiter. Er wußte genau, wohin er wollte, um die wirkliche, die objektive Wahrheit zu erfahren.

»Warum darf ich nicht mitfahren, Mami? Du hattest es mir doch versprochen, als ich so krank war!« wollte Peter wissen. Er hockte auf dem breiten Bett in ihrem Schlafzimmer, noch im Pyjama. Er hatte die Beine hochgezogen und sein Kinn darauf gesetzt. Er sah Renate aufmerksam mit seinen großen blauen Augen zu, während sie zwischen Kleiderschrank und aufgeklapptem Koffer hin- und herging.

»Es geht wirklich nicht«, sagte sie und wählte das schwarze Chiffonkleid, von dem sie wußte, daß Richard es besonders an ihr liebte. Sie glättete es vorsichtig über den grünen und weißen Lastexhosen, die schon im Koffer lagen.

»Aber warum denn nicht? Ich will auch ganz bestimmt brav sein!«

Renate legte die Goldsandaletten in der Plastikhülle aus der Hand und setzte sich neben den Jungen. Sie fuhr ihm mit der Hand durch das wuschelige blonde Haar.

»Wenn du jetzt sehr brav sein willst, dann quälst du deine Mami nicht weiter. Ich verspreche dir, daß wir dich im Sommer auf eine ganz große Reise mitnehmen.«

»Wann ist denn Sommer?«

»Bald«, sagte sie. »Geh jetzt brav zu Martha und laß dich anziehen, und dann liest Oma dir ein Märchen vor.«

»Och, die Märchen kenne ich doch schon alle!«

»Peter, du machst mich böse!«

In seine Augen trat ein erschreckter Ausdruck. »Das will ich aber nicht, Mami!« Er schlang schnell seine Arme um ihren Hals und drückte sich fest an sie. »Ich geh' ja schon, aber du kommst noch zu mir und sagst mir auf Wiedersehen, bevor du wegfährst, und der Papi auch!«

»Ja«, versprach sie, »wir kommen noch zu dir.«

Sie sah ihm nach, wie er hinauslief, mit den staksigen, dünnen Jungenbeinen, um welche die hellblauen Hosen des Schlafanzuges flatterten.

Und plötzlich, ohne daß sie wußte warum, schossen ihr Tränen in die Augen.

Nimm dich zusammen, sagte sie zu sich selbst, nimm dich um Himmels willen jetzt zusammen.

Das Mädchen Lisa brachte Richards Koffer und fragte, ob sie helfen könnte.

Aber Renate schüttelte den Kopf. »Nein, danke, Lisa. Ich werde schon allein fertig.«

»Aber der gnädige Herr sagt, Sie müßten sich schonen.«

»Ich fühle mich heute sehr wohl, Lisa.« Renate lächelte. Aber es stimmte nicht. Sie hatte zwar in der letzten Nacht zum erstenmal seit langer Zeit wieder tief und fest geschlafen, doch sie fühlte sich immer noch zerschlagen und von dieser Spannung erfüllt, die sie seit Wochen schmerzhaft festhielt.

Es ist die Schuld, die ich auf mich geladen habe und die ich nie wieder loswerde, dachte sie, es ist das schlechte Gewissen.

Sie blickte in den langen Spiegel ihres Kleiderschranks. Er reflektierte ihre ganze Gestalt.

Noch war sie schlank, noch sah man nicht das geringste, sie wirkte eher noch schlanker und zerbrechlicher als früher. Sie hatte auch noch keine Beschwerden, nicht einmal die Übelkeit am Morgen wie damals bei Peter.

Aber bald wird man es mir ansehen, alle werden es mir ansehen, unsere Bekannten, unsere Freunde, und sie werden Richard und mich beglückwünschen, und er wird stolz sein, er wird so froh sein wie damals.

Ich werde es nicht durchhalten, aber ich muß es mit allen Kräften versuchen. Ich darf nicht aufhören, mich zusammenzunehmen.

Im Spiegel sah sie, wie sich die Tür öffnete. Herbert trat schnell ein. Sie wandte sich um.

Sein Gesicht trug einen erschreckten, verstörten Ausdruck.

»Du bist allein?«

»Natürlich«, sagte sie. »Richard ist doch noch einmal ins Werk gefahren.«

»Ich meine ja auch nicht ihn, sondern Peter.« Herbert trat schnell zur Verbindungstür ins Bad, blickte hinein.

»Er ist bei Martha oder bei Mutter«, sagte Renate. »Was ist los? Ist irgend etwas geschehen?« Ohne daß sie es wollte, kroch schon ein Anflug von Panik in ihre Stimme.

Herbert hob die Schultern. »Ich weiß es nicht. Es ist alles so sonderbar.«

Er warf sich in einen Sessel und streckte die Beine lang von sich, wie jemand, der zu lange und zu schnell gelaufen ist. Er fuhr sich mit der Hand über sein blasses Gesicht, rieb sich die Wangen.

»Spann mich doch nicht auf die Folter«, sagte Renate, »was ist passiert?« Automatisch griff sie nach den Zigaretten, zündete sich eine an, inhalierte tief.

»Heute morgen, noch vor neun Uhr, rief Katrin an.«

»Katrin?«

»Ja, Katrin. Sie wollte Richard sprechen, nicht dich. Ich wollte sie mit dir verbinden, aber da legte sie auf. Ich dachte mir nichts Besonderes dabei, aber . . .« Er hustete dumpf.

»Was aber?« fragte Renate ungeduldig.

»Vor ein paar Minuten rief Richard an, er sei aufgehalten worden im Werk, er habe noch eine wichtige Unterredung. Auch ihn wollte ich mit dir verbinden. Aber er sagte nur, ich solle es dir ausrichten, daß er später käme. Und dann legte auch er auf.«

»Na und?«

»Du weißt doch, daß sonst immer sein Sekretariat einen mit ihm verbindet. Aber heute war er direkt am Apparat. Seine Stimme klang so kalt, so abweisend, und daß er nicht mit dir sprechen wollte, genau wie Katrin.«

Herbert blickte Renate starr an. »Weiß sie von dir und Steinweg?«

»Natürlich nicht.«

»Weiß niemand davon außer Mutter und mir?«

»Ich bin doch nicht verrückt.«

»Sie kann also von allem keine Ahnung haben?«

Renate sog an ihrer Zigarette, atmete den Rauch tief ein. »Woher soll ich das wissen?« sagte sie gequält.

»Du bist also nicht sicher?« fragte Herbert kaum hörbar.

»Es ist da –«, sie räusperte sich, aber ihre Stimme blieb heiser, »es gibt da eine Verbindung zwischen Steinweg und Katrin. Aber ich kann mir nicht vorstellen, daß er ihr – ich meine . . .«

»Was meinst du?« fragte Herbert scharf.

»Sie haben ein Verhältnis miteinander, und deswegen glaube ich nicht, daß er Katrin von mir erzählt hat.«

Herbert starrte Renate verblüfft an. Seine Augen weiteten sich in völligem Unverständnis.

»Du meinst – sie hat *auch* ein Verhältnis mit Steinweg?«

Renate nickte stumm.

Herbert begann leise zu lachen. Es war ein grimmiges, verzweifeltes Lachen.

»Hör auf«, fuhr Renate ihn an.

Herbert verstummte. Dann fragte er ganz schlicht: »Also – und wenn Steinweg Katrin nun doch etwas gesagt hat?«

Renate war, als flösse alles aus ihr weg. Sie konnte nicht mehr stehen, ihre Knie gaben nach, sie mußte sich setzen.

»Ich kann es nicht glauben«, sagte sie schließlich.

»Er ist zu allem fähig!« Herbert sprang auf, kam zu ihr, beugte sich über sie, faßte ihre Schultern und schüttelte sie.

»Was hat er dir gesagt, als ihr euch zum letztenmal gesehen

habt? Hat er dir gedroht? Antworte mir, los, du weißt doch, um was es geht!«

»Er hat gesagt, ich soll nicht allzu sicher sein, daß er nicht eines Tages . . . Ich soll nicht sicher sein, daß er immer schweigen wird . . .«

»Ich habe es ja gewußt!« Herbert ließ sie los. Er trat schnell zu dem Telefonapparat auf ihrem Nachttisch.

»Was tust du?« fragte sie.

»Im Werk anrufen.«

»Das kannst du nicht. Was willst du Richard sagen, wenn er doch da ist?«

Herbert bedeckte die Muschel mit seiner rechten Hand. »Ich werde schon eine Ausrede finden.« Und dann: »Ja, bitte, verbinden Sie mich mit Herrn Jansen.«

Renate blickte auf seinen knochigen Rücken, auf die mageren Schultern, die nach vorne gesunken waren.

»Hallo? Bitte verbinden Sie mich mit meinem Schwager.«

Renate hielt den Atem an, preßte in plötzlicher, ohnmächtiger Angst die Hände vor den Mund.

»Nicht da . . .«, sagte Herbert. »Ja, ich verstehe, danke vielmals.« Er legte auf.

Er wandte sich um. Sein Gesicht war grau. Seine Augen wirkten erloschen.

»Richard ist gleich nach dem Anruf von Katrin fortgefahren und bisher nicht zurückgekehrt.«

»Du meinst also . . .« Renate konnte nicht weitersprechen. Sie krampfte ihre Hände in die Bettdecke. Es gab ein scharf ratschendes Geräusch, als sich ihre Nägel in die dünne Seide krallten.

Herbert hatte den Kopf gesenkt. Sie konnte den Ausdruck seines Gesichtes nicht erkennen. Seine rechte Hand strich über den Aufschlag seines Jacketts, auf und ab, auf und ab, eine gelbe, dünne, abgezehrte Hand.

»Renate, hier ist noch . . .« Gertrud Bach verstummte. Sie stand schon mitten im Zimmer, aber erst jetzt bemerkten die beiden sie.

Ihr Blick wanderte erstaunt und verständnislos von einem zum anderen.

Sie trug ein schwarzes Kostüm über dem Arm, welches Renate in die Küche zum Bügeln gegeben hatte.

»Was sitzt ihr denn so da, und was macht ihr für Gesichter?

Renate, bist du denn schon mit dem Packen fertig?« Und mit einem Blick auf den erst halb gefüllten Koffer: »Du mußt dich doch beeilen, Richard wird bald zurück sein.«

»Nicht so bald, Mutter«, sagte Renate. »Er hat noch eine Besprechung, es kann noch eine Weile dauern.« Aber sie erhob sich und fuhr mit dem Packen fort.

»Es ist doch nichts geschehen?« fragte Gertrud Bach. Sie sah immer noch verständnislos von einem zum anderen.

»Aber nein, Mutter«, sagte Herbert und zwang sich zu einem Lächeln. »Es ist alles in bester Ordnung.«

»Na, dann will ich wieder gehen. Peter wartet nämlich auf mich.«

Gertrud Bach legte das Kostüm auf das Bett und ging schnell hinaus, als habe sie Angst, weitere Fragen zu stellen, Angst vor den Antworten, die sie schon vage in den Gesichtern ihres Sohnes und ihrer Tochter las.

Herbert trat neben Renate und legte ihr die Hand auf den Arm.

»Mach weiter, hörst du, pack deine Koffer und tu so, als wüßtest du von nichts, auch wenn Richard nach Hause kommt, falls ich noch nicht zurück bin. Was immer er fragt, leugne, hörst du?« Seine Stimme hatte einen beschwörenden Klang angenommen, seine Finger gruben sich in ihren Arm. »Hast du mich verstanden, Renate?«

»Ja«, flüsterte sie gequält, »aber was soll das alles? Wohin willst du? Was willst du tun?«

»Ich fahre zu ihr.«

»Zu Katrin?«

»Ja. Ich will genau wissen, was geschehen ist.«

In ihrem Atelier traf Herbert Katrin nicht mehr an. Die Mädchen sagten ihm, daß sie sich nicht wohl gefühlt habe und nach Hause gefahren sei.

Er fuhr zu dem Apartmenthaus in der Volkerstraße, in dem sie wohnte. Er mußte ein paarmal klingeln, ehe der Türöffner summte.

Er nahm zwei Stufen auf einmal, als er die Treppen hinauflief. Katrin erwartete ihn in der Wohnungstür.

Er sah sofort, daß sie geweint hatte. Ihre Lider waren rot verquollen.

»Was wollen Sie?« fragte sie mit hoher, harter Stimme.

»Ich muß mit Ihnen sprechen.«

Sie machte eine Bewegung, als wollte sie die Tür schließen, aber er trat schnell dazwischen.

Sie blickte ihn mit kalt glitzernden Augen an. »Na gut, kommen Sie rein«, sagte sie schließlich.

Auf der schwarzen Marmorplatte des niedrigen Wohnzimmertisches standen eine halbleere Cognacflasche und ein Wasserglas. Der Aschenbecher war hoch gefüllt mit Zigarettenkippen. Die Luft war blau von Rauch.

»Also, was wollen Sie?« fragte Katrin noch einmal.

Sie blieb in der Mitte des Raumes stehen. Ihre Arme hingen steif herab, aber ihre Hände öffneten und schlossen sich. Als sie seinen Blick bemerkte, hob sie die Arme und kreuzte sie vor der Brust. Ihre Lippen preßten sich trotzig abweisend aufeinander.

»Sie haben heute morgen meinen Schwager angerufen. Sie haben sich mit ihm getroffen, und Sie haben behauptet, daß meine Schwester ein Verhältnis mit Steinweg unterhalte.« Herbert sah, wie Katrin zusammenzuckte, wie ihre Lippen sich noch fester schlossen, bis sie nur noch ein schmaler Strich in einem kalkweißen Gesicht waren.

»Geben Sie es zu«, sagte er, »geben Sie doch zu, daß Sie eine teuflische Gemeinheit an meiner Schwester begangen haben!«

»Ich bin Ihnen keine Erklärung schuldig!« erwiderte sie kalt.

»Sie haben es also getan?«

»Und wenn es so wäre?« stieß sie hervor.

»Und warum?«

Ihre Augen glänzten in einem düsteren Feuer.

»Einer mußte es Jansen doch sagen, nicht wahr? Und da ich es nun einmal wußte . . .« Sie lachte kurz und hart auf. »Warum sollte *ich* es ihm nicht mitteilen? Warum nicht *ich?* Etwa weil Renate meine Freundin ist? Eine feine Freundin, die nicht nur ihren Mann betrügt, sondern auch mich. Die mir alles kaputtgemacht hat, alles, verstehen Sie?« In Katrins Augen glitzerte jetzt blanker Haß. »Es genügt ihr nicht, einen reichen Mann zu haben, der sie obendrein noch liebt, ein Kind, alles, was sich eine Frau nur wünschen kann. Nein, das genügte Ihrer feinen Schwester nicht. Sie mußte mir auch noch den Mann nehmen, den ich liebte, ich, ihre beste Freundin, aus verfluchter Langeweile, weil sie nichts Besseres mit ihrer Zeit anzufangen wußte, weil sie sich beweisen wollte, wie attraktiv sie noch ist, weil sie nicht besser ist als alle diese reichen, verwöhnten Flittchen . . .«

»Sie sind ja verrückt!« fuhr Herbert sie an. »Sie wissen nicht, was Sie sagen.«

»Ich weiß es nicht?« höhnte Katrin. »Daß ich nicht lache! Was ist denn Ihre Schwester anders als eine reiche Hure?«

Einen Augenblick lang war er versucht, sich auf sie zu stürzen, mit seiner Hand das höhnisch verzerrte, falsche Lachen aus diesem weißen Gesicht zu schlagen, diesen Mund zum Schweigen zu bringen, der sie alle ins Unglück gestürzt hatte. Aber im selben Moment wußte er, daß es zu spät war, daß all das schon geschehen war, vor dem sie sich seit Wochen gefürchtet hatten: Richard wußte nun Bescheid. Renates Untreue ließ sich nicht mehr verbergen. Resigniert ließ er den Arm sinken.

»Ich habe die Beweise!« sagte Katrin mit einemmal ganz ruhig. »Beweise – schwarz auf weiß.«

»Nichts haben Sie – gar nichts. Nur Ihr Mißtrauen, Ihre Eifersucht. Es ist alles ganz anders, und Sie würden es niemals verstehen.«

»Was ist anders? Ausreden, nichts als Ausreden«, rief sie. »Aber ich weiß, was ich gesehen habe. Waren Sie schon mal in Steinwegs Ausstellung, haben Sie sich seine Plastiken angeschaut? Siebenmal Renate in jeder Form und Farbe, wie Sie es haben wollen! Und dann die Fahrt in die Eifel, zu der ich das Alibi liefern sollte! Da war sie mit ihm weg, und bei sich zu Hause hat er Fotos von ihr!«

»Na – und? Beweist das etwas? Hat Ihnen Steinweg selbst etwa diesen Unsinn eingeredet?«

Katrin lachte wieder kurz und hart auf. »Steinweg? Der lügt genauso wie Renate.«

Plötzlich war ein Funken Hoffnung da.

»Und Sie rennen mit diesen fadenscheinigen Vermutungen zu meinem Schwager?« schrie er in jäher, rasender Wut. Er sah, wie sie unsicher wurde.

»Steinweg und Renate haben sich früher einmal gekannt. Das ist alles. Er hat sie geliebt, daher die Plastiken, daher die Fotos. Aber er war nie mit Renate in der Eifel. Und sie hat nie ihren Mann mit ihm betrogen!«

»Ich glaube Ihnen nicht«, sagte Katrin, aber ihre Stimme schwankte.

»Tun Sie, was Sie wollen. Aber denken Sie darüber nach, daß Sie eine Familie zerstört haben, daß Sie uns alle auf dem Gewissen haben, wenn Richard nicht einsichtig genug ist, Ihre Behauptungen als Lügen abzutun. Daß wir dann alle auf der Straße stehen.«

Ekel vor sich selbst schoß ihm bitter in den Mund. Aber er behielt die Maske des zornigen Gerechten bei. »Überlegen Sie es sich, Katrin«, sagte er noch einmal, und dann ging er.

Unten, im Taxi, das er hatte warten lassen, lehnte er sich erschöpft in den Sitz.

»Fahren Sie zur Mauritiusstraße zurück«, sagte er zu dem Fahrer. Und er dachte: Wenn wir nur einen winzigen Zipfel Glück haben, auch wenn wir es nicht verdienen, auch wenn jedes Wort, das über unsere Lippen kommt, Lüge ist, dann wird Richard jetzt zu Hause sein, und ich werde mit ihm sprechen, ihm das gleiche sagen wie Katrin, und er wird mir glauben. Solange Steinweg seinen Mund hält, ist noch nichts verloren.

Er dachte auch: Wie lange halte ich das noch durch und warum eigentlich? Für die paar armseligen Monate, die ich noch zu leben habe? Für meine Schwester, die schwach und willenlos diesem menschlichen Ungeheuer erlegen ist? Für meine Mutter, für die es im Grunde genommen egal ist, was geschieht, die schon damals resigniert hat, als sie unseren kranken Vater heiratete, und der es am wenigsten ausmachen würde, wenn sie dahin zurückkehren müßte, woher wir gekommen sind, in das kleinbürgerliche, enge, magere Leben? Warum tue ich es also?

Er fand die Antwort nicht. Er wußte nur, daß er mit ihnen allen in dem Glashaus saß, dessen Wände dünn und spröde von ihren Lügen geworden waren, daß auch er Schuld trug an dem, was geschah.

Renate saß in der Bibliothek. Sie war sehr stark zurechtgemacht, aber das Make-up konnte die Blässe ihres Gesichts nicht verbergen.

»War Richard schon hier?« fragte Herbert. Er trat an die Anrichte. Er schenkte sich ein Glas Cognac ein und leerte es auf einen Zug.

»Nein«, sagte Renate, »er hat sich auch noch nicht gemeldet. Ich habe alles gepackt. Wir könnten sofort losfahren, wenn er käme.«

»Wo ist Mutter?« fragte er.

»Mit Peter im Garten. Sie wollen sich das neue Vogelhaus ansehen, das der Gärtner gebastelt hat.«

Sie fragte nich, ob er wirklich bei Katrin gewesen sei, es war, als habe sie Angst, überhaupt etwas zu fragen.

Er trat ans Fenster und blickte hinaus auf die Straße.

»Ich war bei ihr. Sie hat Richard erzählt, daß du ein Verhältnis mit Steinweg hättest.«

Renate blickte nicht auf, blieb stumm.

»Sie hat Fotos von dir bei Steinweg gefunden. Er selbst hat ihr nichts gesagt.«

Renate preßte die Hände zusammen.

»Ich glaube, ich habe sie unsicher gemacht«, sagte Herbert. »Ich glaube sogar, sie würde am liebsten alles rückgängig machen, was sie Richard gesagt hat. Es könnte noch alles gut ausgehen . . .«

Es war, als höre Renate ihm gar nicht zu. Ihre Hände drehten und zerrten ihr Taschentuch zu einem formlosen Lappen.

»Wenn Richard jetzt kommt, gehst du sofort nach oben. Ich werde mit ihm reden, und zwar allein.«

Renate schüttelte den Kopf.

»Du wirst tun, was ich dir sage. Wir können jetzt nicht mehr zurück.« Herbert lehnte sich gegen die Fensterbank und stützte sich mit den Händen auf. »Wir haben so viel und so lange gelogen, wir können jetzt nichts anderes tun als weitermachen.«

»Wie lange noch?« Ihre Stimme klang spröde und tonlos.

»Laß mich nur machen«, sagte er, »ich habe ja am wenigsten zu verlieren. Die paar Monate, die mir noch bleiben . . .«

Renate stand auf und strich sich mit einer müden Gebärde das Haar aus der Stirn. Stumm trat sie neben ihren Bruder ans Fenster. Gemeinsam blickten sie hinaus, und gemeinsam warteten sie auf Richard, der jetzt ihr Leben und ihr Schicksal in der Hand hielt.

Jansen hatte den Wagen gegenüber der Detektei Bertram geparkt. Er saß schon eine ganze Weile hinter dem Steuer und konnte sich nicht entschließen, auszusteigen.

Die Taschenflasche Cognac, die er unterwegs gekauft hatte, war leer, aber er spürte den Alkohol immer noch nicht. Sein Kopf war ganz klar, und seine Gedanken gehorchten ihm wie stets.

Schon einmal hatte er die objektive Wahrheit in Händen gehalten, einen braunen Umschlag, in dem der Bericht gelegen
hatte mit allen Einzelheiten dessen, was Renate in der letzten
Woche getan hatte.

Einzelheiten – was nützten sie ihm jetzt noch. Mit wem, wann
und wie oft, das war letzten Endes egal. Ob es in einem Jungge-
sellenapartment geschah oder in einer Studentenbude, in einem
Atelier oder einer Villa, in einem Stundenhotel oder einem Wo-
chenendhaus – was zählte das jetzt noch? Wie er aussah, was er
war und woher er kam, der andere, das war jetzt gleichgültig. Begreifen, daß sie ihn betrogen hatte, würde er es nie.

Ich weiß es, dachte er, und das genügt. Unsere sieben gemeinsamen Jahre haben ihr nichts bedeutet, sonst hätte sie es nicht
tun können. Es genügt nicht, eine Frau zu lieben, ihr zu vertrauen, sie auf Händen zu tragen, wie es so schön heißt, das alles
reicht nicht aus, damit kann man ihre Treue nicht erkaufen. Aber
auch das ist jetzt egal, es ist alles ganz egal.

Drüben, bei der Detektei, öffnete sich die Tür, und Bertram
trat heraus. Er trug einen eleganten Kamelhaarmantel und einen
flotten braunen Stetson-Hut. Er blickte zum düsteren Himmel
hoch und spannte dann den Regenschirm auf. Mit seinen langsa-
men, bedächtigen Schritten näherte er sich der Gartenpforte und
klinkte sie auf.

Beinahe amüsiert sah Richard, wie Bertram den Kopf vor-
reckte, seinen Hut zog und mit weniger bedächtigen Schritten
die Straße überquerte. Richard ließ sein Fenster herunter.

»Guten Tag, Herr Bertram!« Bertram knickte in einer halben
Verbeugung ein. »Sie wollen sicher zu mir?«

»Eigentlich ja«, sagte Richard.

»Sie sind doch hoffentlich mit unseren Ermittlungen zufrieden?« Bertram beugte sich vor und senkte seine Stimme. »Falls
Sie weitere Einzelheiten brauchen, ich meine wegen der Scheidung, dann könnten wir uns ja noch darüber unterhalten. Ich
habe da einen sehr versierten Mann, den ich in solchen Fällen
einsetze.«

»Nein, danke«, erwiderte Richard, »das, was Sie herausgefunden haben, genügt mir. Und bitte – brechen Sie die Nachforschungen ab!«

Erstaunen und Enttäuschung zeigten sich flüchtig in den
grauen Augen Bertrams.

»Wie Sie wünschen«, sagte er dann, »wir sind stets zu Ihren Diensten. Anruf genügt. Und was das Honorar anbelangt –«

»Schicken Sie mir Ihre Rechnung ins Werk.« Richard drückte auf den Knopf, der das Fenster automatisch schloß, und startete den Wagen, ohne sich um den verblüfft zurücktretenden Bertram weiter zu kümmern.

Etwa eine Stunde lang fuhr er noch in den Randbezirken der Stadt ziellos umher, durch alte Villenviertel und neue Apartment-Siedlungen, wo der Regen die grellen Farben mit grauer Patina tünchte. Vor einer Schule sprang ihm ein kleiner Junge fast in den Wagen. Aber er konnte das Steuer noch rechtzeitig herumreißen. Im Rückspiegel sah er, daß der Junge nach einer Schrecksekunde rasch weiterlief und in der Horde johlender Kinder auf dem Schulhof untertauchte.

In diesem Moment dachte er zum erstenmal an Peter, seinen eigenen Sohn. Fünf Jahre war er alt, ein aufgewecktes, kluges Kind. Als er krank wurde, war Renate mit diesem Kerl in der Eifel gewesen.

Was sollte jetzt aus Peter werden?

Nicht daran denken, nicht schon jetzt. Er war noch ein Kind. Man konnte vieles vor ihm verheimlichen, wenigstens eine Zeitlang.

Es hilft alles nichts, dachte Richard, ich kann nicht ewig so herumfahren. Entweder ich fahre ins Werk oder nach Hause.

Aber ich kann weder das eine noch das andere. Ins Werk, arbeiten, wie soll ich heute noch arbeiten? Und nach Hause, das kein Zuhause mehr ist?

Wie recht ich hatte, als ich von Paris zurückkehrte. Schon damals hab' ich es gespürt, schon damals habe ich gewußt, daß etwas nicht stimmt, habe es zum erstenmal bewußt gespürt.

Und während er dies noch dachte, sah er mit einemmal Barbara vor sich.

Lachende, sorglose Barbara, die sich freute, ihn wiederzusehen, Barbara mit dem schwarzen Haar und den langen, schlanken Beinen und den geschmeidigen, beherrschten Bewegungen, der weichen Stimme, dem fröhlichen Lachen.

Da wußte er, was er wollte. Warum soll ich anders sein als Renate? Warum soll ich anders handeln als andere Männer? Ich habe sogar viel zu lange damit gewartet.

Vor der nächsten öffentlichen Telefonzelle hielt er.

Im Telefonbuch, unter Hohenau, fand er ihren Namen. Er wählte die Nummer. Sie war am Apparat.

»Barbara«, sagte er.

»Richard?« Er hörte Freude und Überraschung in ihrer Stimme. »Das ist aber nett, daß du mich anrufst.«

»Hör zu.« Er mußte sich räuspern. »Ich möchte mit dir fortfahren, ich möchte mit dir zusammen verreisen.«

»Richard, du bist nicht gescheit.«

»Doch«, sagte er, »ich meine, was ich sage.«

»Du bist betrunken.«

»Ich bin nicht betrunken«, sagte er, »fahr mit mir weg. Sag ja.«

Er hörte, wie sie mit einemmal schnell atmete.

»Richard, ich verstehe dich nicht, bitte, erkläre mir . . .«

»Ich kann es dir nicht erklären«, sagte er, »und ich will es auch nicht, wenigstens jetzt noch nicht. Aber ich bitte dich, fahr mit mir weg, und du weißt, was das bedeutet, mit allen Konsequenzen – wenn –«, er mußte sich wieder räuspern, »wenn ich dir als Mann noch genüge, wenn du alles andere vergessen kannst, dann tu es.«

Er lauschte, aber sie antwortete nicht. Auch ihren Atem hörte er jetzt nicht mehr.

»Bist du noch da?« fragte er.

»Ja.«

»Überleg es dir«, sagte er, »ich rufe dich in einer halben Stunde wieder an.«

»Richard?«

»Ja?«

»Gut, ruf mich wieder an.«

Er legte den Hörer auf. Er spürte, wie ein Muskel in seiner linken Wange zuckte, sonst spürte er nichts. Ich werde diese Reise machen, dachte er, aber nicht mit dir, Renate. Mit dir werde ich nie mehr eine Reise machen.

11

In der Bibliothek hatte das Mädchen den Kamin angezündet. Draußen jaulte der Wind in den Bäumen, trieb den Regen in Böen gegen die ebenerdigen Fenster, Zweige schlugen gegen das Glas. Renate hatte eine Stola umgelegt. Sie saß auf der Couch, schmal, in sich zusammengesunken.

Herbert lief hinter ihr auf und ab. Der Teppich schluckte seine Schritte, aber trotzdem machte er sie nervös.

»Setz dich endlich«, sagte sie.

Er blieb neben ihr stehen.

»Wie spät ist es?« fragte sie.

»Noch nicht einmal vier Uhr.«

»Es ist so dunkel draußen, als sei es Abend.«

Renate hatte die Stehlampe angeknipst, und in ihrem Licht sah sie die roten, brennenden Flecken auf Herberts Wangen. Seine Lider zuckten erschöpft.

»Richard kommt nicht mehr«, sagte sie. »Ich spüre es.«

»Einmal muß er doch nach Hause kommen.«

»Ich habe noch einmal in seinem Büro angerufen. Richard hat sich schon für die Reise abgemeldet.«

»Er ist bestimmt irgendwo aufgehalten worden.«

Renate schüttelte den Kopf. »Ich glaube es nicht.«

»Es bleibt uns nichts anderes übrig, als auf ihn zu warten. Und du weißt, was du zu tun hast. Du hältst den Mund, du sagst nichts. Du überläßt alles mir.«

Sie nickte gequält. »Aber wenn er nun – ich meine, wenn er nun zu Steinweg gefahren ist?«

»Er weiß doch nicht, daß es Steinweg ist.«

»Er hat mich beobachten lassen«, sagte sie, »wer weiß wie lange schon.«

»Warum hast du mir das nicht früher erzählt?«

Sie zuckte mit den Schultern. »Ich hatte es vergessen. Aber das war ja auch der Grund, warum ich mit Richard über das Kind gesprochen habe.«

»Und du meinst, er könnte Einzelheiten wissen, könnte jetzt bei Steinweg sein?«

»Mein Gott, ich weiß nichts mehr, außer daß ich das alles nicht mehr lange aushalte.«

»Ich fahre zu Steinweg«, sagte Herbert.

»Du bist verrückt. Das hat doch keinen Zweck.«

»Schaden kann es nichts.«

»Aber du –« Ihre Stimme senkte sich zu einem ängstlichen Flüstern. »Ich meine, du denkst doch nicht mehr daran . . .«

»Ihn umzubringen?« fragte er genauso leise zurück.

Sie sahen sich an, Bruder und Schwester, Komplizen im ausweglosen Spiel ihres Schicksals.

»Nein«, sagte Herbert langsam, »ich denke nicht mehr daran. Dazu ist es jetzt zu spät, das hätte ich früher tun sollen.«

Renate sank in die Couch zurück. »Mach, was du willst«, sagte sie resigniert. »Mir ist jetzt alles egal.«

Sie machte keinen Versuch, Herbert zu halten, als er rasch hinausging.

Richard Jansen steckte die beiden Münzen in den Schlitz des Fernsprechers. Er wählte die Nummer in Hohenau.

Wieder war Barbara sofort am Apparat, als habe sie schon auf seinen Anruf gewartet.

Im ersten Augenblick konnte er nicht verstehen, was sie sagte, denn drüben aus der Schankstube röhrte der letzte Hit aus der Musikbox.

Er preßte den Hörer ans Ohr, hielt sich das andere zu.

»Richard?« Ihre Stimme war weit fort.

»Ja, ich bin es wieder«, sagte er. »Was hast du beschlossen?«

»Wenn du willst, ich meine, wenn du es wirklich willst, fahre ich mit dir.«

Er spürte ein Würgen in der Kehle, und gleichzeitig durchfloß ihn Erleichterung. Die schmerzhafte Spannung der letzten Stunden löste sich auf, als habe es sie nie gegeben.

»Ich danke dir«, sagte er. »Wann und wo darf ich dich abholen?«

»Um sechs, am Hauptbahnhof, im Wartesaal.«

»Ja«, sagte er, »um sechs am Hauptbahnhof.« Und dann: »Du kommst bestimmt?«

»Ja«, sagte sie ganz ruhig, »ich komme.«

Jetzt ist es entschieden, dachte er, während er den Hörer auflegte, aber es ist wenigstens meine Entscheidung, und nicht die der anderen, keine erlogene, keine, die Renate mir aufgezwungen hätte.

Er verließ die Gastwirtschaft, ohne noch einen Cognac getrunken zu haben. Er wollte jetzt nichts mehr trinken. Er wollte nüchtern sein, wenn er Barbara um sechs Uhr abholte.

Und er wollte auch ganz nüchtern sein, wenn er Renate gegenübertrat.

Lisa öffnete ihm, als er nach Hause kam.

»Die gnädige Frau ist in der Bibliothek«, sagte sie und nahm ihm Hut und Mantel ab. Sie streifte ihn mit einem neugierigen Blick. »Sollen die Koffer noch heruntergebracht werden, oder reisen Sie erst morgen?«

»Ich brauche nur den Wochenendkoffer. Bringen Sie ihn schon zu meinem Wagen.«

Er übersah ihre Verblüffung, trat vor den Spiegel.

Mit einer Geste der Gewohnheit strich er sich über die Haare, prüfte den Sitz seiner Krawatte. Dann trat er in die Bibliothek.

Renate saß vor dem Kamin auf der Couch. Hell fielen der Schein der Flammen und das Licht der Stehlampe auf ihr Gesicht. Ihre Augen lagen tief in den Höhlen, waren dunkel umrandet.

Sie stand langsam auf, kam zögernd auf ihn zu.

Sie blieb wenige Schritte von ihm entfernt mitten im Zimmer stehen. Er sah, wie sie neben sich tastete, hinter sich, mit der schmalen rechten Hand, aber da war nichts, woran sie sich festhalten konnte.

»Ich habe lange auf dich gewartet«, sagte sie.

»Ich kann es nicht ändern«, erwiderte er.

»Du hast sehr viel Arbeit gehabt, im Werk?«

»Nein.«

Den Bruchteil einer Sekunde lang irrten ihre Augen ab, unsicher zuckte ihr Mund.

»Es ist ja noch früh«, sagte sie dann, »die Koffer sind alle gepackt . . .«

»Glaubst du wirklich, daß ich noch mit dir verreise?«

Sie trat langsam zurück, lehnte sich gegen einen Sessel.

Er sah plötzlich, durch den dünnen Stoff ihres grünen Wollkleides, daß ihre Knie zitterten. Er sah es ganz deutlich, aber es ließ ihn kalt.

»Ich verreise«, sagte er, »aber nicht mit dir.«

»Und – warum nicht . . .« Ihre Stimme verlor sich.

Er war nahe daran, seine Beherrschung zu verlieren. Er war nahe daran, herauszuschreien: Das fragst du noch? Du hast wirklich noch die Frechheit, nach einem Grund zu fragen? Ist es nicht genug, daß du mich betrogen hast? Seit Wochen, vielleicht Monaten, Jahren. Und ich war ahnungslos, hätte es nie für möglich gehalten, hätte jeden zusammengeschlagen, der es gewagt hätte, dies zu behaupten. Bis ich es einfach glauben mußte, bis ich es klar gesagt bekam, erst von deiner Freundin und dann auch noch von Bertram. Du stehst da und starrst mich an wie ein unschuldiges, verletztes, eingeschüchtertes Kind, du, die mich kaputtgemacht hat mit ihren Lügen und Heimlichkeiten, die meine Liebe mißbraucht hat, mit Füßen getreten. Aber Gott sei Dank bin ich nicht so schwach, lasse mich nicht so leicht unterkriegen. Nein, ganz kaputt kriegst du mich nicht, das werde ich dir beweisen. Es gibt ja auch noch andere als dich, Barbara zum Beispiel. Ich werde dir beweisen, daß ich auch anders sein kann, nicht der Trottel, für den du mich offenbar gehalten hast. Ich habe dich nie betrogen, ich habe noch nicht einmal daran gedacht, es zu tun. Aber jetzt –

Die Kette seiner Gedanken brach ab, denn er sah, daß Renate mit einemmal weinte, lautlos und ohne sich zu rühren. Die Tränen liefen einfach über ihr weißes Gesicht.

Aber er empfand auch nichts mehr dabei, sie konnte ihn nicht mehr rühren, das war vorbei.

»Während meiner Abwesenheit wirst du Zeit genug haben, darüber nachzudenken, warum ich allein verreise«, sagte er, und dann ging er hinaus.

Peter, der in der Halle gehockt hatte, sprang auf und lief ihm entgegen. »Papi – fahrt ihr jetzt noch?«

»*Ich* fahre jetzt, mein Junge«, sagte Richard.

»Ohne die Mami?«

»Ja, ohne die Mami.«

»Da wird sie aber traurig sein«, sagte Peter, »daß du wieder bloß in Geschäften fortfährst.«

»Sei schön brav, während ich fort bin, und mach mir keinen Kummer.«

Der Junge nickte ernsthaft. »Klar, Papi. Kommst du bald wieder?« Er brachte Richard zur Haustür.

»Ich weiß es noch nicht, Peter.«

»Bringst du mir etwas Schönes mit?«

»Ganz bestimmt«, sagte Richard, und er tat etwas, was höchst selten bei ihm vorkam. Er nahm den Jungen in die Arme und drückte ihn fest an sich. Er dachte mit plötzlichem, scharfem Schmerz, der seine Brust durchzuckte: mein Sohn, das einzige, was mir geblieben ist.

Er ließ Peter rasch los und trat hinaus.

Er warf den Koffer auf den Rücksitz, startete hastig den Wagen und kurvte aus der Ausfahrt, ohne noch einmal zurückzuschauen.

»Ich habe Sie schon erwartet«, sagte Steinweg, und sein Gesicht zeigte wirklich nicht die geringste Spur von Erstaunen. »Treten Sie doch näher, bitte.« Er führte Herbert in den großen Wohnraum.

»Einen Augenblick müssen Sie mich schon entschuldigen, ich habe nämlich noch Besuch.« Er machte eine Kopfbewegung in Richtung einer Tür, die einen Spalt weit offenstand, und fügte mit einem vertraulichen Augenblinzeln hinzu: »Und das verdanke ich sogar Ihnen.«

Ekel, Haß und Abscheu stiegen in Herbert auf. Aber er durfte es nicht zeigen.

»Dann wird sich das ganze Mißverständnis ja auch bald meinem Schwager gegenüber aufklären, wie ich hoffe«, sagte er laut.

Katrin trat durch die halboffene Tür herein. Sie blickte unsicher in Herberts Richtung.

»Komm, meine Liebe, trink noch einen Cognac mit uns«, sagte Steinweg mit seiner sanften Stimme.

Sie trat näher, sah Herbert jetzt voll an. »Ich muß gehen, ich habe keine Zeit mehr. Und Sie wollen sicher auch lieber mit Kurt allein sein.«

Herbert schwieg. Katrin tat ihm leid, unschuldig Gefangene ihrer aller Lügen, die zweiunddreißigjährige, angeblich so selbstsichere Modeschöpferin, die sich in ihrer Torschlußpanik rettungslos in diesen Steinweg verliebt hatte.

»Es tut mir leid«, sagte Katrin. »Ich habe Kurt unrecht getan.«

Demütig senkte sie den Kopf. »Und auch Renate; bitte, ich will es wiedergutmachen, wenn ich darf . . .«

»Laß das nur meine Sorge sein . . .« Steinweg faßte sanft, aber bestimmt ihren Arm und führte sie nach draußen.

Als er zurückkam, lehnte er sich gegen die geschlossene Tür. Er trug enge Khakihosen und ein weißes Hemd. Unter dem dünnen Stoff zeichneten sich die glatten Muskeln seiner Schultern ab. Sein Gesicht war von dem zynischen Lächeln gespalten, das so zu ihm gehörte wie der arrogante, kalte Blick seiner Augen.

»Nun?« fragte er. »Was verschafft mir die Ehre Ihres Besuches?« Die freundliche Maske war gefallen, und seine Stimme klang ächzend und brutal überheblich.

»Sie wissen, warum ich hier bin«, sagte Herbert. »Sie wissen, was Katrin angerichtet hat.«

»Na und?«

»Es handelt sich doch nur um Vermutungen einer Eifersüchtigen, aber mein Schwager . . .«

»Es sind keine Vermutungen«, unterbrach Steinweg ihn, »es ist die volle Wahrheit. Und Sie kennen sie genausogut wie ich. Weswegen also sind Sie hier? Hat Renate Sie etwa geschickt?«

»Nein, sie weiß gar nicht, daß ich hier bin.«

»Ach so, Sie wollen also den hilfreichen Bruder spielen, der alles wieder schön in Ordnung bringt?«

Herbert räusperte sich, aber er bekam keinen Ton heraus. Schwäche überfiel ihn, Schwindel erfaßte seinen Kopf. In seinem Hals würgte es trocken.

»Na, setzen Sie sich doch«, sagte Steinweg, »immer noch die Lungenpest, wie?« Er wippte auf den Fußspitzen, die Hände in den Hosentaschen, während er zusah, wie Herbert gegen den Husten ankämpfte.

»Also, was wollen Sie?« fragte er dann, als Herbert sich nur noch die Lippen abtupfte, wieder versuchte, durchzuatmen.

»Es geht mit mir zu Ende«, flüsterte Herbert, »Sie sehen es ja selbst. Ich mach's nicht mehr lange, noch ein paar Wochen.«

»Wissen Sie, Mitleid liegt mir nicht . . .«

Herbert beachtete den Einwurf nicht, fuhr fort zu flüstern, quälte sich jedes Wort aus der schmerzenden Kehle ab. »Ich habe nur noch einen Wunsch. Lassen Sie es gut sein mit Ihrer Rache, helfen Sie uns, helfen Sie mir, wenn es nötig ist, Richard davon zu überzeugen, daß alles, was Katrin gesagt hat, nur eine Ausgeburt ihrer Fantasie war. Ihren Triumph behalten Sie ja doch. Renate wird Ihr Kind zur Welt bringen . . .«

»Was Sie nicht sagen. Und wer garantiert mir dafür?«

»Ich«, murmelte Herbert.

»Lauter, ich verstehe Sie nicht.«

»Ich«, stieß Herbert hervor.

»Ach nein! Dabei haben Sie doch angeblich nur noch ein paar Wochen zu leben – und was passiert dann, wenn Sie nicht mehr aufpassen können?«

»Sie sind das mieseste, gemeinste Stück Mensch, das ich kenne«, sagte Herbert. Er erhob sich aus dem Sessel. Er zwang sich, aufrecht zu stehen, nicht zu schwanken unter der Erschöpfung, die dem Hustenanfall gefolgt war.

»Ich kann das Kompliment nur zurückgeben«, Steinweg lächelte, »oder halten Sie sich vielleicht für etwas anderes? Ein Bruder, der zusieht, wie seine Schwester ihren Mann betrügt und nichts dagegen unternimmt, oder erst dann, wenn es schon zu spät ist. Ein Bruder, der sich vom Mann seiner Schwester aushalten läßt, weil er selbst nicht dazu in der Lage ist, sich durchzubringen! Ich muß schon sagen – eine feine Familie!«

»Ich bin krank.«

»Krank, krank«, höhnte Steinweg, »eine feine Entschuldigung für einen Schwächling wie Sie. Genau das sind Sie nämlich, ein angstschlotternder Schwächling, der jetzt fürchtet, daß der reiche Schwager ihn samt seiner Schwester verstößt, daß er sein weiches Bett verliert, das monatliche Taschengeld, die reichen Fleischtöpfe und die schöne Bequemlichkeit. Wenn Sie das wenigstens jetzt noch zugeben würden – aber nein, das können Sie natürlich nicht, denn sogar dazu sind Sie zu feige.«

»Es ist schon so viel geschehen«, murmelte Herbert.

»Da haben Sie allerdings recht«, sagte Steinweg.

»Es ist so viel gelogen worden, daß es jetzt auf eine Lüge mehr oder weniger nicht mehr ankommt«, sagte Herbert, »noch ist es nicht zu spät . . .«

Steinweg zuckte mit den Schultern. »Ich habe keine Lust, mir lange Predigten von Ihnen anzuhören«, sagte er. »Wenn Renate etwas von mir will, kann sie ja selbst zu mir kommen.« In seine Augen trat ein böses Funkeln. »Oder ist sich die Dame auf einmal zu schade dafür? Gefällt es ihr hier nicht mehr? Ich kann mich daran erinnern, daß sie einmal ganz verrückt danach war,

hierher zu kommen.« Seine Zunge fuhr über seine Lippen.
»Richten Sie ihr meinen Gruß aus. Und das wäre alles für heute.
Auf Wiedersehen, Verehrtester!«

Und damit öffnete er die Tür, die nach draußen führte.

»Richard ist fort«, sagte Renate. Sie saß da mit diesem glatten,
weißen Gesicht, in dem nichts an Ausdruck war, diesem leeren
Wachsgesicht, das sie schon den ganzen Tag über trug. Sie saß
auf ihrem Bett, und vor ihr, auf dem grauen Veloursboden, standen die schwarzen Lederkoffer in einer Reihe, der breite, flache
für die Kleider, der rechteckige, hohe für die Schuhe und die
runde Kosmetikbox.

Herbert warf sich in einen Sessel. Er rieb sich die Wangen, ihm
war, als sei die Haut so straff gespannt, daß sie jeden Augenblick
reißen könnte. Sie fühlte sich an wie Pergament.

»Was hat Richard dich gefragt? Was hat er überhaupt gesagt?
Mein Gott, Renate, jetzt laß dir nicht jedes Wort herausziehen.
Sprich doch endlich!«

»Nichts hat er gesagt. Nur, daß er allein führe und daß ich ja
Zeit hätte, mir zu überlegen, warum . . . Ach, Herbert, es ist alles
vorbei!«

»Er hat keine Beweise«, sagte Herbert, »er kann keine haben.«

Plötzlich lachte Renate flach auf. »Katrin hat mich eben angerufen. Sie wollte sich bei mir entschuldigen und bei Richard natürlich auch. Rührend, nicht wahr? Als ob das jetzt noch etwas
nützte.«

»Wir haben noch eine Chance«, sagte Herbert.

Sie wandte ihm ihr Gesicht zu, es trug jetzt beinahe Spott zur
Schau. »Was du nicht sagst.«

»Du mußt zu Steinweg gehen«, sagte er.

»Zu Steinweg! Nie mehr!« Sie schrie es fast.

»Du mußt es tun«, sagte er beschwörend. »Wir haben keine
andere Wahl. Ich habe nichts bei ihm ausrichten können. Aber
du, dir wird es gelingen. Du mußt zu ihm gehen. Er hat es – verlangt. Er hat gesagt, wenn du etwas von ihm wolltest, müßtest du
selbst kommen . . . Wie gut, daß Richard fort ist, das gibt dir
Zeit, eine Menge Zeit.«

»Du verlangst, ich soll zu Steinweg gehen«, wiederholte sie,
als könne sie es einfach nicht fassen. »Jetzt noch . . .?«

»Ich kann dich nicht zwingen«, sagte Herbert, »aber wenn dir noch etwas an Richard liegt, wenn du nicht alles verlieren willst, dann gibt es keinen anderen Weg.«

»Du vergißt, daß ich ein Kind erwarte.«

»Keinen Augenblick«, unterbrach Herbert sie, »und gerade deswegen glaube ich, daß Steinweg Richard gegenüber alles abstreiten wird, wenn du es nur richtig anfängst und . . .«

»Ja?« Sie sah ihn immer noch an.

»Ich meine, ich will dir auch helfen.«

»Wie?«

»Dich abschirmen gegen Richard, auch später . . .«

»Warum?«

»Renate, du weißt, wie sehr mir das alles zuwider ist. Ich hasse mich selbst für das, was ich von dir erbitte.«

»Warum tust du es dann?«

»Ich – ich denke an Mutter. Sie ist zu alt, um noch einmal von vorne anzufangen, irgendwo allein, in Not und Elend.«

»Wirklich? Du denkst an Mutter?«

»Ich denke auch an Peter, deinen Sohn. Soll er ein Kind werden, das ohne Mutter aufwächst? Soll er zu denen gehören, die später von ihren Eltern höchstens als von ihren Erzeugern sprechen? Soll er dich, seine Mutter, einmal hassen? Er hat jetzt schon gemerkt, daß zwischen dir und Richard etwas nicht stimmt. Er hat mich heute mittag gefragt, warum der Papi so böse auf dich sei, und dabei ist er erst fünf Jahre alt.« Herbert begann, immer schneller zu reden, in einem beschwörenden Ton. »Nimm einmal an, du läßt jetzt alles laufen, unternimmst nichts mehr, gewinnst Richard nicht zurück. Dann wird er sich scheiden lassen. Du wirst von einem Tag zum anderen unmöglich sein. Die Anwälte werden ans Licht zerren, daß du ein Kind von einem anderen Mann erwartest. Weißt du, was das bedeutet? Daß du ohne einen Pfennig, ärmer, als du hierher gekommen bist, wieder gehen mußt. Man wird natürlich Peter Richard zusprechen, du darfst ihn vielleicht nicht einmal mehr sehen, nie mehr.«

»Um was geht es dir eigentlich?« fragte Renate. »Um Mutter, um Peter – oder um dich selbst?« Sie sah ihn mit Augen an, deren Blick er nicht deuten konnte.

»Um uns alle«, sagte er spröde.

»Um uns alle«, wiederholte sie und lauschte dem Klang der Worte nach. »Daran habe ich auch zweimal geglaubt, damals, als ich zum erstenmal zu Steinweg ging. Da habe ich gedacht, ich tu es für uns alle, ich will uns alle vor ihm beschützen. Damals habe ich es nicht geschafft – wie soll es mir heute gelingen?«

»Versuch es wenigstens«, drängte Herbert, »appelliere an sein Mitleid.«

»Das hat er noch nie gehabt«, sagte sie bitter.

»Mach ihm Versprechungen, auch wenn du sie später nicht hältst. Ich werd' dir schon weiterhelfen, ich hab' dir ja auch bisher geholfen.«

»So weit sind wir gekommen«, sagte sie, »daß mein eigener Bruder zu meinem Zuhälter wird. Ja«, sagt sie, »starr mich nur an, aber das bist du – ein Zuhälter!« Und dann, ganz kalt: »Laß mich allein, verschwinde. Ich will dich nicht mehr sehen!«

Renate tat nun alles ganz methodisch. Sie packte ihre Koffer wieder aus, hängte die Kleider in den Schrank zurück, behutsam, als gehörten sie ihr nicht. Sie legte ihren Schlüsselbund auf den Schreibtisch, ihr Scheckbuch dazu. Sie streifte Ringe und Armbänder ab, bettete sie in die Samtfächer der Schmuckschatulle. Sie nahm Richards und Peters Fotos aus den Rahmen und steckte sie in ihre Handtasche.

Sie zog ein Kleid an, das sie aus dem hintersten Winkel des Schrankes hervorzog, ein schlichtes, graues Flanellkostüm, das erste, welches sie sich von selbstverdientem Geld gekauft, etwas von dem wenigen, das sie mit in die Ehe gebracht hatte.

Sie zog den grauen Trenchcoat über und band ein grünes Kopftuch um. Sie nahm nur den kleinen leeren Wochenendkoffer mit.

Draußen auf dem Flur zögerte sie. Es war dunkel, nur unter der Tür zum Zimmer ihrer Mutter war ein schmaler Streifen Licht.

Während sie näher schritt, hörte sie das Öffnen und Schließen von Schubladen, das Quietschen eines Möbelstücks, das verschoben wurde.

Sie klinkte die Tür auf.

Ihre Mutter stand über das Bett gebeugt. Darauf lag ein Koffer, und ihre Mutter ließ gerade die Schlösser zuschnappen.

»Die Ratten verlassen das sinkende Schiff.«

Ihre Mutter drehte sich langsam um.

»So ist es doch, nicht wahr?« sagte Renate.

Ihre Mutter setzte sich neben den Koffer auf das Bett. Sie faltete ihre Hände im Schoß, die verarbeiteten, grobknochigen Hände mit den roten Gelenken.

»Ich kann nicht mehr, Renate«, sagte sie leise. »Ich bin zu alt zu alldem. Ich habe mich so gefürchtet in all den Wochen, jetzt weiß ich nicht mehr weiter.«

»Du läßt mich im Stich«, sagte Renate, »ihr alle laßt mich jetzt allein.«

»Nenn es, wie du willst, ich muß fort aus diesem Haus.«

»Ich habe es für euch getan«, sagte Renate. »Wenn ihr nicht hier gewesen wäret, hätte alles einen anderen Gang genommen. Erinnerst du dich noch, als Herbert aus dem Sanatorium zurückkam? Da habe ich den Entschluß gefaßt, zu Steinweg zu gehen. Ich wußte, er würde mir nachstellen, ich wußte, es war nur eine Frage der Zeit, wann Richard davon erfahren würde, und so ging ich zu Steinweg, um ihn zu bitten, mich in Ruhe zu lassen, uns alle in Ruhe zu lassen. Gut, was dann geschah, war meine Schwachheit, aber den ersten Schritt, den habe ich für euch getan, für dich und Herbert. Und weißt du noch, wie du an meinem Bett gesessen hast, als ich versucht hatte, mich umzubringen? Da hast du gesagt, es geht ja nicht um mich, sondern um Herbert. Er ist krank, und er hat nicht mehr lange zu leben. Tu nichts, was ihm die letzten Monate noch vergällen könnte. Und ich habe Richard weiter belogen, Tag für Tag, Stunde für Stunde. Es ist mir nicht leichtgefallen, glaub mir das, denn zufällig liebe ich meinen Mann, und ich hätte eher die Konsequenzen gezogen und ihn verlassen, als ihn weiter zu belügen. Ich habe es für euch getan. Es war Wahnsinn, aber so ist es. Und alle Lügen haben uns nicht weitergebracht, sondern nur noch tiefer hineingerissen.«

»Wir hätten niemals zu dir ziehen sollen«, sagte ihre Mutter, »weder ich noch Herbert. Wir sind dir immer eine Last gewesen.«

»Das ist nicht wahr, und du weißt es genau. Aber heute wünsche ich, ihr wärt wirklich nicht hier gewesen, denn dann hätte ich wenigstens ehrlich bleiben können.«

»Ich wünschte, ich hätte euch nie geboren«, flüsterte ihre Mutter.

»Danke«, sagte Renate, »das hat mir noch gefehlt.«

Draußen riß Renate ihren Wagen aus der Garage. Sie jagte den Motor hoch, noch ehe sie die Ausfahrt verlassen hatte.

Hinter ihr im Haus, in der Halle, flammte Licht auf. Herbert stand in der erleuchteten Tür. Sie sah es im Rückspiegel.

Zu spät, sie lachte bitter. Auch ich mache eine Reise, genauso wie Richard, aber nicht allein, und ich kehre auch nicht davon zurück.

Die Scheinwerfer schnitten weiße, glatte Streifen aus der Dunkelheit. Wie graue Riesen richteten sich die Bäume am Straßenrand darin auf, fielen hinter dem dahinrasenden Wagen langsam wieder zurück.

»Wenn du müde bist, löse ich dich gerne ab«, sagte Barbara.

Richard nahm seinen Blick nicht von der Landstraße, die schmal und gewölbt die Hügel des Bergischen Landes durchschnitt.

»Gib mir bitte eine Zigarette«, sagte er.

Er hörte, wie sie den Handschuhkasten aufklappte, dann das Feuerzeug aufschnippte. Ihre warme Hand berührte die seine, als sie ihm die Zigarette reichte, die sie für ihn angeraucht hatte.

»Ich danke dir, daß du mit mir kommst«, sagte er.

Sie antwortete nicht.

»Und auch, daß du keine Erklärung verlangst«, fügte er hinzu.

Sie machte sich am Radio zu schaffen, drehte an den Knöpfen. Musikfetzen sprangen heraus, dann glockenklar eine Frauenstimme, auf einer sanften, getragenen Melodie. »Ich liebe dich so wie du mich, am Abend und am Morgen ...«

»Mach das aus«, sagte er.

Barbara knipste das Radio aus.

Aus den Augenwinkeln sah er, wie sie dann aufrecht, beinahe steif dasaß.

Er drückte die Zigarette im Aschenbecher aus.

»Ich werde dir eines Tages alles erklären, aber du mußt Geduld haben«, sagte er.

Er hörte ihre stummen Fragen. Warum hast du mich angerufen, warum fahre ich hier mit dir, zu einem unbekannten Ziel, warum, warum, warum?

»Wir sind bald da«, sagte er laut, »es ist ein hübscher, alter Gasthof, und er wird dir gefallen.«

Warst du schon einmal dort? fragte sie stumm. Und wann und mit wem?

»Meine Eltern fuhren jedes Jahr im Herbst hin. Sie hatten sich dort kennengelernt, bei einem Sommernachtsball der Studentenverbindung, der mein Vater angehörte. Als ich mein Abitur gemacht hatte, nahmen sie mich zum ersten- und letztenmal mit. Ich bin nie wieder dagewesen.«

»Vielleicht gibt es ihn gar nicht mehr«, sagte sie. Ihre Stimme war tiefer als sonst, und er wußte, sie wollte in Wirklichkeit fragen: Warum fährst du mit mir dorthin? Warum ausgerechnet mit mir? Könnte es nicht auch eine andere sein?

Ich kann ihre Gedanken lesen, dachte Richard verwundert. Ich kenne sie, als hätte es nicht nur die beiden verrückten Sommer gegeben, bevor sie nach Rio ging, und dann acht Jahre lang nichts mehr. Ich kenne sie, als hätte ich ein ganzes Leben mit ihr verbracht. Und er war mit einemmal beinahe froh. Er war nicht mehr unsicher, etwas von der Verkrampfung, die ihn den ganzen Tag über nicht verlassen hatte, löste sich. Mit einemmal war es nicht mehr der Gedanke, ich tu nur das, was andere Männer auch tun, ich revanchiere mich für den Ehebruch meiner Frau mit einem eigenen, sondern er dachte: Ich werde mit Barbara ein Wochenende verbringen, mit der schönen und klugen und verständnisvollen Barbara, die ich kenne wie mich selbst.

Er nahm seine Hand vom Steuerrad und legte sie auf die ihre. Er spürte, wie ihre Finger einen Herzschlag lang zuckten, dann schmiegten sie sich in seine Hand.

»Ich fahre mit dir dorthin, Barbara«, sagte er, »und ich werde dich dort kennenlernen, wie mein Vater meine Mutter kennengelernt hat.«

»Es ist wirklich zu komisch«, sagte Steinweg. Seine Lippen waren schmal vor Spott. »So viel Besuch an einem Tag hat dieses Haus noch nicht gesehen. Erst die zerknirschte, demütige Katrin, die dein Bruder weichgemacht hat, dann er selbst, winselnd wie ein geprügelter Hund, und nun du – welche Rolle gedenkst du zu spielen?«

»Gar keine«, sagte sie.

»Oh, ich höre es an deiner Stimme! Noch immer die alte Überheblichkeit, noch immer die gleiche stolze Renate?« Er schüttelte lächelnd den Kopf. »Unverbesserlich, wirklich.«

Renate trat neben ihn an die Bar und nahm ihm das Glas Cognac aus der Hand.

Er blickte sie aufmerksam an, während sie es leer trank.

»Seit wann bist du unter die Säufer gegangen?« fragte er dann.

»Mir ist kalt, das ist alles«, sagte sie und hielt ihm das Glas hin, damit er es erneut füllte. Aber er tat es nicht. Er nahm es ihr aus der Hand und stellte es zur Seite.

»Warum bist du hier?« fragte er. »Sieh mich an.« Er faßte ihr unters Kinn und riß es hoch. »Was willst du? Auch um Gnade winseln? Damit ich deinem geliebten Richard erzähle, alles sei ja ganz anders, du seiest tugendsam wie eh und je, nur ich sei das Schwein, das dich verfolgt und gequält habe. Aber natürlich hättest du nicht nachgegeben, denn du liebtest ihn ja so sehr . . .«

»Nein«, sagte sie ruhig, und ebenso ruhig löste sie ihr Kinn aus seiner Hand. Sie trat zur Seite an den Kamin und lehnte sich gegen die Wand.

»Was willst du dann?«

»Ich habe eingesehen, daß du recht hattest, damals, als ich zum erstenmal wieder zu dir kam«, sagte sie. Ihre Stimme klang fest und so, wie sie es wollte. »Du hast mich nie vergessen können, und ich habe es auch nie gekonnt. Lach nur«, sagte sie, »aber es ist so.« Sie wandte den Kopf und sah ihn an. »Ich bin nicht von dir losgekommen, und deswegen bin ich jetzt hier.«

»Du möchtest wohl gern, daß ich das glaube«, sagte er und hörte auf zu lachen. »Aber den Gefallen tu ich dir nicht.«

»Es ist die Wahrheit«, sagte sie.

Er schüttelte den Kopf. Seine Augen glänzten kalt und mißtrauisch. Aber sie sah den Funken Unsicherheit und auch die vage Geste, mit der er sich mehrmals über das Haar strich.

»Es ist die Wahrheit«, wiederholte sie.

»Nein«, sagte er. »Ich glaube dir nicht. Zu oft hast du mich fühlen lassen, daß dein Haß auf mich größer ist als deine angebliche Liebe. Ich weiß nicht, was du willst, aber du bist nicht hergekommen, um mir zu beweisen, wie sehr dein unschuldiges Herz an mir hängt.«

»Ich bin hergekommen, weil du es so wolltest.«

»Ich habe deinem Bruder gesagt, wenn deine Schwester etwas will, dann soll sie selbst kommen . . . aber was willst du?«

»Daß wir ganz von vorne anfangen. Du und ich.«

Er starrte sie an. Sein Mund begann zu zucken. »Von vorn«, flüsterte er heiser. »Nach sieben Jahren, in denen du im Bett ei-

nes anderen gelegen hast . . . Ich war dein erster Mann . . . ich
habe dich geliebt . . . Du . . . du hast mich . . .« Er schluckte,
würgte.

Sie blickte ihn fest an. »Ich hätte Richard verlassen, auch wenn
er nichts von uns erfahren hätte. Ich kriege ja auch dein Kind,
nicht wahr?«

Seine Augen verengten sich, er preßte die Lippen zusammen.

Sie spürte, wie ihr Herz klopfte, schnell und hart, daß es ihr
fast den Atem nahm. Schweiß trat ihr auf die Stirn, ihre Hände
wurden feucht. Übelkeit krampfte ihren Magen zusammen. Aber
sie dachte: Ich muß es schaffen, es muß mir gelingen, ihn zu
überzeugen.

»Bitte«, flüsterte sie, »glaub mir – ich will neu anfangen. Mit
dir. Nur deshalb bin ich gekommen. Ich habe meinen Mann und
mein Kind, meinen Sohn, verlassen. Deinetwegen. Laß uns wegfahren. Vergiß, was alles gewesen ist, laß es uns beide vergessen.
Bitte, laß uns in die Eifel fahren, erinnerst du dich noch . . .«

»Du meinst es nicht ehrlich«, flüsterte er. »Du hast Hinterge-
danken, ich spüre es.«

»Kurt – vergiß alles, was war. Ich bin hier – ich bin bei dir – du
hast gesiegt. Genügt dir das nicht?«

»Ich wünschte, es wäre wahr«, murmelte er.

»Laß uns wegfahren – weg von hier. Bitte, laß uns in die Eifel
fahren. Dort, wo es so schön war . . .«

»Renate . . .« Er brach ab. Dann begann er laut zu lachen. Er
packte ihre Schultern, schüttelte sie. »Ich war ein blöder Hund«,
rief er. »Ein ganz blöder Hund. Vor lauter Haß auf deinen Mann
habe ich nicht mehr klar gesehen. Aber jetzt sehe ich klar: Du
hast mich nie vergessen können«, sagte er, und seine Stimme zitterte vor Triumph, »deshalb bist du hier!«

»Nein«, flüsterte Renate, »ich habe dich nie vergessen können.«

»Du hast gewonnen!« rief er. »Jawohl – wir fangen von vorne
an! Jawohl – wir fahren weg – meinetwegen in dein kleines Nest
in der Eifel. Sag schon, wann soll es losgehen?«

»Jetzt gleich!«

»Du hast es sehr eilig – nicht wahr?« Er hob seine Hand und
legte sie an ihren Hals, strich an ihm entlang.

Sie erschauerte, Ekel sprang sie würgend an, aber sie zwang
sich zu einem zärtlichen Lächeln.

»Warum bleiben wir nicht einfach hier, schließen alles ab? Niemand wird kommen!«

»Nein, nicht hier« – sie hätte schreien mögen, aber sie flüsterte nur –, »laß uns wieder in die Eifel fahren, bitte.«

Während er in seinem Schlafzimmer einen Koffer packte, saß sie vor dem Kamin. Sie hatte den Mantel nicht abgelegt, aber sie fror. Sie streckte die Hände gegen die gelbzüngelnden Flammen, aber sie blieben kalt, gefühllos, wie abgestorben.

Bald werdet ihr für immer kalt sein, dachte sie, für immer gefühllos, für immer tot, und sie betrachtete ihre langen, schlanken Hände, die weiße glatte Haut, als gehörten sie ihr schon nicht mehr.

»Wir können gehen«, sagte Steinweg. Er war wieder eingetreten, ohne daß sie es gehört hatte. Und mit seinen lautlosen, glatten Schritten ging er zur Eingangstür. »Ich setze schon den Wagen heraus.«

»Bitte nicht!« Sie sprang auf.

Er blieb erstaunt stehen.

»Bitte, laß uns mit meinem Wagen fahren«, sagte sie. »Ich möchte fahren, ich möchte es sehr gern.«

»Na gut«, sagte er zögernd.

Sie nahm ihren kleinen Kosmetikkoffer und die Handtasche auf, folgte ihm rasch nach draußen.

Er knipste alle Lichter aus, schloß die Haustür ab.

Sie ging zu ihrem Wagen, setzte sich hinter das Steuer, ließ den Motor anspringen. Gleich darauf stieg Steinweg zu.

Renate lächelte ihn an und sagte: »Ich hatte solche Angst, daß du nicht mit mir kommen würdest, aber jetzt ist alles gut . . .«

12

Die Straße spiegelte sich naß im Licht der Scheinwerfer. Sie schraubte sich zwischen den nachtdüsteren Hängen der Berge hinauf, in engen Windungen, scharfen Kurven. Die Scheibenwischer klackten monoton, der Motor grollte dumpf auf der Steigung.

»Fahr langsamer«, sagte Steinweg.

Renate wandte rasch den Kopf. Im matten Licht der Armaturenbeleuchtung sah sie, daß er Angst hatte. Zum erstenmal, seit sie ihn kannte, zeigte er Furcht.

»Du hast ja Angst«, sagte sie spöttisch.

»Unsinn.« Aber das zynische Lächeln war aus seinem Gesicht gewischt, es wirkte plötzlich seltsam nackt und ungefährlich.

»Du fährst wie eine Verrückte. Halt an und laß mich ans Steuer.« Sie sah, daß seine Hand krampfhaft den Haltegriff am Armaturenbrett umklammerte.

»Ich kenne doch die Straßen in der Eifel und meinen Wagen!« Sie lachte.

»Halt an!« schrie er sie an.

Sie schüttelte langsam den Kopf. Ihre Hände faßten das Steuerrad fester, sie drückte das Gaspedal ganz durch, schoß in die Kurve. Die Reifen kreischten, der Wagen schlingerte.

»Du bringst uns um!«

Sie lachte noch immer.

Die Scheinwerfer erfaßten das Warnungsschild, griffen es weiß und rot aus dem Dunkel. Sie rasten darauf zu, in die nächste Kurve.

Und dann lag unten, tief unter der Straße, unter dem steilen, von krüppeligem Holz bewachsenen Hang der See, jetzt schwarz, nur ein erahnter Teil der Nacht. Kein Licht weit und breit, nur die grelle Spur der Scheinwerfer, welche links den Steilhang und rechts den Abgrund begrenzten.

Warnungsschilder, rotweiße Dreiecke, helle Leitschienen, weißer Totenkopf auf schwarzem Grund.

Sie trat die Kupplung, zog den Schalthebel herunter in den kleineren Gang. Der Wagen erzitterte unter seiner eigenen, berstenden Kraft.

Angst, Entsetzen, Panik? Das alles mochte Steinweg empfinden. Aber sie nicht mehr. Sie hatte sich lange genug in Angst und Verzweiflung verzehrt. Jetzt, in der Sekunde der Entscheidung, lachte sie der Panik ins Gesicht.

Steinwegs Hand tauchte neben ihr auf, klammerte sich um das Steuer, zerrte daran.

Zu spät. Der Wagen schoß auf die Leitplanken zu, zerfetzte sie, als seien sie aus Papier.

»Nein!« schrie Steinweg.

Der Wagen hob sich erst hinten, ganz langsam, wie es Renate schien, vorne fraßen sich die Räder in den Boden, wühlten das Erdreich auf, und es war ihr, als befinde sie sich mitten in einem grellbunten Kaleidoskop, Scherben aus Licht und Dunkelheit prasselten auf sie nieder, sie wurde um und um geschleudert . . . vorbei.

Die Scheinwerfer brannten noch. Das Kabriolett lag auf dem Verdeck mitten im Hang. Es war gegen einen Baum geprallt und von ihm aufgefangen worden.

»Menschenskind«, murmelte der Mann, der oben zu den zerfetzten Leitplanken gelaufen war. »Menschenskind.« Er fuhr sich mit Daumen und Zeigefinger zwischen Hals und Kragen.

»Karl, was ist denn passiert?« rief seine Frau vom Wagen aus.

Er ging zu ihr. »Ein Unfall, siehst du doch.«

Seine Frau machte Anstalten, auszusteigen.

»Bleib sitzen«, sagte er.

»Aber wir können doch nicht wegfahren, wir müssen doch nachsehen, ob sie verletzt sind . . .«

»Je eher ein Arzt hier ist, desto besser – und ich bin keiner«, sagte er und fuhr los.

»Wer war in dem Wagen?« fragte sie.

»Ich hab's nicht genau sehen können. Aber rausgeschleudert worden ist keiner.«

Der nächste Ort lag drei Kilometer entfernt. In der Wirtschaft trafen sie den Arzt und den Dorfpolizisten beim Skat. Der Polizist benachrichtigte die Unfallstreife, der Arzt holte seine Erste-Hilfe-Tasche.

»Bleib hier, Clara«, sagte der Mann zu seiner Frau, »ich komme bald wieder.«

Sie nickte und widersprach nicht, was selten war.

Der Arzt fuhr mit ihm zurück an die Unfallstelle. Sie stiegen den Hang hinunter. Das Erdreich war locker und glitschig vom Regen, einmal rutschte der Mann aus. Seine Hosen und sein Mantel waren dreckverschmiert.

Die Türen des Kabrioletts waren durch den Sturz verklemmt. Der Arzt leuchtete mit einer Taschenlampe in das Innere des Wagens.

Eine junge Frau mit silberblondem Haar lag über dem Steuerrad. Sie konnten ihr Gesicht sehen. Es sah aus, als lächele sie im Schlaf.

Neben ihr lag zusammengekrümmt ein Mann. Sein Kopf war seltsam verdreht. Sie sahen nur einen Winkel des blutverschmierten Mundes.

Der Arzt langte durch die zerbrochene Scheibe. Er hob den Kopf der Frau an. Sie stöhnte leise.

»Die müssen verrückt oder betrunken gewesen sein«, sagte der Mann. »Die Straße ist doch neu und so breit, und dann die Leitplanken – ich kann es nicht verstehen.«

Der Arzt war um den Wagen herumgegangen und hob den Kopf des Mannes an.

»Wie sieht's mit dem aus?«

»Tot«, sagte der Arzt.

Sie rüttelten gemeinsam an den Türen, aber sie bekamen sie nicht auf.

Der Arzt gab der Frau eine kreislaufstärkende Spritze in die Vene des linken Armes.

Dann traten er und der Mann zur Seite und zündeten sich Zigaretten an. Sie rauchten und warteten auf die Funkstreife.

Die Schankstube des alten Gasthofs war erfüllt von den Geräuschen, die vom Stammtisch herüberdrangen, Männerlachen und das Klirren von Gläsern.

»Du bist so schweigsam geworden«, sagte Richard.

Der Wirt hatte eine dicke, gelbe Wachskerze auf ihren Tisch gestellt, und das Gesicht von Barbara schimmerte matt wie Elfenbein. Ihre Augen waren groß und dunkel. Sie lächelten. Aber es war Richard, als sei eine ferne, vage Traurigkeit darin.

»Trink noch ein Glas«, sagte er, »der Wein ist wirklich gut.«

Er war froh, daß er mit ihr hierhergekommen war, in diesen alten, bäuerlichen Gasthof mit den eichenverschalten Wänden, dem blinkenden Kupfergeschirr und den schweren, gußeisernen Kaminrosten, welche in die Theke eingelassen waren.

Nur wenige Gäste waren zu sehen. Lediglich der Stammtisch in der halbrunden Ecke war besetzt. Das Lokal atmete die heimische, nur noch selten anzutreffende Atmosphäre alter Weinstuben.

Richard wollte kein modernes Hotel, kein Neonlicht und keine eleganten Schwedenmöbel. Er wollte diesmal keine Pagen sehen, welche die Hand aufhielten, keine Langusten vom Grill essen und keinen Champagner trinken, sondern er wollte einen Wirt, der seine Gäste noch selbst bediente, ein kräftiges Essen und einen herben Landwein. Er wollte nichts als das einfache, gute Leben.

»Woran denkst du?« fragte Barbara.

Er sagte es ihr.

»Das einfache, gute Leben«, wiederholte sie leise.

»Das gibt es noch«, sagte er.

»Ja«, sie nickte, »aber . . .« Sie verstummte und dachte an das Zimmer oben, mit dem breiten Nußbaumbett, den Schaffellen auf den weißgescheuerten Dielen, den sonnenverblichenen Leinenvorhängen an den Fenstern und dem grünen Kachelofen.

»Aber wir können es nicht so anfangen«, sagte sie.

»Du willst also Erklärungen?« Er zwang sich zu einem Lächeln.

Sie schüttelte den Kopf. »Nein, nicht jetzt. Dazu ist es zu früh. Weißt du noch, was du mir auf der Herfahrt erzählt hast? Von deinen Eltern, die sich hier kennengelernt haben, und daß du mit mir hierher führst, weil du mich kennenlernen wolltest.«

Er nickte.

»Auch dazu ist es zu früh«, sagte sie. »Es tut mir leid, Richard, wirklich, aber ich habe mich selbst überschätzt. Ich bin nicht so modern, so kaltschnäuzig oder wie immer du es nennen willst. Ich kann nicht mit dem Mann einer anderen ein Wochenende verbringen, so einfach, mit allen Konsequenzen. Ich kann nicht über meinen eigenen Schatten springen . . .«

»Auch dann nicht, wenn du den Mann schon Jahre kennst?«

»Auch dann nicht. Ich habe es versucht. Ich wollte es, aber gerade, weil du es bist . . .« Sie sah ihn fest an. »Ich liebe dich, Richard, deswegen kann ich es nicht.«

»Verzeih mir, daß ich es von dir verlangt habe«, sagte er.

»Du brauchst mich nicht um Verzeihung zu bitten«, sagte sie. »Das brauchst du niemals.«

Er nahm ihre Hand in seine beiden Hände. Er strich über die weiche, warme Haut ihres Handrückens.

»Du machst es mir leicht«, sagte er. »Du machst alles so einfach für mich. Als ich dich an dem Morgen im Flugzeug wiedertraf, als wir den Tag miteinander verbrachten, wie wir früher viele Tage zusammen verbracht hatten, und als wir uns dann trennten, da war ich dir dankbar, daß es ohne jede Verpflichtung geschah. Ich wußte, ich brauchte dich nicht anzurufen, wenn ich es nicht wollte. Ich wußte, wir würden uns nicht wieder treffen, wenn ich es nicht wollte. Du hattest mir einen wundervollen Tag geschenkt, aber dabei wollte ich es auch belassen. Denn ich liebte meine Frau.« Erst jetzt wurde ihm bewußt, daß er erzählte. Einen Augenblick lang war er verwirrt. Aber als er Barbaras Augen sah, voller Verständnis und nichts weiter, da wußte er, daß er weitersprechen konnte.

»Schon damals war zwischen Renate und mir einiges nicht in Ordnung. Sie war immer sehr sensibel, aber seit einigen Wochen, seit meiner Amerika-Reise, reagierte sie völlig fremd und verändert. Sie war reizbar, verschlossen, nervös und wich mir aus. Es gab keine Aussprache, aber ich mußte endlich Klarheit haben. Es ging einfach nicht mehr weiter, verstehst du. Ich verlor meine Sicherheit und meine Liebe zu ihr. Aber das wollte ich nicht. Ich habe dann eine Detektei mit ihrer Beobachtung beauftragt. Eine Woche später, als ich die ersten Nachforschungen schon in Händen hielt, gestand Renate mir, daß sie ein Kind erwarte. Das war gestern. Ich war glücklich, glaubte ihr alles. Ich sah mir den Bericht der Detektei nicht einmal an. Ich zerriß ihn und warf ihn weg. Das war bei unserem Hausarzt. Er bestätigte mir, daß Renate im Augenblick nervlich nicht in Ordnung sei. Er meinte, wir sollten verreisen. Er schob natürlich alles auf die Schwangerschaft. Und ich auch. Heute morgen rief mich Katrin an. Sie ist Renates Freundin. Angeblich war Renate mit ihr in der Eifel, während ich in Amerika war. Katrin sagte mir nun, daß Renate mich betrüge und daß sie Beweise dafür habe. Es sei derselbe Mann, mit dem sie selbst, Katrin, ein Verhältnis habe. Es gehe schon seit Jahren. Da fuhr ich noch einmal zur Detektei. Ich habe Bertram nicht nach Einzelheiten gefragt, aber es schien für ihn festzustehen, daß ich mich scheiden lassen wollte. Dann rief ich dich an. Ich wollte Gleiches mit Gleichem vergelten, mich so benehmen, wie andere Männer sich in meiner Situation benehmen würden. Ich fuhr auch noch einmal nach Hause. Renate hätte die Möglichkeit gehabt, alles aufzuklären, mir die Wahrheit zu sagen, wenn es noch eine andere Wahrheit gab. Aber sie tat es nicht. Sie schwieg, wie sie in all den Wochen geschwiegen hatte. Ich weiß nicht einmal, ob das Kind, welches sie erwartet, von mir ist. Und ich habe nicht gedacht, daß so schnell, von einer Minute zur anderen, eine Liebe sterben kann. Ich liebe sie nicht mehr, verstehst du, es ist einfach vorbei.«

Richard schwieg und löste seine Hände von Barbaras Hand, rasch, als habe er sie viel zu lange festgehalten. Er lehnte sich zurück, trank von seinem Glas, blickte Barbara nicht mehr an.

»Und dein Kind?« fragte sie. »Was ist mit deinem Sohn?«

»Er ist noch so jung. Er versteht noch nichts. Und er wird vergessen.«

»Ich danke dir, daß du mir alles erzählt hast«, sagte sie leise. »Ich danke dir, daß ich dich verstehen darf.« Und dann, nach einer Weile: »Bitte, laß uns zurückfahren.«

»Ja«, sagte er, »wir fahren zurück.«

Es war alles gesagt, und sie blieben stumm, während sie zurückfuhren, über die Straße, auf der Nebel wallten, durch den Regen, der eintönig auf das Dach des Wagens trommelte.

Vor dem Besitztum von Barbaras Eltern in Hohenau hielt er an, und sie stiegen aus. Er nahm ihren Arm, und sie schritten zwischen den Ulmen die Auffahrt hoch.

Nirgendwo brannte Licht, und ihr Gesicht war ein blasses Oval zwischen den schwarzen Flügeln ihres Haares.

»Eines Tages«, begann er, aber sie legte sanft ihre Fingerspitzen auf seinen Mund. Sie stand nah vor ihm, und er roch den Duft nach bitteren Orangen, der aus ihrem Pelzkragen aufstieg. »Es wird Zeit vergehen«, sagte sie leise, »und ich will Geduld haben. Wenn du mich wirklich brauchst, wenn du es wirklich weißt, dann komm wieder.«

Sie wandte sich um. Er hielt sie nicht zurück. Die schwere Tür fiel hinter ihr zu.

Und auch er drehte sich um und ging zu seinem Wagen.

Richard war fort, Renate war fort, seine Mutter hatte vor einer Stunde das Haus verlassen.

Herbert war allein in dem großen, dem riesigen Haus.

Ich bin allein, dachte er, und es ist ein Glashaus. Wohin ich auch sehe, glotzt mich nacktes, kaltes, schwarzes Glas an, auf dem mit Flammenlettern meine Schuld geschrieben steht.

Du bist nicht allein, sagte die zweite, die nüchterne Stimme in ihm, oben liegt dein Neffe, der kleine Peter. Das Mädchen ist da und die Erzieherin.

Er wischte über die Marmorplatte des Tisches, als müsse er sie davonfegen, als stünden sie dort, klein wie Zinnsoldaten, und er müsse sie wegwerfen, damit er wirklich allein wäre.

Ich bin betrunken, dachte er, sinnlos und vollkommen betrunken. Er sah seiner Hand zu, die über den Tisch langte zu dem gefüllten Glas. Er sah ihr zu, als beobachte er ein Tier, ein großes Insekt, das schwerfällig über die graurote Maserung des Steins kroch.

Alle sind sie weg, dachte er und sah sich wieder in der Halle, und seine Mutter stand vor ihm, im schwarzen Mantel und schwarzem Hut, mit bleichem Gesicht, nur ihre Handtasche und einen kleinen Koffer in der Hand.

»Wo willst du hin?« fragte er.

»Ich gehe«, erwiderte sie.

»Die Ratten verlassen das sinkende Schiff!«

»Das gleiche hat Renate gesagt.« Seine Mutter blickte ihn mit trüben, erloschenen Augen an. »Ich bin zu alt, um zu verstehen, was ihr jetzt noch wollt, wohin euch eure Verblendung noch treibt.«

»Du warst selbst verblendet«, sagte er.

Sie nickte langsam. »Ja, am Anfang, und ich schäme mich. Ich kann Richard nicht mehr unter die Augen treten.«

»Wo willst du hin?« fragte er.

»Zum Bahnhof, mit dem Frühzug zu Tante Mathilde.«

»Wenn du gehst und Richard zurückkommt, ist es ein Eingeständnis von Renates Schuld. Dann wird er wissen, daß alles wahr ist.«

»Er weiß es schon«, sagte sie. »Ich kenne Richard. Es hat lange gedauert, bis er dahinterkam. Aber jetzt ist es soweit, und er wird danach handeln.«

»Du läßt uns also im Stich.«

»Ich kann nicht anders«, sagte sie still.

Und dann wartete er darauf, daß Renate zurückkehren würde, redete sich ein, daß sie zurückkommen müßte, daß sie nur das tat, was er von ihr verlangt hatte, nämlich Steinweg zu bewegen, die Wahrheit zu leugnen.

Er wartete ruhelos auf sie, und er begann zu trinken.

Er lachte scheppernd vor sich hin. Richards Geld hat mein Leben verlängert, sein Schnaps verkürzt es.

Er trank sein Glas leer, schenkte sich neu ein.

Auf das verfluchte Geld, auf das verfluchte Haus, auf mein ganzes verfluchtes, verpfuschtes Leben.

Wenn ich gesund gewesen wäre, wenn ich kein Schwächling wäre, wenn ich verflucht noch mal mich aus allem herausgehalten hätte.

Es hat sich nicht gelohnt, ich krepiere ja doch, lieber heute als morgen, lieber jetzt als gleich.

Die Gedanken krochen durch seinen Kopf, auf der schleimigen Spur seines Ekels vor sich selbst.

Richard Jansen fand ihn besinnungslos vor.

Herbert lag auf dem Boden, sein Kopf hing schräg gegen den Sitz eines Sessels. Sein Gesicht glänzte glasig rot, sein Atem kam röchelnd und rasselnd aus der eingefallenen Brust.

Richard übersah mit einem Blick, was geschehen war, das umgefallene Glas, die bis auf einen winzigen Rest geleerte Cognacflasche.

Er faßte Herbert unter den Schultern und schleppte ihn zur Couch.

Er rief Dr. Hernau an, bat ihn, sofort herüberzukommen. Dann ging er nach oben.

Er klopfte an die Tür von Gertrud Bach. Als keine Antwort kam, trat er ein. Das Zimmer war leer.

Im Schrank fehlten ein paar Kleider. Auf dem Schreibtisch lag ein Zettel. Nur wenige Worte, in ihrer ungelenken Schrift: *Ich habe dieses Haus verlassen, da es keine Verzeihung für mich gibt.*

Richard zerriß den Zettel, warf ihn in den Papierkorb.

Er ging über den Flur, trat in Renates Zimmer. Auch dieses war leer – er hatte es nicht anders erwartet.

Als der Arzt klingelte, eilten das Mädchen Lisa und die Erzieherin gleichzeitig herbei, um zu öffnen.

Richard schritt gerade die Treppe hinunter, und sie blieben verstört stehen. »Nun machen Sie doch schon auf«, sagte er.

Lisa öffnete.

Die Erzieherin trat rasch auf Richard zu. »Ich will Sie nicht belästigen, aber – ich möchte nicht mehr hier bleiben. Ich möchte kündigen.«

»Selbstverständlich«, erwiderte er kalt.

Lisa sagte ihm das gleiche, nicht ganz so sicher, ein wenig stotternd.

Er nickte und schob das Mädchen zur Seite. Einen Herzschlag lang wunderte er sich, warum sie um die Kündigung baten. Die Zerstörung, die sein Haus erfaßt hatte, war auf leisen Sohlen gekommen, es hatte keine lauten Szenen, keine großen Auftritte gegeben. Aber die Angestellten wußten es, als sei die Luft vergiftet.

»In der Bibliothek ist er«, sagte er zu Hernau und wies zu der offenen Tür.

»Ein Blutsturz?« fragte der Arzt.

»Nein, zu viel getrunken.«

»In seinem Zustand?«

Richard zuckte mit den Schultern. Er wartete in der Halle, bis der Arzt seine Untersuchung beendet hatte.

»Ich habe ihm eine Spritze gegeben«, sagte Hernau, »aber es sollte jemand bei ihm bleiben. Er könnte einen Erstickungsanfall bekommen.«

»Ich werde dafür sorgen«, Richard nickte.

»Sag mal, ist etwas nicht in Ordnung bei euch?« Der Arzt blickte ihn halb besorgt, halb neugierig an.

»Riechst du es auch schon?«

»Was?« fragte Hernau verblüfft. »Was soll ich riechen?«

»Ach, nichts«, sagte Richard, »ich hab' bloß einen Scherz gemacht.« Er brachte den Arzt nach draußen, kehrte dann in die Bibliothek zurück.

Er mischte sich einen Whisky mit viel Wasser und setzte sich so, daß er die Couch im Auge behielt, auf der Herbert lag.

»Papi!« Die helle Stimme des Jungen riß ihn aus dem kurzen Schlaf heraus, in den er versunken war.

»Papi, warum schläfst du denn hier? Warum gehst du denn nicht ins Bett?«

Richard rieb sich mit der Hand über die Augen. Das Licht der Stehlampe blendete ihn. Vor ihm stand Peter, im schlafzerdrückten Pyjama, mit verwunderten blauen Kinderaugen.

»Und was machst du hier, wenn ich fragen darf?«

»Ich hab' gehört, daß Onkel Hernau hier war, der hat doch eine doll laute Stimme, und davon bin ich aufgewacht. Die Martha ist zu mir gekommen und hat gesagt, Onkel Herbert ist krank, und du bist wieder da, aber ich soll schön weiterschlafen. Und sie hat auch gesagt, du kommst noch mal zu mir. Aber du bist nicht gekommen, und jetzt bin ich bei dir.«

»Das sehe ich«, sagte Richard. »Und nun?«

»Papi, wo ist meine Mami?«

»Sie mußte ganz schnell fortfahren.«

»Aber es ist doch Nacht?«

»Trotzdem«, sagte Richard.

»Und warum bist du wieder da?«

»Hör mal, mein Sohn, du fragst zuviel, und du gehörst ins Bett.«

Richard stand auf und nahm den Jungen auf den Arm.

»Och, ich bin aber gar nicht mehr müde.«

»Ich bringe dich jetzt ins Bett«, sagte Richard und trug ihn die Treppe hinauf.

»Warum fahrt ihr immer so viel fort?« wollte der Junge wissen. »Und warum kannst du mich nicht mal mitnehmen?«

Richard legte ihn ins Bett und deckte ihn zu. Er knipste die Nachttischlampe aus.

»Wir beide machen eine ganz große Reise«, sagte er dann.

»Wir beide?« fragte Peter aufgeregt. »Nur du und ich?«

»Ja«, sagte Richard, »nur du und ich.«

»Wann, Papi?«

»Bald«, sagte Richard.

»Versprichst du es?«

»Ja«, sagte Richard, »aber jetzt mußt du brav wieder schlafen.«

»Mh«, machte der Junge, »ich schlafe jetzt ganz doll fest, und wenn ich aufwache, dann fahren wir weg, ja?«

Richard strich ihm über die Stirn. Dann verließ er leise das Zimmer.

Ich sollte es wirklich tun, dachte Richard, als er durch das nächtlich stille Haus schritt, zurück in die Bibliothek. Ich sollte mir den Jungen morgen in den Wagen packen und wegfahren. Alles, was zu regeln ist, können Anwälte tun. Ich habe wirklich keine Lust dazu.

Herbert war aufgewacht. Er hatte sich aufgerichtet und auf einen Arm gestützt.

»Mir ist so schlecht«, stöhnte er.

»Das wird vorübergehen«, sagte Richard.

Herberts Kopf fuhr hoch. »Du?«

»Ja, ich«, sagte Richard.

»Seit wann bist du hier? Was ist mit mir passiert, warum liege ich hier, wieso ...«

»Du warst betrunken«, sagte Richard. »Hernau hat dir eine Spritze gegeben, wahrscheinlich bist du deswegen wieder so schnell zu dir gekommen. Bleib nur liegen«, sagte er und drückte Herbert auf die Couch zurück, »du kippst ja doch wieder um.«

Unwillkürlich rieb er die Hand an seinem Jackett ab, als habe er sich schmutzig gemacht. In ihm war nichts als Verachtung für den Mann, der da vor ihm lag, sein Schwager, der Bruder seiner Frau, der mit angstgeweiteten Augen zu ihm hochstarrte.

»Ich möchte nur eins wissen, für die nächsten Tage«, sagte Richard kalt. »Kommt Renate noch einmal zurück?«

»Natürlich! Sie ist doch nur – ich meine ...«

»Gib dir keine Mühe«, sagte Richard, »es interessiert mich nicht, wo sie ist.«

»Das muß es aber. Renate ist nämlich weggefahren, um dir zu beweisen, daß alles unwahr ist, was Katrin gesagt hat.«

»Ach, sieh mal einer an, du weißt also über alles haargenau Bescheid? Dir hat sie sich wahrscheinlich anvertraut, wie? Und eure Mutter habt ihr auch noch mit hineingezogen, bis sie es mit der Angst gekriegt hat und verschwunden ist?« Der Zorn preßte ihm mit einer Eishand den Magen zusammen. »Gib's doch endlich auf«, sagte er dann mühsam beherrscht. »Ich habe lange genug Zeit gehabt, mir alles zu überlegen, dahinterzukommen, was hier los war. Es spielt keine Rolle, wer dieser Kerl ist, mit dem Renate mich betrogen hat, oder wann es anfing oder ob das Kind, das sie erwartet, von ihm oder von mir ist. Aber daß ihr alles mitgemacht habt, du und deine Mutter. Daß ihr das Verhältnis noch gefördert habt, indem ihr den Mund hieltet, indem ihr vertuschtet – hab' Geduld mit Renate, sie fühlt sich nicht wohl, im Herbst ist sie ja immer so anfällig – eine kleine Erkältung, nichts weiter – ja, sie war mit Katrin in der Eifel. Sie ist bei der Kosmetikerin, beim Friseur, bei der Anprobe –« Richard äffte ihre Stimmen nach. »Nur zu Hause war Renate nie. Es war ja ganz natürlich, daß sie mir immer auswich. Ich war der blöde Hund, der Barbar, der von seiner Frau verlangte, stets zur Stelle zu sein, wenn er auch nur anrief.«

Jetzt sah er die volle Wahrheit, setzte sie zusammen, wie man aus tausend winzigen Steinen ein Mosaik zusammensetzen würde.

»Du siehst das alles ganz falsch«, flüsterte Herbert mit verwaschener Stimme.

»Nichts sehe ich falsch«, sagte Richard. »Im Gegenteil. Ich weiß sogar, warum ihr es getan habt. Weil ihr Angst hattet, daß ich euch hinauswerfen würde. Daß ich nicht die kleinste Untreue von Renate durchgehen lassen würde. Und daß ihr dafür bezahlen müßtet, indem ihr dahin zurückkehren würdet, wo ihr herkamt. Ich habe es euch nie vorgehalten, ich habe nie daran gedacht, aber ihr habt es nie vergessen. Ihr habt nach meinem Reichtum gegriffen, mit gierigen Händen, ihr habt mich lieber belogen, als nur einen Deut eurer Bequemlichkeit aufzugeben. Mein Gott, wie seid ihr doch feige und engstirnig gewesen. Und ich will dir noch etwas sagen!« Richard beugte sich zu Herbert vor. »Wenn du oder deine Mutter zu mir gekommen wäret und hättet gesagt, Richard, es stimmt etwas nicht mit Renate, sie hat ein Verhältnis, sie hat einen Liebhaber – wenn ihr das am Anfang getan hättet, gut, ich hätte mich vielleicht von Renate scheiden lassen, aber ich hätte euch nicht im Stich gelassen. Dich nicht und deine Mutter nicht.«

»Woher sollten wir das wissen . . .«, murmelte Herbert.

Richard preßte die Lippen zusammen.

»Dafür sollte ich dich verprügeln«, stieß er dann hervor. »Du hast sieben Jahre unter meinem Dach gelebt, und tust so, als hättest du mich nicht gekannt, als hättest du nicht gewußt, wie ich reagieren würde. Dafür sollte ich dich verprügeln, wenn du nicht schon so ein armer, kranker Schwächling wärest.«

Und der Zorn wütete immer noch in ihm, machte ihn eiskalt, ließ ihn Dinge sagen, die er niemals vorher auch nur gedacht hatte.

»Du hast eine Stunde Zeit, in der du deine Koffer packen und verschwinden kannst. Deiner Schwester darfst du sagen, sie soll sich nur ja davor hüten, noch einmal zurückzukehren. Ich würde sie wieder hinausprügeln.«

Oben in seinem Zimmer warf Richard sich aufs Bett. Er lag da, ausgelaugt von seinem Zorn, leergebrannt von seiner Verachtung für die Menschen, die er einmal geliebt hatte.

Er hörte Herberts schlurfenden Schritt auf dem Flur, als dieser zu seinem Zimmer ging, später, als das Haus erwachte, die Morgengeräusche aus der Küche. Er hörte Peters Plappern und seine hüpfenden Kinderschritte auf der Treppe, als er mit Martha zum Frühstück hinunterging.

Dann das kommende Taxi, wieder Herbert, der hinunterging, und das dumpfe Klappen der Haustür.

Er registrierte all diese Geräusche ohne ein Echo.

Peters Geplapper ließ nicht das Gefühl in ihm wach werden, daß sein kleiner Sohn einen neuen Tag begann, im Vertrauen auf ihn, in der Freude auf die große Reise, die er ihm versprochen hatte.

Herberts Fortgehen ließ ihn kalt, gab ihm kein Gefühl der Befriedigung oder etwa des Bedauerns.

Richard lag einfach da, hielt die Augen geschlossen und versuchte, an nichts zu denken.

Der Morgen erhellte auch die Unfallstelle am See.

Das rote Kabriolett hing immer noch dort am Hang, den Kühler an dem Baum plattgedrückt, als habe es eine Riesenfaust dagegengeschleudert.

Die Scheinwerfer der Streifenwagen waren erloschen, die Verunglückten abtransportiert. Der verantwortliche Streifenbeamte hatte den Unfall aufgenommen und das Ergebnis an das zuständige Revier weitergegeben.

Die Personalien des Toten standen einwandfrei fest: Kurt Steinweg, 32 Jahre alt, Bildhauer.

Die verletzte Frau wurde in das Krankenhaus eingeliefert. Sie konnte vorerst nicht identifiziert werden, denn sie hatte keinerlei Papiere bei sich. Ihre Handtasche fand man trotz eingehenden Suchens nicht.

Zurückgeblieben an der Unfallstelle war nur der Dorfpolizist. Er lehnte oben an den durchbrochenen Leitplanken der Straße.

Er hatte alle Mühe, die neugierig starrenden Kinder aus dem Dorf davonzuscheuchen.

»Los, los, macht, daß ihr weiterkommt«, rief er immer wieder. »Das ist nichts für euch, los, weitergehen.«

Als er aus dem Dorf die Schulglocke bimmeln hörte, atmete er erleichtert auf. Jetzt würden ihn die Kinder wenigstens verschonen. Er ging auf und ab, schlug die Arme übereinander, um etwas Wärme in seine nachtklammen Glieder zu bringen. Er wartete mißmutig auf den Abschleppwagen, mißmutig, weil er noch nicht gefrühstückt hatte.

Die Sonne schwamm milchigweiß in einem eisgrauen Himmel. Die Luft war kühl und feucht wie stets in diesem Herbst.

Katrin beendete ihre Gymnastik mit einem Schaudern und schloß schnell das Fenster.

Sie schlüpfte in ihren Morgenmantel, ging nach draußen. Sie öffnete ihre Wohnungstür, sah das Treppenhaus entlang und huschte dann schnell nach unten, holte Milch, Brötchen und die Zeitung.

In der Kochnische kochte das Wasser. Sie brühte ihren Kaffee auf. Sie hatte heute ihren Schlankheitstag und verzichtete daher auf Milch und Zucker.

Sie entfaltete die Zeitung und schlug rasch die letzte Seite auf.

»Ganz gut«, murmelte sie vor sich hin und nickte zufrieden. Aus den Kleinst- und Kleinanzeigen sprang ihr groß und fettgedruckt die Einladung zu ihrer Frühjahrsmodenschau entgegen.

Über den Anzeigen, auf dem oberen Teil des Blattes, waren noch ein paar Spalten kurzer Notizen.

Und ein Foto. Die Nachtaufnahme eines verunglückten Sportwagens. Dazu ein kurzer Text.

Sie las ihn, zuerst aus purer Neugierde, mit dem leichten, unangenehmen Gefühl: schon wieder ein Unfall, schon wieder Tote . . .

Dann sah sie sich noch einmal das Foto an. Die Wagennummer am Heck war deutlich zu entziffern.

Die Nummer kannte sie doch . . . Diese Nummer! Renates Wagennummer, die Nummer von Renates rotem Kabriolett!

Ein Mann und eine Frau waren verunglückt, hieß es in der Meldung. Der Mann war tot, er hieß K. St. Kurt Steinweg!

Sie sah, wie die Zeitung in ihren Händen zu zittern begann, sie spürte, wie das Zittern plötzlich in ihrem ganzen Körper war.

»Kurt – Renate – mein Gott!«

Sie saß da und starrte auf das Foto und auf den Text und flüsterte immer wieder: »Kurt – Renate – Kurt – Renate.«

Und dann erhob sie sich, tat es ganz langsam. Sie ging zum Telefon, als gehorchten ihr die Beine nicht.

Sie wählte Steinwegs Nummer. Nur das Freizeichen antwortete.

Sie wählte Jansens Nummer.

»Richard – ist Renate da?«

»Was willst du schon wieder?«

»Ich muß Renate sprechen.«

»Sie ist nicht da.« Er legte auf.

Katrin wählte noch einmal.

»Richard –«

»Kannst du mich nicht in Ruhe lassen?«

»Richard, es ist – Renate ist verunglückt . . .«

»Was sagst du da?« fragte er.

»Ich habe die Zeitung – es ist ihr Wagen – ich meine – weißt du, ob Kurt – ob sie mit ihm . . .«

»Bist du betrunken, oder was ist mit dir los?«

»Ich bin ganz klar«, sagte sie mit Anstrengung, »ich habe die Zeitung gelesen, den Städtischen Anzeiger. In der letzten Nacht ist ein Unfall in der Eifel passiert. Am Stausee. Es ist ein Foto dabei, und der Wagen auf diesem Foto ist Renates Kabriolett.«

13

Richard Jansen stand in seinem Arbeitszimmer an seinem Schreibtisch und blickte hinaus in den Park, wo der Nachtfrost die Sträucher und Bäume, die weite Fläche des Rasens weiß überkrustet hatte, und er lauschte auf die Stimme, die aus der schwarzen Muschel des Telefons zu ihm drang. Katrins dünne, hohe Stimme, von Schluchzen unterbrochen.

»Es ist Renates Wagen. Sie hat ihn gefahren, und sie hat ihn umgebracht!«

»Wen?« fragte er.

»Kurt! Sie hat Kurt Steinweg umgebracht!«

»Katrin, lies mir die Notiz aus der Zeitung vor.« Sie tat es.

Richard notierte den Namen des Ortes und des Krankenhauses, in das man Renate eingeliefert hatte. Er legte den Hörer auf. Das Telefon schrillte wieder, aber er nahm nicht mehr ab. Er verließ sein Zimmer, ging die Treppe hinunter.

Unten in der Halle legte Lisa gerade den Telefonhörer auf. Sie blickte ihn erschreckt, entsetzt an. Ihre Lippen bewegten sich lautlos, ehe sie flüstern konnte: »Die Polizei hat angerufen. Ihre Frau . . .«

»Ich weiß, Lisa«, sagte er. »Ich fahre jetzt ins Krankenhaus. Sagen Sie Martha, daß Peter nichts erfahren darf.«

Richard zog seinen Mantel an, tastete gewohnheitsgemäß nach seinen Wagenschlüsseln, seinen Papieren.

»Falls Herr oder Frau Bach sich melden sollten, sagen Sie ihnen, sie möchten hierherkommen.«

Lisa nickte verstört, knetete aufgeregt ihre roten Hände. »Ich hoffe, es ist – die gnädige Frau wird nicht . . .«

Richard berührte flüchtig den Arm des Mädchens. »Jaja, Lisa, das hoffen wir alle.«

Eine knappe Stunde später betrat Richard das Kreiskrankenhaus. Die diensttuende Schwester an der Pforte telefonierte auf seinen Wunsch mit dem Operationssaal.

Nein, die Operation war noch nicht beendet – er mußte sich noch gedulden – nein, sie konnte nichts sagen über den bisherigen Verlauf der Operation – die Schwester zuckte bedauernd die Schultern. Sie führte Richard in ein Wartezimmer. Vier gelbe Holzstühle standen dort, ein runder Tisch, auf dem ein paar zerfledderte Gesundheitszeitschriften lagen. Über der Tür hing ein Kruzifix.

»Haben Sie Mut«, sagte die Schwester, »unser Doktor Krüger ist ein sehr tüchtiger Chirurg.« Sie nickte Richard beruhigend zu und verließ ihn.

Mit einemmal war ihm sehr heiß. Sein Hemd klebte ihm schweißnaß an seinem Rücken, und in der Magengrube spürte er einen stechenden Schmerz.

Er zog seinen Mantel aus und hängte ihn an die Garderobe hinter der Tür. Aus dem Spiegel blickte ihm sein Gesicht entgegen, unrasiert, mit braunen, faltigen Schatten unter den Augen, dem schmal verkanteten Mund. Er strich sich mit einer reinen Gewohnheitsgebärde über das Haar. Er trat an das Fenster und verschränkte die Hände auf dem Rücken.

Der Schmerz in seinem Magen verstärkte sich, kroch in die linke Brust, fraß sich seinen linken Arm entlang.

Das ist das Herz, dachte er, ich spüre es zum erstenmal.

Draußen kreiste krächzend ein Schwarm Krähen, fette, plumpe Vögel, die gierig mit ihren Schnäbeln in die Luft hackten, als zerfetzten sie ein unsichtbares Aas.

Es dauert lange, dachte er, die Operation dauert viel zu lange.

Sie hat ihn umgebracht, hörte er Katrin schluchzen.

Sie hat uns umgebracht, dachte er.

Warum? Warum?

Sie hat alles gehabt, was eine Frau sich wünschen kann. Ich habe sie geliebt, so sehr geliebt. Wir waren glücklich zusammen, sieben volle, runde Jahre lang. Warum mußtest du mich betrügen, warum, Renate? Was habe ich dir getan, daß du mich so verlassen wolltest, mit dem anderen? Daß du gegangen bist, ohne ein einziges, erklärendes Wort?

Er zuckte zusammen, als irgendwo im Haus eine Klingel schrillte. Eine Männerstimme rief nach einer Schwester. Er hörte draußen auf dem Gang rasche Schritte. Dann wurde es wieder ruhig.

Er stand da und lauschte, aber alles blieb still. Er horchte in sich hinein, auf die quälende, anklagende Stimme. Warum mußte all das geschehen, warum muß ich jetzt hier stehen, mit leeren Händen, mit leerem Herzen, nur Scherben hinter mir, die ich nicht selbst zerbrochen habe.

Wenn sie den Mut gehabt hätte, mir zu sagen, ich habe dich betrogen, ich liebe dich nicht mehr, ich verlasse dich – aber sie hat nichts dergleichen getan. Sie hat geschwiegen, immer nur und immer wieder geschwiegen. Und ich habe nichts tun können, gar nichts. Ich durfte ihr nicht verzeihen, ich konnte nicht um sie kämpfen. Sie hat mich entmannt.

Aber laß sie nicht sterben deswegen, dachte er, straf sie nicht so. Laß sie leben. Es wird einen Ausweg geben, ob wir ihn gemeinsam finden oder jeder allein, nur laß sie leben.

Bleib am Leben, dachte er, nichts ist es wert, daß man sein Leben wegwirft. Stirb nicht, Renate.

Die Krähen hatten sich draußen auf einem Stück brockig umgeworfenen Feldes niedergelassen. Schwarz hoben sich ihre Körper von der weiß bereiften Erde ab.

Ich will alles vergessen, was du mir angetan hast, dachte er, um der guten Jahre willen, um Peters willen, unserem Sohn, ich will vergessen, wenn du weiterlebst.

»Herr Jansen?«

Er wandte sich um.

Der Arzt stand unter der Tür, trug noch den weißen Kittel, die weiße Kappe. Er sah Richard mit müden Augen an, er reichte ihm eine müde Hand.

»Krüger, ich bin der Chirurg. Die Schwester sagte mir, daß Sie hier seien.«

»Ist – die Operation vorbei?« fragte Richard mühsam.

»Ja.« Der Arzt nickte.

»Und was ist mit – mit meiner Frau?«

»Sie hat das Kind verloren. Starke Blutungen. Innere Verletzungen. Wir haben getan, was wir konnten.«

»Sie – wird doch nicht . . .?« Seine Stimme gehorchte ihm nicht mehr, er mußte sich räuspern. »Ich meine . . .«

Der Arzt hob die Schultern.

»Bitte, ich möchte zu ihr«, sagte Richard heiser.

»Sie können zu ihr gehen, sie ist noch nicht aus der Narkose erwacht, aber . . .« Der Arzt hob wieder müde die Schultern.

Der Gang hallte von ihren Schritten wider. Irgendwo rauschte ein Staubsauger. Eine junge Schwester lief rasch mit einem Frühstückstablett vorbei.

»Bitte.« Der Arzt öffnete eine Tür, ließ Richard eintreten.

Das Zimmer verschwamm im Halbdunkel. Die Vorhänge waren zugezogen. Eine Schwester erhob sich von dem Stuhl neben dem Bett, neigte stumm den Kopf und glitt nach draußen.

Richard trat langsam zum Bett.

Renates Körper war nur eine schmale Erhebung unter den weißen Laken. Darauf lagen ihre Hände, von einem seltsam bläulichen Weiß.

Zärtliche, behutsame Hände, die seinen Nacken gestreichelt hatten. Wann? Er versuchte sich daran zu erinnern, es war mit einemmal sehr wichtig. Wann zum letztenmal? Aber es fiel ihm nicht ein.

Er sah auf ihre Hände, durch die hin und wieder ein Zucken lief, lauschte auf ihren Atem, der rasselnd und manchmal lange stockend kam.

Und endlich hob er den Blick zu ihrem Gesicht.

Es traf ihn, wie ihn nie zuvor etwas getroffen hatte.

Dünn und faltig wie Pergament schimmerten die geschlossenen Lider, gelblich war die straff gespannte Haut. Der blasse Mund war halb geöffnet, in einem wehmütigen, fernen Lächeln, dem Lächeln einer alten, todmüden Frau.

Er fuhr sich mit der Hand über die Augen, als könne er ihr Gesicht so fortwischen. Aber ihr Haar blieb weiß, weißer als das Kissen, auf dem es ausgebreitet lag. Und auch ihr Mund blieb, in dem alle Traurigkeit und alle Verzweiflung gefangen waren, aber so, als seien diese längst vergangen, als könne sie jetzt endlich, endlich nach einer Ewigkeit darüber lächeln.

»Renate«, flüsterte er, »Renate!«

Er berührte ihre Hände. Sie waren kalt. Er preßte sie zwischen seinen Händen, und er bat: »Renate, wach auf, sieh mich an, hör mich, bitte, Renate, wach auf. Es wird alles gut, hörst du, wir werden alles vergessen. Wir werden nie mehr davon sprechen und nie mehr daran denken. Aber bitte wach auf. Bitte, Renate, sieh mich an.«

Und als er schon glaubte, daß es vergeblich sei, als ihr Atem leiser und leiser wurde, als das junge und doch uralte Gesicht, ihr letztes Gesicht, sich tief in ihm eingebrannt hatte, so, daß es ihn immer verfolgen würde, als er flüsterte: »Ich habe auch schuld, hörst du, niemand von uns ist ohne Schuld«, da sah er, daß sich ihre Lider bewegten, ganz sacht nur zitterten sie, und ihre Stimme kam, von weit her, sehr weit her, nicht einmal ihre Lippen bewegten sich unter dem Hauch. »Vergib mir, Richard.«

»Ich vergebe dir«, sagte er, »ich vergebe dir.«

Er sagte es noch, als sie es schon nicht mehr hören konnte.

Die Pappeln, welche den Friedhof umfaßten, reckten ihre nackten, schwärzlichen Äste in den grauen Himmel. Die Luft war schwer von Feuchtigkeit. Dünner Regen, vermischt mit Schnee, weichte die Erde auf.

Vor dem breiten schmiedeeisernen Tor stand ein Wagen hinter dem anderen. Teure, schwarze Limousinen, dazwischen hier und da ein Sportwagen, greller Farbfleck im grauen Tag.

In der Kapelle aus gelbem Sandstein drängten sich die Besitzer der Wagen, Frauen in kostbaren Pelzen, mit schicklich blassem Make-up. Männer in schwarzen Tuchmänteln, mit grauen Schläfen, die Sonnenbräune vom letzten Urlaub verblaßt unter der Maske der Anteilnahme. Es waren fast hundert, die alle gekommen waren, um Renate Jansen das letzte Geleit zu geben, die verschwenderisch blühende Kränze als Zeichen ihrer Trauer gesandt hatten.

Nur wenige von ihnen hatten Renate persönlich gekannt oder mehr von ihr gewußt, als daß sie die schöne junge Frau des großen Industriellen Jansen war.

Von ihrem Tod wußten sie nur, daß es ein tragischer Unglücksfall war. So hatte es in der Zeitung gestanden und in den Anzeigen.

Die Kerzen flackerten im Luftzug der offenen Tür. Das gelbe Wachs tropfte auf den schwarzpolierten Deckel des Sarges. Darauf starrten sie und murmelten die Gebete des Priesters mit. Aber manch einer von ihnen hob hin und wieder den Blick, sah neugierig den Mann an, der dort vor dem Sarg stand, die breiten Schultern kaum gebeugt, den Kopf so geneigt, daß nur die straffe Linie seiner Wange zu sehen war.

Was dachte dieser große, erfolgreiche Mann, dieser Richard Jansen, der hier, am Sarg seiner Frau, erkennen mußte, wie vergänglich alles ist?

Richard Jansen dachte nichts. Er starrte auf den Sarg, auf das bronzene Kreuz, das matt im Licht der Kerzen schimmerte.

Er dachte nichts, und er empfand nichts. In ihm war alles leer.

Renate war tot, und er lebte. Das wußte er und auch, daß neben ihm ihre Mutter stand, in seinen Arm gehängt. Er hörte ihr dünnes Weinen. Seine andere Hand hielt die zuckenden Finger von Peter. Hinter sich hörte er den gepreßten Atem von Herbert und hin und wieder sein unterdrücktes Husten.

Das alles registrierte er, ohne daß sich ein Gefühl daraus ergab. Wenn er überhaupt dachte, so geschah es in der Vergangenheit. Er sah Renate oben in der Eifel, auf der Wiese, wo die violetten Herbstzeitlosen wuchsen. Er sah ihr lachendes Gesicht der Sonne zugekehrt, die schräg und rot über den schwarzen Tannen stand. Er spürte ihre Arme um seinen Hals, das zärtliche Spiel ihrer Hände in seinem Nacken. Er sah sie schmal und braun am Strand von Taormina. Sand rann durch ihre Finger mit den Nägeln wie Perlmutt, und sie sagte, so vergeht die Zeit, wie der Sand verrinnt. Eines Tages werde ich alt sein und häßlich, und du wirst längst aufgehört haben, mich zu lieben. Aber ihre grünen Augen lächelten, und er begehrte sie. Sie gingen hinauf in das kühle Zimmer in ihrem Hotel. Mit nackten Füßen tappte sie über die roten Steinfliesen, und ihr Haar glänzte wie Silber im hellen Muster der Sonnenstrahlen, das durch die dünnen Vorhänge fiel. Sie sagte oft, eines Tages wirst du mich nicht mehr lieben, eines Tages wirst du mich verlassen, sie sagte es halb spielerisch, halb ernst, wie jemand, der Angst hat, an sein Glück zu glauben. Aber nicht er verließ sie – Renate hatte ihn verlassen.

Sie hat dich geliebt, sagte Gertrud Bach, und ihre alten, müden, vom Weinen geröteten Augen blickten ihn fest an. Sie hat dich vom ersten bis zum letzten Tag geliebt. Sie hat dich nicht leichten Herzens verlassen, glaube es mir.

Er fragte nicht mehr, warum?

Aber sie sagte: Dieser Steinweg war vor dir da. Als Renate ihn deinetwegen vor sieben Jahren verließ, sagte sie ihm, daß sie dich heirate wegen deines Geldes. Es war nicht die Wahrheit, aber sie wollte ihn nicht verletzen. Sie war noch so jung. Sie wußte nicht, daß es immer schlecht ist, zu lügen. Nach sieben Jahren kam Steinweg zurück. Er stellte ihr nach. Sie hatte Angst, du würdest es erfahren. Weil sie sich fürchtete, war sie unsicher und erlag ihm. Er hatte eine unheimliche Macht über sie und nutzte sie aus. Alles weitere kennst du, Richard. Was wir getan haben, weißt du. Dafür gibt es keine Entschuldigung.

Richard sagte, wir wollen alles vergessen, du und Herbert und ich.

Aber sie antwortete nein. Und dabei blieb sie.

Das war erst vor zwei Tagen gewesen, aber es war Vergangenheit.

Gertrud Bach und Herbert blieben in seinem Haus, aber es geschah nur der Leute wegen, und Richard wußte, sie würden gehen, sobald alles vorbei war.

Nein, Richard, du hast uns so viel Gutes getan, wir wollen und dürfen nichts mehr von dir annehmen. Auch das hatte Gertrud Bach gesagt, und er blickte sie jetzt an, als sie neben ihm stand. Sie hob den Kopf, ihre Augen trafen sich und hielten sich in einem langen Blick fest.

Und er sah, es ging ihr wie ihm.

Er spürte keine Verzweiflung, keine Liebe und keinen Zorn. Er verfluchte nicht das Schicksal, das in wenigen Wochen ihrer aller Leben aus der Bahn geschleudert hatte. Er empfand nichts mehr, und er wußte, es würde lange dauern, bis er diese Leere, die in ihm war, überwunden hatte.

Vier Männer in Schwarz hoben den Sarg an. Richard Jansen trat zur Seite. Die Männer trugen den Sarg hinaus. Der Priester folgte.

Richard löste Gertrud Bachs Hand von seinem Arm, gab Herbert einen stummen Wink. Und dann schritt er allein, nur mit Peter an der Hand, hinter dem Sarg her.

Eintönig fielen die Gebete in den eintönigen Tag.

»Herr, vergib uns unsere Schuld, wie wir vergeben unseren Schuldigern.«

Ich habe dir längst vergeben.

Die vier Männer in Schwarz senkten den Sarg in die Grube. Dumpf polterten ein paar Brocken Erde darauf.

Gertrud Bach, Herbert, sein Freund Christian, Katrin und all die anderen kamen auf ihn zu, murmelten Worte, die er nicht verstand, er sah sie alle und erkannte doch nur ein einziges Gesicht. Das Gesicht von Barbara, die scheu, als habe sie kein Recht, hier zu sein, rascher als die anderen, an ihm vorbeitrat. Ohne daß er es wollte und zum erstenmal, seit Renate gestorben war, hörte er in sich eine andere Stimme, Barbaras Stimme.

Es wird Zeit vergehen . . .